Joaquim Nabuco e Wisconsin

CENTENÁRIO DA CONFERÊNCIA NA UNIVERSIDADE
ENSAIOS COMEMORATIVOS

Severino J. Albuquerque [org.]

Bem-Te-Vi

Estrada da Gávea, 712 / 402
São Conrado – Rio de Janeiro – RJ
CEP 22610-002
e-mail: bem-te-vi@bem-te-vi.net
www.editorabemtevi.com.br

A editora agradece a colaboração dos autores que cederam seus direitos para a publicação desta obra

EDITORA RESPONSÁVEL
Vivi Nabuco

EDITORIA EXECUTIVA
Lélia Coelho Frota

ASSESSOR ESPECIAL
Fernando Pedreira

ORGANIZADOR
Severino J. Albuquerque

TRADUTOR RESPONSÁVEL
Leonardo Fróes

TRADUÇÃO
Leonardo Fróes
Sônia Moreira

DESIGN GRÁFICO
Victor Burton
Angelo Allevato Bottino

ASSISTENTE DE DESIGN
Ana Paula Daudt Brandão

REVISOR RESPONSÁVEL
Leonardo Fróes

REVISÃO
Leonardo Fróes
Severino J. Albuquerque
Bem-Te-Vi

ÍNDICE ONOMÁSTICO
Alberto Taveira

APOIO À PRODUÇÃO
Marcello Braga Machado
Mariana Ferreira da Silva

ASSESSORIA JURÍDICA
Manoel Nabuco

Agradecimentos especiais
BRASIL: Lélia Coelho Frota, Leonardo Fróes, Humberto França, Fundação Joaquim Nabuco (Recife), Ministério das Relações Exteriores (Brasília).
ESTADOS UNIDOS: Magdalena Hauner, David Null, Guido Podestá, Ksenija Bilbija, Alberto Vargas, Rebecca Laird, Paloma Celis Carbajal, Alyson Williams, Pat Savino, Ed Granski, embaixador João Almino, Consulado-Geral do Brasil em Chicago.

SUMÁRIO

SOBRE OS AUTORES

SEVERINO JOÃO ALBUQUERQUE, o organizador deste volume, doutorou-se em Literatura Comparada pela Universidade da Carolina do Norte em 1984. Ensina Língua Portuguesa e Literatura e Cultura Brasileiras há 27 anos na Universidade de Wisconsin, onde ocupa atualmente o cargo de professor titular (*full professor*) e desempenha a função de diretor da Brazil Initiative (http://brazil.wisc.edu). Na mesma universidade, recebeu, em 2002, o Chancellor's Distinguished Teaching Award. É autor de numerosos capítulos de livros e também de artigos publicados em revistas acadêmicas, assim como dos volumes *Violent Acts* (1991) e *Tentative Transgressions* (2004), tendo este último recebido os prêmios Roberto Reis (da Brazilian Studies Association) e Elizabeth Steinberg (da University of Wisconsin Press). Faz parte do conselho editorial de várias revistas acadêmicas e é, desde 1998, o editor de literatura brasileira da *Luso-Brazilian Review* e de teatro brasileiro do *Handbook of Latin American Studies* (Library of Congress).

PAULO ROBERTO DE ALMEIDA é doutor em Ciências Sociais (Universidade de Bruxelas, 1984) e mestre em Economia Internacional (Universidade de Antuérpia, 1977). Desde 1977 é também diplomata de carreira. Além de suas obrigações profissionais, desenvolve atividades acadêmicas no Brasil e no exterior. É pesquisador da história econômica e das relações econômicas internacionais do Brasil e tem muitos livros nessas áreas (ver: www.pralmeida.org). Atualmente é professor de Economia Política Internacional na Uniceub-Brasília e professor adjunto no Instituto Rio Branco. Antes de seu posto atual, foi ministro-conselheiro na embaixada do Brasil em Washington.

JOÃO ALMINO é bem conhecido por sua literatura. É autor dos romances *Ideias para onde passar o fim do mundo* (1987), *Samba-enredo* (1994), *As cinco estações do amor* (Record, 2001; Alfaguara, Mexico, 2003; tradução para o inglês, Host Publications, 2008), que ganhou o prêmio literário Casa de las Americas em 2003, *O livro das emoções* (2008) e *Cidade livre* (Record, 2010). O embaixador João Almino obteve seu doutorado em Paris, onde estudou com o filósofo Claude Lefort. Especialista no tema autoritarismo e democracia na América Latina, Almino é autor de vários livros sobre o assunto, entre os quais *Os democratas autoritários* (1980), *Era uma vez uma Constituinte* (1985) e *Naturezas mortas: A filosofia política do ecologismo*. Além de ficcionista, diplomata e cientista político, é também professor universitário, tendo ensinado em Berkeley, Stanford, Universidade Nacional Autônoma do México (UNAM) e Universidade de Brasília.

PETER M. BEATTIE é professor adjunto de História na Universidade Estadual de Michigan. É autor de *The Tribute of Blood: Army, Honor, Race, and Nation in Brazil 1864–1945* (Duke, 2001), tendo editado e colaborado com *The Human Tradition in Modern Brazil* (Roman-Littlefield, 2004). Desde 2003, é coeditor, nas áreas de História e Ciências Sociais, da *Luso-Brazilian Review* (University of Wisconsin Press). Suas publicações mais recentes são "Born Under the Cruel Rigor of Captivity, the Supplicant Left It Unexpectedly by Commiting a Crime: Categorizing and Punishing Slave Convicts in Brazil, 1830–1897", *The Americas* (julho de 2009), e "Cada homem traz dentro de si sua tragédia sexual: visitas conjugais, gênero e a questão sexual nas prisões (1934) de Lemos Britto", tradução Marcos Bretas, in *História das prisões no Brasil*, org. Marcos Bretas, Flávio Neto, Marcos Costa e Clarissa Nunes Maia (Rocco, 2009). A tradução brasileira de *Tribute of Blood* saiu pela Edusp.

ALFRED BOLL é diplomata, lotado no Departamento de Estado dos Estados Unidos, desde 2003. Serviu em Lisboa, como encarregado de assuntos políticos, e em Amsterdam, como cônsul. Em Pristina, Kosovo, para onde foi recentemente, também se incumbe de assuntos políticos, cobrindo a Sérvia e outros grupos minoritários. O dr. Boll é formado em Direito pela Universidade de Wisconsin em Madison e doutor em Ciências Jurídicas pela Universidade de Sydney, Austrália; por aquela, é também mestre em Estudos Ibéricos e Latino-americanos. Graduou-se em Ciência Política pela Universidade de Chicago, em 1988, e está habilitado à prática da advocacia na Califórnia, em Wisconsin e em New South Wales, Austrália. Uma versão revista de sua tese de doutorado foi publicada por Martinus Nijhoff Publishers, nos Países Baixos, com o título de *Multiple Nationality and International Law*. Antes de entrar para o Departamento de Estado, Boll foi comissário e consultor jurídico do Comitê Internacional da Cruz Vermelha (ICRC) de 1993 a 2002. Baseado em Jacarta, Hong Kong e Sydney para o ICRC, trabalhou em vários países do Leste da Ásia e do Pacífico. Ministrou cursos sobre legislação de conflitos armados na Universidade Nacional Australiana, em Canberra, e na Universidade de Sydney.

COURTNEY J. CAMPBELL é aluna de pós-graduação do programa de doutoramento em História da América Latina da Universidade de Vanderbilt. Seu trabalho enfoca o imperialismo cultural no Brasil durante a Guerra Fria. É mestre em História e Teoria da Educação pela Universidade Federal de Pernambuco, no Recife, e foi voluntária do Peace Corps no Chaco paraguaio.

CELSO CASTILHO é professor assistente de pesquisas em História Latino-americana e Caribenha na Universidade de Vanderbilt. Doutorou-se na Universidade da Califórnia em Berkeley, em 2008, e é autor de "Brisas atlánticas: la abolición gradual y la conexión brasileña-cubana", in *Haiti: Revolución y emancipación*, (orgs.) Rina Cáceres e Paul Lovejoy (Editorial UCR, 2008). É ainda coautor, com Camillia Cowling, de "Funding Freedom, Popularizing Politics: Abolitionism and Local Emancipation Funds in 1880's Brazil". Seu livro em progresso se intitula "Antislavery, Political Struggle, and Nation-Building in Northeastern Brazil: The Case of Pernambuco, 1866–1893". Um segundo estudo com dimensões de livro focalizará Maria Firmina dos Reis, professora mulata de São Luís do Maranhão e autora de *Ursula* (1859), o primeiro romance antiescravista do Brasil.

JOSHUA A. ENSLEN é professor assistente de Português na Academia Militar dos Estados Unidos em West Point. Doutorou-se em Línguas Românicas pela Universidade da Georgia em 2008. Tem publicado artigos sobre autores como Manuel de Oliveira Lima e João Guimarães Rosa, no Brasil, em *História*, da Unesp em Franca, e, nos Estados Unidos, em *Mester*, da Universidade da Califórnia em Los Angeles. Entre seus atuais projetos de pesquisa há um manuscrito com dimensões de livro sobre os vínculos entre a literatura e a diplomacia no Brasil.

HUMBERTO FRANÇA é diretor de pesquisas e projetos especiais da Fundação Joaquim Nabuco (Fundaj), no Recife. Como historiador, o dr. França é membro do Memorial Joaquim Nabuco e do Instituto Histórico, Arqueológico e Geográfico Pernambucano (fundado em 1862). Publicou muitos artigos e ensaios sobre Nabuco, e seu livro *Joaquim Nabuco, diplomacia* saiu em 2009. Numerosas vezes foi convidado para dar palestras sobre Joaquim Nabuco como diplomata e pensador social, no Brasil e no exterior, como nas Universidades de São Paulo e Yale, no Brazilian Endowments for the Arts, em Nova York, no Centro de Estudos Brasileiros da Embaixada do Brasil em Buenos Aires e no Instituto Histórico e Geográfico Brasileiro, no Rio de Janeiro.

PEDRO MEIRA MONTEIRO é professor da Universidade de Princeton, no Departamento de Línguas e Culturas Hispânicas e Portuguesas. É autor de dois livros: *A queda do aventureiro* (Editora da Unicamp, 1999), sobre *Raízes do Brasil* de Sérgio Buarque de Holanda, e *Um moralista nos trópicos* (Boitempo, 2004), sobre Cairu e La Rochefoucauld. É coeditor de *Andrés Di Tella: cine documental y archivo personal* (Siglo XXI Iberoamericana, 2006, com Paul Firbas), sobre o cinema documentário latino-americano contemporâneo, e de *Sérgio Buarque de Holanda: perspectivas* (Editora da Unicamp e Editora da UERJ, com João Kennedy Eugênio), sobre o legado teórico do mais proeminente historiador do Brasil. Tem escrito e publicado muitos artigos e ensaios em antologias e revistas acadêmicas da América Latina e dos Estados Unidos. Trabalha atualmente em dois projetos de livros: um sobre a presença de *Raízes do Brasil* no imaginário cultural brasileiro, o outro sobre o último romance de Machado de Assis, *Memorial de Aires*.

JEFFREY D. NEEDELL é professor de História na Universidade da Flórida. É autor de *A Tropical Belle Époque: Elite Culture and Society in Turn of the Century Rio de Janeiro* (1987; edição brasileira, 1993) e *The Party of Order: The Conservatives, the State, and Slavery in the Brazilian Monarchy, 1831–1871* (2006). Escreveu também vários capítulos de livros, e artigos em prestigiosas revistas, abordando sobretudo sua especialidade, a história brasileira do século XIX. Entre suas recentes participações em colóquios e palestras, a convite, estão "Glory at Dusk: Nabuco's Activism, His Meditation, and the Choice for Diplomacy", trabalho apresentado no colóquio "Joaquim Nabuco em Yale" (New Haven, abril de 2008), e "The Lost Way: Political History and the Historiography of Brazilian Abolitionism", trabalho apresentado à American Historical Association, Washington, em janeiro de 2008. Entre os prêmios e honrarias de Needell estão, em 2006, o Roberto Reis Book Award, da Brazilian Studies Association, por seu livro *The Party of Order*, e, pelo mesmo livro, o Warren Dean Memorial Prize, atribuído em Washington em janeiro de 2008. O autor tem recebido bolsas de instituições como NEH, SSRC, Fulbright Commission e American Philosophical Society.

DIANA PAGE é graduada em Ciência Política pela Universidade de Michigan e mestre em Políticas Internacionais Públicas pela Universidade Johns Hopkins. Foi cônsul dos Estados Unidos no Recife de 2005 a 2008. Antes, serviu na embaixada americana em Brasília e foi chefe do escritório do Departamento de Estado em Washington para o Brasil e o Cone Sul. Seu interesse pelo Brasil vem de longa data, pois ela foi voluntária do Peace Corps no estado da Bahia no final da década de 1960. Quando cônsul em Recife, Diana Page tomou-se de profundo interesse pela figura de Joaquim Nabuco, natural de Pernambuco. A vasta coleção de documentos e outros materiais de Nabuco conservados na Fundação Joaquim Nabuco, no Recife, facilitou-lhe a apreciação de seu trabalho como político e diplomata.

JOÃO CEZAR DE CASTRO ROCHA é professor de Estudos Transatlânticos Comparativos na Universidade de Manchester, onde dirige o Institute for Transnational Studies in Languages, Linguistics and Cultures e o mestrado em Estudos Culturais Latino-Americanos. O professor Rocha é autor de, entre outros títulos, *Literatura e cordialidade. O público e o privado na cultura brasileira* (1998), que recebeu o prêmio Mário de Andrade da Biblioteca Nacional; *O exílio do homem cordial. Ensaios e revisões* (2004); *Exercícios críticos: Leituras do contemporâneo* (2008); e *Crítica literária: Em busca do tempo perdido* (2009). É coautor, com René Girard e Pierpaolo Antonello, do volume *Evolution and Conversion. Dialogues on the Origins of Culture* (2008), que saiu também em português, italiano, espanhol, polonês e francês e recebeu o Prix Aujourd'hui. O professor Rocha organizou vinte livros, entre os quais a coleção Contos de Machado de Assis (6 volumes, 2008); *Producing Presences in Portuguese. Branching out from Hans Ulrich Gumbrecht's Work*, organizado com Victor K. Mendes (2007); *The Author as Plagiarist: The Case of Machado de Assis* (2006); e *Brazil 2001: A Revisionary History of Brazilian Literature and Culture* (2001). O dr. Castro Rocha recebeu as seguintes distinções honorárias: Research Fellowship, Humboldt Foundation/ Freie Universität Berlin (2005–2007); Ministry of Culture Visiting Fellowship, Centre for Brazilian Studies/ University of Oxford (2004); Tinker Visiting Professorship, Tinker Foundation/ University of Wisconsin-Madison (2003); Overseas Visiting Scholarship, St John's College/ Cambridge University (2002); e John D. and Rose H. Jackkson Fellowship, Beinecke Library/ Yale University (2001).

STEVEN TOPIK é professor de História na Universidade da Califórnia em Irvine, onde ensina História do Brasil, da América Latina e Mundial. É autor de *Political Economy of the Brazilian State, 1889–1930* (Universidade do Texas, 1987) e de *Trade and Gunboats. The United States and Brazil in the Age of Empire* (Stanford, 1996). Também coautor ou organizador de cinco volumes sobre a história dos produtos primários, conclui atualmente, por contrato com a Editora da Universidade de Princeton, uma história mundial do café nos últimos 500 anos, que coloca a centralidade do Brasil para transformar e moldar a expansão de um dos bens comercializados mais valiosos do mundo.

INTRODUÇÃO

Severino J. Albuquerque

Durante seu período como embaixador do Brasil nos Estados Unidos, desde 1905 até sua morte em Washington em janeiro de 1910, Joaquim Nabuco (Joaquim Aurélio Barreto Nabuco de Araújo, 1849–1910), além de desempenhar com louvor as suas funções diplomáticas, manteve intensa atividade no cenário intelectual estadunidense. O perfil de destaque mantido por Nabuco nesse período, o qual pode ser acompanhado através das referências feitas a ele na imprensa da época, incluía frequentes contactos com as principais instituições norte-americanas de ensino superior.

Os convites que lhe chegavam às mãos, vindos de universidades como Yale, Cornell e Chicago, reconheciam não somente o seu papel como representante da jovem República brasileira nos Estados Unidos dos anos vibrantes sob Theodore Roosevelt (1858–1919; presidente entre 1901 e 1909), mas também, como atestam os temas dos seus discursos pronunciados na ocasião dessas várias visitas, uma figura intelectual de peso. Uma análise dessas conferências em recintos universitários revela como Nabuco combinava à perfeição as duas esferas. Alguns destes textos demonstram a forte presença da literatura na sua atividade intelectual, como aqueles que refletem o interesse que nutria, desde longa data, pela obra de

Camões, enquanto outros mostram sua preocupação com as Américas na última fase de sua vida.[1]

Enquanto a maioria das universidades que homenagearam Nabuco são instituições particulares de elite localizadas em sua maior parte na Costa Leste dos Estados Unidos e coletivamente denominadas de Ivy League, a Universidade de Wisconsin é uma universidade pública, pertencente a um estado do Centro-Oeste americano, com uma economia de base ainda hoje em grande parte agrícola e profundamente cioso de suas origens igualitárias e progressistas. Fundada em 1848, ao mesmo tempo em que era criado o novo estado (desmembrado do território do Michigan), e refletindo a forte crença de seus cidadãos na força e poder da educação, a Universidade de Wisconsin já era, no início do século XX, uma das melhores universidades públicas do país. Sediada na capital do estado, Madison, e rigorosamente a par dos avanços científicos e do clima intelectual dos maiores centros da nação americana, a Universidade de Wisconsin encontrava-se, durante o período de Nabuco em Washington, sob a presidência de Charles Richard Van Hise (1857–1918), um dos administradores mais importantes de sua história.

Não deve surpreender que o convite para uma visita de Nabuco a Madison tenha vindo de Van Hise. Detentor do primeiro doutorado concedido pela Universidade de Wisconsin (em 1892), Van Hise, geólogo de renome, galgou rapidamente os degraus da profissão, tendo chegado a reitor ("President") da universidade em 1904, desempenhando o mesmo cargo até a sua morte inesperada em 1918. Durante sua gestão, a receita da universidade quadruplicou, possibilitando um notável aumento do corpo docente e a construção de novos prédios.[2] A visão de Van Hise, que viria a desempenhar papel fundamental para o futuro da universidade, era suficientemente eclética para englobar simultaneamente o conceito, adotado até os dias atuais, da *Wisconsin Idea* (a aplicação do capital intelectual da universidade para melhorar as condições de vida dos habitantes e ao mesmo tempo estimular o desenvolvimento do estado), assim como uma rápida expansão na área de pesquisa e tecnologia e uma busca mais intensa de preeminência internacional para a universidade.

Van Hise alcançou projeção nacional rapidamente, tendo entabulado laços profissionais com vários líderes da educação superior americana, entre eles Charles William Eliot (1834–1926), presidente de Harvard de 1869 a 1909 (o mais longo mandato na história da prestigiosa universidade) e um dos *trustees* da Carnegie Foundation for the Advancement of Teaching (Fundação Carnegie para o Aperfeiçoamento do Ensino), um centro independente de pesquisa e criação de políticas educacionais estabelecido em 1905 pelo bilionário industrial e filantropo Andrew Carnegie (1835–1919) para incentivar o aperfeiçoamento do ensino nos Estados Unidos. Eliot e Van Hise aproximaram-se quando este tornou-se presidente da National Association of State Universities (Associação Nacional de Universidades Estaduais) em janeiro de 1908, cargo no qual negociou com êxito a inclusão dos professores de universidades estaduais num generoso fundo de pensão estabelecido por Carnegie.[3] Seguiu-se uma série de convites para visitas aos respectivos campi, tendo Eliot ido a Madison e Van Hise a Cambridge, onde pronunciou o *commencement speech* durante a cerimônia de formatura em junho de 1908, e onde Harvard lhe concedeu o grau honorário (Doctor of Laws, LL.D.), ocasião em que Eliot saudou Van Hise como "president of the leading state university" (presidente da mais destacada universidade estadual[4]). Logo no ano seguinte Van Hise seria, por sua vez, nomeado para o conselho dos *trustees* da Carnegie Foundation, tendo permanecido no cargo até a sua morte em 1918.

É neste pano de fundo que se encaixam a outorga a Nabuco do título de Doutor Honoris Causa pela Universidade de Wisconsin e o convite para pronunciar o *baccalaureate address* durante a cerimônia de formatura em junho de 1909. O contacto inicial, feito por Van Hise no início de maio de 1908, propunha uma visita a Madison ainda naquele mesmo ano. Em sua resposta, Nabuco lamenta a impossibilidade de aceitar mais convites para 1908, mas expressa o desejo de uma visita no futuro. Referindo-se a uma gravura do campus que lhe havia sido enviada junto com a correspondência de Van Hise, Nabuco comenta, gentilmente, que o local lhe parece ser o mais bonito possível para uma universidade e que devia ser fonte de inspiração para professores e alunos.[5]

APENAS DOIS DIAS DEPOIS, em resposta à carta de Nabuco, Van Hise refaz o convite, desta vez para o ano seguinte, 1909, para participar das comemorações do Dia da Universidade (University Day) em 22 de fevereiro, devendo o casal Nabuco ser hóspede dos Van Hise. Na mesma carta, o reitor de Wisconsin, de viagem marcada para Washington, solicita uma audiência na embaixada brasileira no dia 12 de maio, visita que não chega a ser realizada por se encontrar Nabuco fora da cidade. Sentindo o pouco entusiasmo de Nabuco para uma viagem durante um dos meses mais frios do rigoroso inverno de Wisconsin, Van Hise reitera o convite numa carta de 26 de maio de 1908, onde oferece a possibilidade de uma visita na primavera ou no outono, e onde pela primeira vez menciona o *commencement address* durante a cerimônia de junho de 1909.[6] Nabuco responde no mesmo dia, desculpando-se por não ter estado em Washington durante a viagem de Van Hise e confirmando o interesse em ir a Wisconsin em 1909. Revela, na mesma carta, estar lendo bastante sobre a instituição de ensino superior dirigida por Van Hise e indaga sobre como fazer assinaturas das publicações da Universidade, pois era seu desejo mandar coleções completas para o Brasil. Diz, finalmente, ter tido recentemente o prazer de contratar para dirigir a Escola Agrícola de Piracicaba um colega de Van Hise, o professor Clinton deWitt Smith.[7]

Em carta de 16 de setembro de 1908, Van Hise faz o convite para a cerimônia de formatura no dia 20 de junho de 1909 e pede que o casal Nabuco permaneça em Madison, como hóspedes do casal Van Hise, pelo menos mais quatro dias por razões que ainda não podia confirmar oficialmente; o motivo é que somente mais tarde o conselho deliberativo (*Board of Regents*) da Universidade aprovaria a outorga do título honorário, cuja cerimônia seria no dia 23 de junho de 1909. A 24 de setembro de 1908, Nabuco comenta em seu diário que tem compromissos com várias universidades, inclusive Wisconsin, "este último de 20 a 23 de junho de 1909, um ano de antecipação".[8] Além dos comentários que faz no diário a partir dessa data,[9] pode-se também acompanhar o planejamento da visita e reflexões sobre a escrita do seu discurso nas cartas endereçadas a Van Hise.

A correspondência tem um hiato de alguns meses, mas é retomada com uma carta de 27 de abril de 1909, na qual Nabuco, demonstrando que trabalhara no texto em preparo para Wisconsin, comunica a Van Hise que o título do discurso era "The influence exercised by America in the march of Modern Civilization" (A influência exercida pela América na marcha da civilização moderna). Porém, apenas um mês depois, na mesma carta em que manda a Van Hise aquele que seria o título definitivo do discurso de Madison e à qual anexa cópias de *addresses* proferidos em outras universidades americanas, Nabuco alerta o seu correspondente sobre a gravidade do seu estado de saúde: "My health imposes on me many restraints" (Minha saúde impõe-me muitas limitações). Explica logo a seguir que para manter os dois compromissos principais de Madison seria necessário poupar "every little daily surplus of nervous power" (toda e qualquer sobra de energia nervosa), daí a necessidade de cancelar todos os outros eventos, inclusive visitas e reuniões sociais (carta de 28 de maio de 1909). Na sua resposta de 1º de junho, cujo teor é praticamente repetido em outra carta do dia seguinte, Van Hise busca aliviar as preocupações de Nabuco a respeito da viagem, assegurando-lhe acomodações as mais confortáveis, o cancelamento de todos os compromissos sociais e informando sobre os melhores horários e conexões para a estafante viagem de trem entre Washington e Madison.

Na carta de 3 de junho de 1909, Nabuco, com grande pesar, comunica a Van Hise que não poderá manter seu compromisso, anexando a carta do médico em que este lhe proíbe que faça a viagem a Wisconsin, devendo, ao invés, ir repousar na Nova Inglaterra; inclui também o texto completo do discurso, dizendo: "I send you the *Baccalaureate Address* I was going to deliver; you will see that it was written with love" (Envio-lhe o discurso que eu iria pronunciar na cerimônia de formatura; como o senhor verá, foi escrito com amor). Nabuco confessa estar "inexpressibly sorry" (inexprimivelmente pesaroso), pois tinha vivido por quase um ano na expectativa de "visiting your great University, ... addressing it, and ... knowing you" (visitar sua grande universidade, dirigir-me aos que a fazem, e conhecer o senhor).

Respondendo a Nabuco dois dias depois (5 de junho de 1909), Van Hise exprime esperança de uma melhora de Nabuco e diz que, por esse motivo, nenhum anúncio público do cancelamento da presença de Nabuco será feito até o último momento, e que não convidará ninguém para substituir Nabuco. Mas, pragmático como era, Van Hise pede que, caso Nabuco realmente não possa ir a Madison, os necessários arranjos sejam feitos para que a Associated Press publique um *release* no dia 21 de junho, o dia seguinte à cerimônia de formatura. A próxima comunicação, de 10 de junho de 1909, é uma carta de Nabuco a Van Hise, a única escrita à mão, em papel timbrado com o endereço de Nabuco em Washington (22 Lafayette Square). Nabuco, ele também perito em lidar com a mídia, anuncia na carta que mandou imprimir 900 cópias do discurso para serem distribuídas à AP, das quais três seguem anexas à carta, e já contendo novas correções feitas à mão. Não estando habituado a ver seus discursos pronunciados por outros, e portanto preocupado com a *delivery* das suas palavras, o embaixador alerta a Van Hise que esse texto com as correções é o que deverá ser usado em Madison e que é melhor que seja lido por um americano acostumado a ler em público. Termina a carta comovido: "I will never forget your kindness, the honour you did me and my disappointment at not being your guest and that of Mrs. Van Hise on an occasion that I was considering one of the fortunes of my life" (Nunca esquecerei a sua gentileza, a honra que o senhor me concedeu e a decepção de não ser hóspede seu e da senhora Van Hise numa ocasião que eu vinha considerando como uma das maiores bênçãos da minha vida).

Van Hise, em sua resposta de 14 de junho de 1909, insiste, a apenas seis dias da cerimônia de formatura, que não vai anunciar o cancelamento e que até o último instante continuará a nutrir esperança de um restabelecimento de Nabuco e, consequentemente, sua ida a Madison. Tamanha era a sua esperança que despede-se relembrando a Nabuco que o discurso da formatura será no domingo (20 de junho) e a outorga do título honorário na quarta-feira (23 de junho). A próxima comunicação de Nabuco é justamente dessa quarta-feira, 23 de junho de 1909, um telegrama enviado de Manchester, uma cidade pequena da Nova Inglaterra[10] onde já se encontrava em repouso forçado. No telegrama agradece a Van Hise pela "highest distinction" (a mais alta distinção) de ter este lido as palavras de Nabuco na formatura do domingo e pede que lhe seja enviado um exemplar de um jornal de Madison com as notícias do evento.

No mesmo 23 de junho, Nabuco registra no diário a impossibilidade de estar neste dia em Wisconsin, a primeira vez que, segundo sua filha e biógrafa, "a saúde obrigou Nabuco ... a faltar a um compromisso importante. Os médicos proíbem-lhe comparecer a uma das principais universidades, onde devia pronunciar o discurso oficial no dia da distribuição de diplomas e receber mais um grau honorário".[11] Ajuntando um segundo motivo do cancelamento, a morte de Afonso Pena a 14 de junho de 1909,[12] Nabuco anota no diário:

> Hoje eu devia pronunciar o *Baccalaureate Address* na Universidade de Wisconsin. Não pude ir por motivo de saúde, e, depois, com a morte do Pena, não teria ido. Em minha ausência, o discurso foi lido pelo próprio presidente Van Hise. Hoje, 23, eu deveria receber o grau de LL.D. na Universidade de Wisconsin, mas por doente não pude ir. Vem o médico.[13]

É difícil deixar de notar que o tom neutro e objetivo das entradas no diário esconde as circunstâncias dolorosas que levaram ao cancelamento da viagem a Madison; estas, no entanto, vêm à tona algumas poucas vezes, como na tentativa de estoicismo vista neste trecho da carta de 3 de junho de 1909, em que Nabuco confidencia a Van Hise: "we are not immortal and must obey the laws of our precarious life" (não somos imortais e devemos obedecer às leis da nossa vida precária).

O discurso de Nabuco recebeu grande atenção da imprensa americana no dia seguinte à formatura. Tendo o texto final em mãos já há vários dias, Melville E. Stone, gerente-geral da AP, orienta os editores do poderoso órgão de imprensa a segurar a notícia e o texto do discurso até que saiam nos jornais da manhã de 21 de junho, segunda-feira, o dia seguinte à formatura.[14] No mesmo dia, o *New York Times*, em despacho próprio, datado de Madison, 20 de junho, noticia a leitura do discurso por Van Hise, citando a ausência de Nabuco por motivos de saúde. Na notícia, intitulada "America awakens world: Ambassador Nabuco declares there never was such a youth as ours" (A América acorda o mundo: O embaixador Nabuco declara que nunca houve uma juventude como a nossa), o jornal destaca o número de formandos (550), uma turma bastante grande para a época, e reproduz dois trechos do discurso, um sobre a contribuição dos Estados Unidos ao que Nabuco chama de "regeneração" do Velho Mundo, e o outro sobre a qualidade da educação norte-americana.

À sua última carta a Van Hise, datada de 6 de julho de 1909, Nabuco anexou cópias de cartas que havia recebido de dois amigos por quem nutria grande admiração, o reitor de Harvard, Charles W. Eliot, e o embaixador britânico nos Estados Unidos, James Bryce.[15] Orgulhoso, com razão, pelo teor elogioso das cartas, Nabuco diz a Van Hise: "I wish you to see that both President Eliot and Mr. Bryce did not think of it unworthy of the University" (Eu gostaria que o senhor visse que nem o reitor Eliot nem o sr. Bryce acham o discurso indigno da Universidade). Eliot e Bryce, a quem Nabuco havia enviado cópias do discurso que havia escrito para Madison, apressam-se a responder, agradecendo o envio e comentando as ideias do discurso. "Recebi extensa e lisonjeira carta do presidente Eliot sobre a minha *address* de Wisconsin", Nabuco escreve no seu diário aos 29 de junho de 1909,[16] referindo-se à carta escrita por Eliot em Asticou, estado do Maine, no dia anterior. Nela, Eliot destaca a última página de "The Share of America in Civilization", na qual Nabuco, reconhecendo que até então, ao falar em "América", havia se atido aos Estados Unidos, diz que

> É cedo ainda para estudar o papel que a História reserva à América Latina. Não recebemos ainda ordem de entrar em cena e as peças de Deus são muito longas. Seus atos são séculos. Assim mesmo, já fizemos até agora obra considerável em prol da Civilização, a despeito de grandes dificuldades... Há no mundo muitos ideais que, pelo menos em parte, são sustentados pela nossa fé, sem que isso seja notado, porque aparecemos pouco.[17]

Eliot aponta a seguir que em seu discurso pronunciado em Chautauqua em 1885,[18] e que Nabuco cita elogiosamente no texto de Madison, cataloga apenas cinco contribuições americanas à civilização, dizendo que Nabuco, ao listar ainda mais contribuições dos Estados Unidos, foi mais abrangente do que o próprio Eliot. Este passa, então, ao comentário central da carta, onde diz que difere tanto de Tocqueville[19] como de Nabuco em um aspecto importante, aquele que Tocqueville chama de "uniformidade universal" e Nabuco, "igualdade geral de condições". Em um comentário de grande relevância, Eliot confidencia a Nabuco,

> All my life I have been observing the immense diversity in regard to gifts, powers, and motives among the people we call Americans, and also the persistent racial diversities in the great agglomeration. Again, it seems to me that freedom produces not equality of condition, but greater inequalities than the world has ever seen before.[20]

Eliot termina a carta dizendo que recentemente havia feito uma conferência sobre esse mesmo assunto na Universidade de Missouri e que brevemente enviaria uma cópia a Nabuco.

Bryce, por sua vez, escrevendo de Northeast Harbor, Maine, muito perto, portanto, de onde estava Eliot,[21] diz que havia muito tempo que um discurso lhe tinha feito pensar tanto, tantas são as questões de relevância tratadas no texto que Nabuco lhe enviara. Bryce, que também havia lido a carta de Eliot a Nabuco, afirma que, embora pudesse escrever um longo ensaio em resposta a "The Share of America in Civilization", confessa concordar com Nabuco mais do que havia feito Eliot. Como Eliot, Bryce também destaca o final do ensaio, o trecho em que Nabuco menciona a América Latina, "a question of the highest import" (uma questão da maior importância); não deixa de ser irônico que a parte do texto à qual Nabuco tinha dado menos atenção é justamente aquela que salta aos olhos de ambos os missivistas. Esperando grandes contribuições vindas da América Latina, Bryce diz na carta que às vezes pensa que seria daquela parte do mundo que viria a próxima grande "literary illumination" (iluminação literária), pois, segundo ele, do "solo virgem" da América Latina havia de vir o próximo Camões ou o próximo Calderón. Bryce conclui com uma exclamação que, embora tenha sido ocasionada por uma observação de Nabuco a respeito do cristianismo no Império Romano, reflete uma certa ansiedade quanto ao futuro, a apenas cinco anos do início de uma devastadora guerra mundial: "How little we know of the sources whence new forces spring!" (Como sabemos pouco das fontes de onde brotam novas forças!).[22]

"THE SHARE OF AMERICA IN CIVILIZATION", ensaio que põe Nabuco na companhia dos mais destacados observadores estrangeiros dos Estados Unidos, como Tocqueville e Bryce, foi publicado inicialmente, em forma resumida, na *Wisconsin Alumni Magazine*, dirigida na época por Frederick W. Mackenzie,[23] e, em sua versão integral, alguns meses mais tarde, na *American Historical Review*,[24] cujo diretor na época era J. Franklin Jameson. Foi publicado pela primeira vez em português no ano seguinte ao da morte de Nabuco, com o título de "O quinhão da América", em tradução de Arthur Bomilcar (1869–?), e mais tarde, em 1940, na tradução de Carolina Nabuco (1890–1981).[25]

Em comemoração ao centenário de "The Share of America in Civilization", foi realizado na Universidade de Wisconsin, nos dias 24 e 25 de abril de 2009, um simpósio intitulado *Nabuco and Madison*. Na ocasião foi assinalada o que se poderia chamar de presença da ausência de Nabuco nas cerimônias da formatura e da outorga do título de Doutor Honoris Causa de junho de 1909. O que lhe havia sido negado, um século antes, pelo destino e pela enfermidade, foi-lhe dado, simbolicamente, pelo simpósio de 2009 e lhe está sendo dado por meio deste volume. Os textos aqui reunidos, versões ampliadas dos trabalhos apresentados no simpósio, remetem a uma ausência produtiva, que se traduz na profunda relevância de Nabuco e sua obra tanto ao nível nacional como ao internacional.

A DIVERSIDADE DE ATIVIDADES E INTERESSES de Joaquim Nabuco (diplomacia, política, campanha abolicionista, literatura, biografia, autobiografia, diarística) reflete-se nas profissões dos participantes do simpósio de Madison em 2009: diplomatas (tanto do Itamaraty como do Departamento de Estado norte-americano), acadêmicos, pesquisadores (tanto da área de história como de literatura), jornalistas e funcionários de fundações.

Talvez por estar Nabuco ocupando o cargo de embaixador quando do convite para pronunciar o discurso de formatura em Madison, a maioria dos ensaios aqui reunidos refletem, em maior ou menor grau, sobre sua função diplomática. Os quatro primeiros capítulos (de autoria de Diana Page, Alfred Boll, Humberto França e Steven Topik) referem-se mais diretamente a essa atividade de Nabuco, sendo dois deles de autoria de diplomatas – Page e Boll, ambos do Departmento de Estado (State Department) norte-americano. Dois outros diplomatas – João Almino e Paulo Roberto de Almeida, ambos do Ministério das Relações Exteriores–, embora também façam referência ao Nabuco diplomata, focalizam outros aspectos nos seus textos, o discurso de Madison e uma comparação entre o Brasil e os Estados Unidos antes e depois do período de Nabuco em Washington, respectivamente.

EM "DIPLOMACIA PÚBLICA: O legado duradouro do embaixador Nabuco", Diana Page, ex-consulesa dos Estados Unidos no Recife, examina a atuação de Joaquim Nabuco em Washington sob a ótica da chamada "diplomacia pública", um tipo de diplomacia que já era praticado pelo embaixador brasileiro no início do século XX, embora o termo ainda não estivesse em uso naquela época. Os que lançam mão dessa forma de diplomacia, no intuito de influenciar a opinião pública do país onde servem, sabem que esta difere da propaganda pura e simples por veicular os princípios e valores que transmitem a real imagem da nação que representam. As melhores estratégias da diplomacia pública são, portanto, escolher um representante digno e confiável, adotar uma postura que privilegie sempre a verdade, lidar frequentemente com pessoas e organizações não ligadas ao governo local e, finalmente, ter a capacidade de ir além das posições oficiais do país que representam.

Depois de relatar como chegou a se familiarizar com a figura e obra de Joaquim Nabuco enquanto servia no Recife, Diana Page fornece exemplos de algumas viagens e atividades do embaixador brasileiro que não faziam parte da diplomacia tradicional em princípios do século XX. A atuação inovadora de Nabuco foi reconhecida pelas mais prestigiosas universidades norte-americanas, que lhe outorgaram vários títulos honorários, tendo o embaixador brasileiro gozado de um status raramente alcançado por um diplomata de qualquer nação, inclusive as mais poderosas. Entre os muitos exemplos da sua ampla atuação pública e do seu talento especial no trato com a mídia temos o cuidado que Nabuco teve de enviar à Associated Press centenas de cópias do texto do discurso que iria pronunciar em Madison ou o uso da visita de um navio de treinamento da Marinha brasileira para oferecer um banquete naval e receber cobertura favorável do *New York Times* ao discurso no qual brindou o presidente Theodore Roosevelt.

Esse legado de Nabuco, Page enfatiza, tem sido duradouro, como se pode ver na definição atual das funções dos diplomatas brasileiros de acordo com o próprio Itamaraty. Funções essas que são exercidas pelo Departamento Cultural do Ministério das Relações Exteriores em Brasília e pelas embaixadas e consulados que promovem a cultura e arte brasileiras. Alguns desses diplomatas brasileiros têm laços estreitos com universidades dos países onde estão lotados; eles, conclui Diana Page, são "o legado vivo de Joaquim Nabuco, levando adiante a tradição da diplomacia pública que ele iniciou".

OUTRO DIPLOMATA NORTE-AMERICANO, Alfred Boll, detém-se, em "Joaquim Nabuco em Washington e o desenvolvimento do serviço diplomático dos Estados Unidos", sobre o período de Nabuco na capital estadunidense, tentando lançar luz não somente sobre os contactos mantidos pelo embaixador brasileiro mas também sobre a influência que ele exerceu na formação e aperfeiçoamento do serviço de negócios estrangeiros do governo dos Estados Unidos. Convencido de que há muito a ser pesquisado e escrito sobre essa faceta de Nabuco, Boll defende que as ideias deste sobre governo, diplomacia e profissionalismo, ideias que moldaram o desenvolvimento das instituições governamentais no Brasil, também desempenharam um certo papel nas reformas governamentais ocorridas pouco depois nos Estados Unidos, inclusive na criação dos até então inexistentes serviços consulares e diplomáticos daquele país. Essa área da administração norte-americana passou por grandes mudanças estruturais na época de Nabuco em Washington, e as reformas de peso ocorridas nos anos seguintes foram originadas enquanto Nabuco era embaixador nos Estados Unidos. Após detalhar as principais entre essas reformas administrativas e estruturais, Alfred Boll examina os laços estreitos de trabalho e amizade entre Nabuco e o secretário de Estado norte-americano, Elihu Root (1845–1937; secretário de Estado entre 1905 e 1909). Os dois estadistas concordavam a respeito de muitos pontos-chave da diplomacia da época, inclusive sobre a importância de haver sempre o arbítrio internacional de hostilidades, e da necessidade dos litígios e disputas entre nações serem resolvidos por especialistas e não por políticos. Root e Nabuco estavam de acordo também a respeito dos propósitos das Conferências da Paz em Haia.

Boll indaga a seguir se essas ideias compartilhadas pelos dois estadistas encontram-se também no discurso escrito para ser pronunciado em Madison em 1909, e conclui que sim, pois nesse texto Nabuco não faz apenas uma caracterização dos Estados Unidos daquela época: também sugere discretamente como o país deveria proceder, pois o embaixador e escritor brasileiro insiste na sua crença de que a meritocracia e o profissionalismo são fundamentais quando se considera o papel de liderança norte-americana no melhoramento das condições de vida através do mundo. Boll nos relembra também como Nabuco aplicou esses mesmos princípios à sua vida pessoal ao ultrapassar as suas próprias convicções de monarquista para servir ao bem comum e interesses da nação brasileira sob o regime republicano.

Na seção seguinte, Alfred Boll formula uma série de perguntas ainda não respondidas sobre a colaboração entre Nabuco e Root, inclusive até que ponto este influenciou a percepção que aquele tinha dos Estados Unidos, das contribuições norte-americanas à civilização e do funcionamento dos órgãos governamentais. Para que estas questões sejam melhor compreendidas, é necessário, segundo Boll, que futuros pesquisadores tentem chegar a uma melhor compreensão das ideias de Nabuco a respeito das reformas governamentais e a um conhecimento mais profundo dos interlocutores intelectuais de Nabuco enquanto esteve lotado em Washington.

À guisa de conclusão, Boll propõe que, ao celebrarmos o legado do primeiro embaixador brasileiro nos Estados Unidos, tenhamos em mente, primeiro, a admoestação de Nabuco, feita em seu discurso na Universidade de Chicago em 1908, de que as duas Américas permaneciam àquela época desconhecidas uma à outra, e, segundo, que é mister perguntar-nos a nós mesmos se realmente temos feito jus aos padrões estipulados por Nabuco e Root para os seus respectivos países, e o que podemos fazer para alcançar uma compreensão ainda maior dos nossos respectivos países.

EM "JOAQUIM NABUCO NOS ESTADOS UNIDOS: A diplomacia pan-americanista, 1905–1910", Humberto França traça um panorama da atuação de Nabuco como embaixador em Washington e examina sua trajetória rumo ao pensamento e ideologia do pan-americanismo. França aponta, inicialmente, tanto os elogios como as críticas à eficácia do Nabuco diplomata, comentando as opiniões de, entre outros, Oliveira Lima e Batalha Reis por ocasião da morte de Nabuco para, logo a seguir, entrar em detalhada análise das desinteligências e desentendimentos entre o barão do Rio Branco (José Maria da Silva

Paranhos, Jr., 1845–1912), então ministro das Relacões Exteriores, e o seu embaixador em Washington nos anos cruciais em que foi posto em prática o plano traçado pela Chancelaria brasileira para afastar o Brasil de sua tradicional orientação europeia, direcionando-o para uma aproximação mais estreita com os Estados Unidos. França examina alguns dos percalços e crises através deste processo, principalmente a atribulada condução dos interesses brasileiros na conferência de Haia, em 1907, considerada o ponto divisório da política pan-americanista de Nabuco. França entende que, apesar dos muitos equívocos e das personalidades e estilos tão distintos, o pragmático Paranhos e o sensível Nabuco se complementaram na execução da política externa brasileira, em grande parte graças à habilidade de Nabuco em superar os choques pessoais e não somente executar a diplomacia planejada pelo Itamaraty, mas também criar e executar novas estratégias, com ou sem a aprovação explícita de Rio Branco.

Ao considerar a preparação de Nabuco para o posto em Washington, França volta atrás alguns anos e discorre sobre os anos em Londres e a debatida atuação de Nabuco na disputa com a Inglaterra a respeito dos limites de fronteira com a Guiana Inglesa, com o desfecho desfavorável ao Brasil após a arbitragem do rei da Itália, Vítor Emanuel III, em 1904. O autor dedica também especial atenção ao processo de elevar a missão diplomática brasileira nos Estados Unidos a embaixada, fornecendo detalhes sobre as discussões, ainda em 1904, entre Rio Branco e Nabuco a esse respeito. Considera também o autor outras questões de relevo, como o então recém-divulgado corolário rooseveltiano a respeito da Doutrina Monroe e as reações de outros países sul-americanos, como o Chile e a Argentina, em relação ao novo posicionamento brasileiro.

As páginas centrais do capítulo de Humberto França têm a ver com o que ele chama de "dúvidas" e "certezas" em Washington. Destacam-se questões muito caras a Nabuco, como a defesa do território brasileiro em face de possíveis agressões europeias e a busca de uma posição para o Brasil de cogestor da política pan-americanista na América do Sul. Para cuidar de questões de tal magnitude,

Nabuco, como embaixador, pôs em ação seu carisma e magnetismo ao lidar com maestria com a imprensa americana e ao construir estreitos laços pessoais e profissionais com o secretário de Estado, Elihu Root. Apesar das incertezas e do desconforto inicial dos primeiros meses em Washington, Nabuco, em seu discurso de apresentação ao presidente Theodore Roosevelt, já apresenta um claro plano de ação estratégica, junto com seu apoio ao monroísmo e ao pan-americanismo, reconhecendo assim a posição de liderança dos Estados Unidos nas Américas. Ao mesmo tempo, Nabuco se preocupava em esclarecer que a inclinação monroísta e pan-americanista não representava uma posição anti-europeísta e que a adesão a tais princípios, em vez de assinalar apoio à polêmica política exterior de Roosevelt, apresentava com efeito uma alternativa a tais desígnios na forma da criação de um bloco independente da Europa, sob a liderança dos Estados Unidos, que presumia uma política de defesa mútua que afastasse eventuais tentativas de recolonização.

Os laços fortes com Root levaram a uma colaboração substancial que incluiu o planejamento da III Conferência Pan-americana, realizada no Rio de Janeiro em 1906, com a presença de Root, cuja viagem representou a primeira visita de um secretário de Estado norte-americano à América Latina. Sua aproximação com Root também possibilitou o avanço do que se subentende ser um dos objetivos principais de Nabuco, uma aliança tácita e tática com os Estados Unidos, o que poderia, a seu ver, proporcionar a necessária segurança ao Brasil frente a ameaças externas.

As últimas páginas do capítulo de França fornecem mais detalhes sobre algumas das crises e desentendimentos com Rio Branco, como o caso da canhoneira *Panther* em 1905, o planejamento para a conferência de Haia de 1907 e o plano de aproximação entre Argentina, Brasil e Chile (o triângulo ABC), ao qual Nabuco se opunha porque, como argumentava, a formação de tal bloco desestabilizaria as relações do Brasil com os demais países sul-americanos, que se sentiriam excluídos, e também porque havia sido enviado para Washington para pôr em prática o plano diplomático americanista, o qual seria solapado por uma ênfase no bloco ABC. França conclui o ensaio afirmando que Nabuco não foi nem um "ingênuo" na arte da diplomacia nem um diplomata cheio de astúcias, tendo sido, antes, um profissional armado de forte senso de realismo e um intelectual dotado da compreensão dos seus limites e sabedor do significado dos seus muitos acertos.

O CAPÍTULO DE STEVEN TOPIK, "Lembrando e esquecendo: Joaquim Nabuco, Salvador de Mendonça e a amizade Brasil–Estados Unidos durante a Primeira República", tem a ver menos com a celebração da memória de Nabuco do que com o por que dele ter ficado na nossa lembrança da maneira como ficou, ou o por que da sua celebridade como embaixador enquanto o seu antecessor na legação de Washington, Salvador de Mendonça (1841–1913), é hoje praticamente esquecido. O autor acredita que este contraste nos proporciona a ocasião de ponderar sobre uma questão que raramente é debatida: por que é que alguns agentes e eventos históricos de grande interesse para os seus contemporâneos são ignorados ou deliberadamente excluídos em outras épocas enquanto outros são celebrados.

Topik foi levado inicialmente a esta questão do esquecimento e da lembrança no contexto histórico por meio de sua pesquisa sobre o papel do "esquadrão da dinamite" ou "frota de Flint" na derrota dos rebeldes e consequente vitória de Floriano Peixoto (1839–1895; presidente entre 1891 e 1895) durante a Revolta da Armada de 1893–1894, tendo a partir daí passado a pensar em como "esquecer" os acontecimentos, principalmente a intervenção norte-americana num conflito interno brasileiro, foi conveniente para ambos os lados da questão, e não apenas no Brasil, mas também nos Estados Unidos. Partindo das posições iniciais, com Nabuco – monarquista, eurocêntrico, anglófilo – opondo-se veementemente a essa intervenção norte-americana, a qual ele atribuía a maquinações do então representante brasileiro nos Estados Unidos, Salvador de Mendonça, e com este, ferrenho republicano e florianista, tomando uma posição fortemente pró-americana, Topik estabelece sua linha de investigação, tentando entender as muitas marchas e contramarchas que levaram Nabuco, anteriormente cético a respeito das contribuições norte-americanas à civilização ocidental, a ser celebrado como um dos arquitetos da aproximação da política externa brasileira aos Estados Unidos, enquanto Mendonça, por tanto tempo tão ligado à doutrina norte-americana, passou, mais tarde, a expressar forte oposição às linhas-mestras da política externa dos Estados Unidos. Nabuco, apesar de monarquista, veio, alguns anos depois, a personificar a imagem que presidentes republicanos, como Campos Sales e Rodrigues Alves, mais desejavam para a República brasileira no exterior – um homem branco, educado, charmoso, imponente. Por todos os seus atributos, então, propõe o autor, a solução do enigma estaria facilmente resolvida: Nabuco é mais lembrado simplesmente porque ele fez mais para merecer ser lembrado.

Mas, adverte Topik, a explicação não é tão fácil assim. Reconhecendo sempre o merecimento da fama de Nabuco e o grande valor de seu legado, Topik nos lembra que Salvador de Mendonça tinha altíssimas credenciais e, portanto, um direito incontestável ao reconhecimento pela posteridade. Tendo ocupado os mais elevados postos do Brasil nos Estados Unidos por mais de vinte anos (cônsul-geral em Nova York entre 1876 e 1889 e ministro plenipotenciário em Washington entre 1890 e 1898), Mendonça teve uma carreira diplomática mais longa que a de Nabuco, conseguiu a assinatura do primeiro acordo comercial entre os Estados Unidos e o Brasil (1891) e desempenhou papel fundamental tanto no processo que levou ao reconhecimento norte-americano da jovem República brasileira como no estreitamento dos laços entre os dois países. Além disso, acrescenta Topik, Mendonça já apoiava fortemente o pan-americanismo numa época (a década de 1890) em que Nabuco se opunha à política externa norte-americana.

As ausências, diz Topik, podem ser tão significativas como os monumentos, mas com a diferença óbvia de que não podem ser vistas. O esquecimento da figura de Mendonça deve ser entendido, segundo o autor, à luz das grandes mudanças que ocorreram no Brasil na década de 1890. Além de ter impedido que os norte-americanos apoiassem os rebeldes da Revolta Naval de 1893–1894 e de ter ajudado a convencer os Estados Unidos a colocar na baía da Guanabara uma força naval nunca antes vista na América Latina, Mendonça agiu também extra-oficialmente ao organizar a chamada frota de Flynt, uma esquadra de mercenários que teve grande importância na vitória das forças governistas. A fortuna política de Mendonça começou a mudar quando Floriano entregou o poder e morreu pouco depois. Uma série de eventos levou o sucessor de Floriano, Prudente de Morais, a decretar estado de sítio e atacar os aliados mais chegados ao ex-ditador; deste modo, aquele que tinha servido em gabinetes liberais, assim como conservadores, aquele que sobreviveu a várias mudanças, de regime e de ministérios, foi ironicamente derrubado por um companheiro republicano de longa data. Poucos anos depois, já no início do século XX, ex-monarquistas ocupavam a presidência (Rodrigues Alves, Afonso Pena) e a orientação republicana do Itamaraty tinha mudado suficientemente para aceitar monarquistas como o barão do Rio Branco e Joaquim Nabuco nos seus quadros, tendo aquele, como ministro das Relações Exteriores, enviado este como seu embaixador, primeiro a Londres e, depois, a Washington. A partir daí, como Topik demonstra com citações do discurso de Madison, as dúvidas e ambivalências de Nabuco a respeito da importância dos Estados Unidos no processo civilizatório começam a ceder, o que foi ajudado pela ligação estreita do embaixador brasileiro com o progressista Elihu Root, secretário de Estado norte-americano entre 1905–1909, justamente os anos de glória da diplomacia internacional de Rio Branco. Quando da morte prematura de Nabuco em 1910, ele e Rio Branco tinham mudado completamente de opinião em relação à Doutrina Monroe, chegando a adotar a posição que era, exata e ironicamente, aquela dos republicanos mais radicais. Por volta daquele mesmo ano, Salvador de Mendonça, por sua vez, tinha tomado posições contrárias àquelas que tinha defendido durante seus anos na América do Norte, opondo-se agora à Doutrina Monroe e juntando-se a nacionalistas como Alberto Torres, que viam os Estados Unidos como um poder imperialista. Ao contrário da grande comoção pública, pompas fúnebres e volumosos tributos prestados a Nabuco em 1910, a morte de Salvador de Mendonça, três anos depois, recebeu pouca atenção da imprensa.

EM OUTRO ENSAIO DE ORIENTAÇÃO HISTÓRICA, intitulado "Diplomatas e escritores: Nabuco, Machado e a fundação da Academia Brasileira de Letras", Joshua Enslen estuda a criação da Academia Brasileira de Letras (ABL), dedicando especial atenção não somente à relação entre os seus fundadores como também à atuação dos numerosos diplomatas que desde o princípio têm sido eleitos para a ABL. Dada a preocupação que tinha o grupo otimista de membros fundadores de incluir a literatura brasileira no cenário literário mundial, era inevitável que literatura e política externa se entrecruzassem na Academia. Graças a uma cuidadosa pesquisa de arquivos, Enslen documenta o seu capítulo com numerosas citações de cartas e discursos, mostrando como já na época da Independência a diplomacia e as letras andavam de mãos dadas, uma relação tornada ainda mais estreita com a dinamização romântica – apontada por Alfredo Bosi – dos grandes mitos, a Nação e o Herói. Como Enslen diz, os escritores-diplomatas passaram então a simbolizar três categorias (homem, obra, nação) e refletir três autonomias (a individual, a artística e a nacional) simultaneamente.

Discorrendo sobre os motivos de haver a Academia acolhido tantos diplomatas, Enslen menciona a razão mais lógica (o Rio de Janeiro era na época o centro político e cultural do país), mas também aduz outras, como, por exemplo, o fato de que as duas profissões eram tradicionalmente controladas pelas famílias de elite, cujos filhos, formados em direito no Recife ou em São Paulo, eram encorajados a passar longas temporadas no exterior; ou então, que o tempo livre proporcionado pela diplomacia na época atraía aqueles que queriam dedicar-se com afinco à literatura. Enslen observa ademais que a alta ocorrência de diplomatas registrava-se não apenas entre os membros fundadores da ABL, mas também entre os patronos designados pelo ocupante inicial de cada cadeira (Nabuco, por exemplo, escolheu Maciel Monteiro).

Enslen também trata da questão da representação nacional na formação dos quadros da Academia, pois no século XIX a literatura, tendo, não menos que a diplomacia, papel fundamental no estabelecimento de laços políticos e culturais com os países europeus, era também de valor essencial na articulação da diferença (ou de diferenças) entre o Brasil e essas mesmas nações. Algo, porém, faltava à ABL nessa sua missão heroica. Como foi devidamente notado por Nabuco em seu discurso na sessão inaugural, não havia antiguidade e, sem esta, uma academia é como "uma religião sem mistérios". Não tendo antiguidade, foi então, no dizer de Nabuco, necessário imitá-la. E ao escolher antepassados escritores, fica claro, como explica Enslen, que para Nabuco seria igualmente impossível aos membros fundadores da ABL "imaginar uma nação que não tivesse os seus próprios escritores quanto imaginar escritor que não tivesse a sua própria nação para escrever".

EMBORA QUASE TODOS OS TEXTOS AQUI REUNIDOS se refiram em maior ou menor grau ao discurso de Madison, três deles, da autoria de Pedro Meira Monteiro, João Almino e Paulo Roberto de Almeida, respectivamente, se detêm mais demoradamente em "The Share of America in Civilization", texto publicado quatro meses após a cerimônia de formatura, numa das revistas acadêmicas de maior prestígio na época, a *American Historical Review*.

Pedro Meira Monteiro inicia seu ensaio, "Por dentro do círculo mágico: Progresso e melancolia no discurso de Madison, de Joaquim Nabuco", rastreando o interesse de Sérgio Buarque de Holanda na figura e na obra de Nabuco, devido em grande parte à presença neste do tópos do exílio em sua própria casa,[26] do mal-estar profundo consequente ao fato de que "O sentimento em nós é brasileiro, a imaginação europeia".[27] A seguir, Monteiro avança o propósito central do ensaio, que é, baseando-se no discurso de Madison, a formulação de algumas hipóteses sobre a imaginação do espaço americano em Joaquim Nabuco, destacando-se entre elas uma crença inabalável no progresso expressa em um tom um tanto quanto melancólico.

O lastro do discurso é identificado como a busca do "quinhão" americano no processo civilizatório no qual Nabuco acreditava firmemente, mas Monteiro também vê no texto de 1909 duas ideias recorrentes, a de que na origem do universalismo democrático europeu encontra-se o selvagem americano, e a de que a felicidade europeia adviria do descobrimento da América; em ambas, segue firme o diálogo com a utopia do Novo Mundo e a imaginação continua sendo, como sempre, europeia.

Depois de mostrar como a sofisticada marcação pronominal de Nabuco abarca um território americano que, à medida que o discurso avança, vai ficando mais complexa, dando à América seus tons distintos, Monteiro começa a revisitar aquelas que são, no entender de Nabuco, as grandes contribuições norte-americanas à civilização. A respeito da primeira dessas contribuições – o papel norte-americano na manutenção da paz e a função supostamente estabilizadora da Doutrina Monroe – Monteiro desarma a primeira armadilha do discurso de Madison ao isolar o "grão de sal" que Nabuco acrescenta ao examinar a liderança norte-americana no cenário internacional.

No que concerne à segunda grande contribuição americana à civilização – a imigração – o crítico de Princeton identifica a ironia que para a nossa era têm as palavras de Nabuco, dado o impedimento que a condição imperial coloca ante qualquer aspiração de pan-americanismo. A armadilha discursiva que, desta vez, como diz Monteiro, "engole o diplomata", inclui um silêncio perturbador, aquele referente à questão negra, algo no mínimo notável para o leitor brasileiro acostumado às lides anti-escravistas de Joaquim Nabuco. Quanto à terceira das contribuições norte-americanas ao mundo – a democracia – o lance retórico é, na opinião de Monteiro, "empolgante". Pois apesar de ser a democracia, como sugere Nabuco, uma forma europeia, originalmente inglesa, é o experimento democrático de uma república na América, ligado à imigração idealizada, que serve de modelo ao velho continente, despido da ambiguidade e temor tocquevillianos por aquela "igualdade" fundamental. Algo ainda mais notável ao levarmos em conta a incredulidade de Nabuco em relação à República.

Estas três contribuições incorporam um sentimento de *finalidade*, de uma marcha para a frente, um avanço menos de tecnologia que de espírito. A elas junta-se mais uma, que é a beleza artística. Neste ponto, como assinala Monteiro, o discurso já não comporta mais concessões e a "imaginação europeia" é soberana, pois seu autor precede o Modernismo brasileiro e sua "aventura de desrecalque localista".

O restante do ensaio de Monteiro é dedicado à análise de como seria possível ler num discurso progressista (como o que considera a parte que cabe à América no processo civilizador) as declarações que Nabuco faz, de fé no passado e da decadência da arte contemporânea. A explicação sugerida por Monteiro é que o discurso progressista de Nabuco é eivado de "um tom melancólico, de luto incompleto pela perda da aura da verdadeira arte", a melancolia sendo geralmente associada ao caráter errático da juventude de Nabuco, o qual seria mais tarde atenuado pela serenidade do homem maduro. Todavia, insiste Monteiro, na breve discussão sobre o Belo e sobre a suposta feiúra do moderno encontrada no ensaio de Madison, talvez seja possível detectar, além de uma resistência aos pontos-chave da arte do século XX (o fragmento, a provocação etc.), também "um chamado do passado, e a sensação inefável de que afinal de contas não vale a pena correr para a frente". Nesta altura, Monteiro invoca dois gigantes contemporâneos de Nabuco. Primeiro, Machado de Assis, cuja "correspondência de alma" com Nabuco diz respeito a uma desconfiança discreta em relação ao progresso, ou, pelo menos, ao discurso arrogante do progresso; e segundo, Euclides da Cunha, o qual, nas palavras de José Luiz Passos (citado por Monteiro), "cedeu ao embaraço de duvidar do moderno" tal como, na geração anterior, víamos em Nabuco "o sentido do olhar rebaixado pela saudade do mundo de antes".[28]

Monteiro concede, todavia, que Nabuco tinha, sim, certo interesse pela arte na América sua contemporânea, identificando a nitidez americana, o caráter *clean-cut*, como um estilo a ser seguido. A partir daí, o discurso, como diz Monteiro, "agora de novo intrépido", volta à questão da nova era, do progresso técnico, da relação entre o avanço tecnológico e a iniciativa individual, chegando às grandes conquistas da educação americana, e nela inclusive a impressionante presença feminina.

Optando por referir-se apenas de passagem à menção à América Latina e ao Brasil, inclusive um Brasil "eternamente pacífico" e "idealizadamente cordial", a despeito das denúncias do próprio Nabuco, Monteiro encerra seu ensaio com uma reflexão sobre a profunda ambiguidade do pensamento americanista de Nabuco, uma ambiguidade resultante do mesmo paradoxo ao qual Nabuco se encontra acoplado, o de que quanto mais se busca superar o modelo europeu, mais fundo vão as raízes que apontam para a Europa. É aí nesse ponto que, no entender de Monteiro, se encontram o limite e o alcance do discurso identitário de Nabuco, um discurso "comprometido com o fechamento do círculo da significação e com a finalidade da marcha histórica", mas que é ao mesmo tempo "um discurso que se deixa momentaneamente atravessar pelo fio tênue da melancolia".

CONCENTRANDO-SE IGUALMENTE EM "The Share of America in Civilization", no seu capítulo "A utilidade da América além do tabaco: Nabuco e Madison", o embaixador João Almino assinala que, embora o tema da contribuição da América à civilização somente seja focalizado explicitamente no texto de Wisconsin, dez meses antes da cerimônia de Madison, Nabuco já havia aberto seu discurso na Universidade de Chicago, em 28 de agosto de 1908, louvando algumas dessas contribuições.

No ensaio incluído nesta coletânea, João Almino enfatiza a primeira das contribuições destacadas por Nabuco, qual seja, a imigração. Apesar de fazer uma ressalva, a de que, se comparada às aventuras do protagonista de *The Jungle* – romance de Upton Sinclair publicado em 1906, à época portanto em que Nabuco estava em Washington –, a visão do embaixador brasileiro sobre imigração americana pode parecer otimista demais, João Almino ressalta que Nabuco estava certo ao apontar a grande capacidade norte-americana de atrair e assimilar imigrantes, capacidade ímpar na história ocidental, comparável apenas à do Império Romano no apagar de suas luzes, embora com um diferença fundamental, a de que este, o Império Romano, havia sido formado por meio de conquistas, enquanto que os Estados Unidos são formados por imigração livre, ao ponto, na verdade, de ter a América criado um novo direito, o de se escolher o próprio país. Um país no qual a ênfase recaía sobre uma síntese nacional (em vez do aspecto multicultural ressaltado nos dias de hoje) mas, ainda assim, um país no qual a fórmula étnica variava a cada geração, embora Nabuco ainda não mencione hispânicos nem asiáticos, o que, de acordo com João Almino, pode ser atribuído ao seu eurocentrismo e à sua crença na boa influência da imigração europeia. Como outros estudiosos da obra de Nabuco, João Almino comenta que era de esperar que o líder abolicionista brasileiro não omitisse a contribuição étnica africana aos Estados Unidos. No entanto, segundo João Almino, Nabuco vê a imigração como um processo que cronologicamente se seguiu à escravidão e que é ela, a imigração, e não a escravidão, que representa a verdadeira seiva americana.

No discurso de Chicago, como aponta João Almino, Nabuco já declarara que deve ser o destino comum de ambas as Américas ser países de imigração, e que a América Latina devia aprender a maneira americana de assimilar imigrantes, os quais rapidamente se tornam cidadãos patrióticos, algo possibilitado pelo espírito político da América, que combina igualdade e liberdade individual. João Almino também comenta que, tanto no discurso de Chicago como no de Madison, Nabuco poderia ter feito uma comparação entre os Estados Unidos e o Brasil, que é igualmente um país de imigrantes cuja experiência é em muitos respeitos semelhante à dos Estados Unidos, inclusive no da mobilidade social. Talvez Nabuco ainda não estivesse a par da magnitude do fenômeno imigratório no Brasil ou talvez ele pensasse que a grande diferença de números e proporções a favor dos Estados Unidos não justificasse uma comparação. Mas, como assinala João Almino, no mesmo ano da conferência de Chicago começa a leva da imigração japonesa ao Brasil, enquanto continua a imigração europeia em larga escala iniciada duas décadas antes.

Almino comenta a seguir as outras contribuições da América assinaladas por Nabuco: a manutenção da paz; a democracia; a igualdade; o sistema educacional, tão admirado por Nabuco pela inclusão das mulheres; e o caráter do povo, sobre o qual Nabuco baseia-se no livro de Bryce, *The American Commonwealth*.[29] O autor também tece considerações sobre a posição de Nabuco a respeito da América como um dos centros da civilização ocidental. Todas as contribuições arroladas por Nabuco não parecem ser suficientes para colocar a América – entendida aqui como os Estados Unidos – ao centro, apesar de, como reconhece Almino, Nabuco ter afirmado que algum dia, talvez, a humanidade pudesse se renovar por meio dos seus ramos americanos, ecoando assim o Hegel de *Filosofia da História*, publicado originalmente em 1837. Mas em 1909, como enfatiza Almino, Nabuco não via nenhum sinal de uma mudança na hegemonia da Europa para a América, nem ainda estava claro àquela altura se a economia política dos Estados Unidos viria a ser uma das contribuições americanas à civilização.

Como Almino observa, Nabuco apenas menciona a América Latina no discurso de Madison, achando bastante cedo para falar a respeito do papel reservado pela História para a América Latina. No entanto, Nabuco reconhece algumas contribuições da América Latina para a civilização, relacionadas na sua maior parte à qualidade do seu povo e de suas recentes conquistas, citando inclusive – em plenos Estados Unidos orgulhosos dos irmãos Wright – o nome de Santos-Dumont como aquele que inaugurou a era da navegação aérea. Ainda assim, explica João Almino, Nabuco continua a identificar os Estados Unidos como o responsável por moldar a civilização americana.

O autor comenta que, ao contrário de Nabuco, nós não temos que pensar que princípios universais ou a obra civilizatória exijam um centro, seja ele a Europa ou os Estados Unidos, e que nós, os latino-americanos, não devemos ver-nos a nós mesmos nem como espectadores de uma peça mundial de teatro nem como vítimas de uma ordem mundial agressiva, pois podemos prover os elementos formadores da nossa própria identidade e, ao mesmo tempo, evitar o nacionalismo, seja ele romântico ou conservador. Pois, conclui João Almino, a civilização é um resultado e não um início, e nem é ela uma série de princípios a ser impostos, mas sim uma troca de ideias e um aprendizado. Se, como afirmou Nabuco, devemos tolerar a diversidade da raça humana, os valores universais que buscamos nas Américas devem ser negociados democraticamente, pois ambas as Américas têm importantes contribuições a oferecer à civilização do futuro.

O CAPÍTULO DE PAULO ROBERTO DE ALMEIDA, intitulado "O Brasil e os Estados Unidos antes e depois de Nabuco: Uma avaliação de desempenho relativo no plano do desenvolvimento social", é um estudo comparativo feito a partir de uma releitura de "The Share of America in Civilization". Partindo do momento da independência dos dois países, o ensaio de Almeida acompanha o desenvolvimento econômico dos Estados Unidos e do Brasil ao longo do século XIX e prossegue com essa avaliação até cem anos depois do discurso de Madison. O autor reconhece a insuficiência de taxas de crescimento do Produto Interno Bruto e de renda per capita no estudo das diferentes trilhas de modernização tomadas pelos dois países no "longo século XX", preferindo enfatizar outros aspectos como a construção institucional, o sistema educacional meritocrático e o papel da prestação de contas (*accountability*) no desempenho de cargos públicos.

A partir daí, e seguindo a lista das contribuições americanas propostas por Nabuco, Almeida começa o exame comparativo dos desempenhos dos dois países. O autor ressalta sempre os significados diferentes das diversas características listadas por Nabuco. A democracia, por exemplo, significa para os latino-americanos tão-somente um regime político, enquanto a sua prática nos Estados Unidos refere-se à própria organização da sociedade. No que toca a outra das características – a manutenção ou garantia da paz – Almeida enfatiza que o papel dos Estados Unidos nesse sentido inclui o militarismo e a defesa intransigente da soberania nacional, enquanto as contribuições brasileiras a esse respeito incluem o caráter pacífico, o comprometimento com o direito internacional, uma sociedade aberta e tolerante e um papel moderador no nosso continente.

As três seções seguintes do capítulo de Almeida focalizam o que distingue os Estados Unidos como país. A primeira das três faz referência principalmente às obras de Charles W. Eliot, presidente de Harvard a partir de 1869, *American Contributions to Civilization* (1897), e do diplomata brasileiro Manuel de Oliveira Lima, *Nos Estados Unidos: Impressões políticas e sociais* (1899), o qual, ao contrário de Nabuco, oferecia severas críticas a esse tipo de análise das contribuições dos Estados Unidos nas quais se omitia a discussão do "problema negro". Esse tipo de crítica, somado à atitude negativa de Oliveira Lima em relação ao pan-americanismo e ao imperialismo norte-americano, constituíam importantes diferenças de opinião entre os dois velhos amigos.

A segunda dessas seções centrais do ensaio de Almeida estuda comparativamente o que distingue o Brasil dos Estados Unidos, tentando compreender por que a população e as instituições não conseguiram tornar o nosso país mais próspero do que era ao raiar do século XX. Descartando a produção bruta como medida única e real da prosperidade individual, Almeida conclui que os fatores cruciais que realmente distinguem o Brasil dos Estados Unidos estão na verdade nas taxas de produtividade, as quais são uma função quase direta da capacitação educacional dos dois países. A terceira seção examina alguns mitos e equívocos sobre o protecionismo comercial americano, especificamente, que a pujança econômica e industrial do país do norte deve-se a políticas comerciais protecionistas enquanto que, em comparação, o Brasil teria sido excessivamente liberal em sua política comercial. Atendo-se aos elementos factuais das duas histórias político-econômicas, Almeida conclui que os dados disponíveis revelam que, no período estudado, o Brasil não dispunha das condições econômicas e culturais necessárias para fomentar um processo efetivo de industrialização, sendo esta então a razão da defasagem brasileira, e não o mito de que uma política protecionista garante que um país se torne uma potência industrial.

A seguir, Almeida volta-se à análise, ao longo do século XX, das características americanas ressaltadas por Nabuco no ensaio de Madison. Quanto ao papel americano de mantenedor da paz, o autor explica que se trata na verdade de um poder dissuassório, pronto a conter não somente governos hostis mas também a si mesmo na pretensão de ser o poder dominante na tomada de decisões no cenário internacional.

No que toca à imigração, Almeida observa que a evolução ocorreu no sentido contrário ao da política comercial, isto é, começando com a abertura total desde a época colonial até as primeiras restrições ao fluxo migratório na terceira década do século XX. Apesar desses limites, os Estados Unidos continuaram a ser, em termos absolutos, o país mais aberto do mundo aos cérebros e músculos de todos os demais países, enquanto o Brasil, na maior parte do mesmo século, privilegiou agricultores em vez de comerciantes e outras ocupações urbanas como candidatos à imigração, ficando assim para trás na corrida por uma imigração educacional e científica. No que diz respeito à democracia, Almeida afirma que as observações de Nabuco mantêm sua validez em nossos dias pois, enquanto no Brasil a democracia representa, na melhor das hipóteses, uma superestrutura de caráter político, nos Estados Unidos ela é uma infraestrutura de natureza social. As observações de Nabuco, segundo Almeida, não deixam de ser válidas para a nossa época no que toca às condições sociais, com a importante ressalva de que não existe igualdade de condições sociais nos Estados Unidos atuais, tanto quanto existe uma igualdade de oportunidades e uma mobilidade de emprego.

À guisa de conclusão, Almeida afirma que as características selecionadas por Nabuco no discurso de Madison parecem resistir ao teste do tempo, com a exceção de um aspecto que não pode ser ignorado por um estudioso brasileiro, especificamente, a natureza duradoura da segregação norte-americana, apoiada por políticas públicas. Ao mesmo tempo que lamenta que esta mancha no cenário social norte-americano, já bem evidente à época de Nabuco, não tenha sido tratada adequadamente no ensaio de Madison, Almeida reconhece que tanto o racialismo persistente nos Estados Unidos como a discriminação social no caso do Brasil seguem sendo problemas não resolvidos na atualidade de ambos os países, e que questões específicas como "cotas raciais" e "ações afirmativas" vão muito além do discurso de Nabuco em 1909.

EM "JOAQUIM NABUCO: Um intelectual entre culturas", João Cezar de Castro Rocha faz uma releitura da autobiografia intelectual de Nabuco, *Minha formação* (1900). Detendo-se especificamente no quarto capítulo, "Atração do mundo", Castro Rocha identifica Nabuco como um precursor daquelas figuras de culturas não hegemônicas que, no decorrer do século XX, ocupariam o entre-lugar, para usar o termo consagrado no conhecido ensaio de Silviano Santiago.[30] O argumento central do ensaio de Castro Rocha é que a visão de Nabuco, a respeito da "atração do mundo" e do complexo dilema do intelectual que a vive, tem recebido injustamente menos atenção do que a atuação intelectual e política do Joaquim Nabuco abolicionista. Em sua argumentação, Castro Rocha parte de uma troca de cartas entre um jovem Carlos Drummond de Andrade e seu então mentor intelectual, Mário de Andrade, na qual este último usa a frase "a moléstia de Nabuco", significando o mal-estar de artistas e intelectuais que creem que é nos países centrais que se há de encontrar o reconhecimento. Apontando a incompreensão inicial do jovem Drummond (como obter esse reconhecimento se o modelo/padrão é sempre estrangeiro e sempre fora do alcance do intelectual de província?), ao mesmo tempo que destrincha tanto as falhas da homologia geológica usada por Nabuco como a ironia modernista de Mário, Castro Rocha lê a atuação de Mário como um *pharmakon*, o polissêmico termo grego que engloba tanto o mal como a sua cura, tanto a importação acrítica dos valores europeus como uma noção equilibrada de identidade cultural.

Através do uso inteligente do *pharmakon* de Mário para combater o diagnóstico do próprio Mário, Castro Rocha ilustra o seu argumento de que Nabuco na verdade antecipou muitas das questões principais da nossa atualidade intelectual, em especial a influência do exílio na definição de nação e identidade – com a óbvia ressalva da necessidade de se entender e contextualizar o vocabulário, julgamentos e preconceitos de Nabuco e sua época, ao invés de denunciá-lo por não empregar as categorias que nos são atualmente disponíveis. Contra este pano de fundo, Castro Rocha faz então a sua releitura do autorretrato de Nabuco ("um provinciano do século XIX"), na qual questiona o julgamento que o Modernismo fez do relacionamento de Nabuco com a cultura europeia como sendo baseado numa aceitação passiva de valores estrangeiros ou num afastamento de suas origens brasileiras. Calcando-se em teóricos contemporâneos nossos, como Edward Said e Terry Eagleton, Castro Rocha posiciona Nabuco solidamente como um precursor desta corrente de pensadores que veem o exílio e o deslocamento como motivos centrais da cultura moderna.

Castro Rocha identifica a seguir cinco etapas na recepção crítica da obra de Nabuco no Brasil, dedicando especial atenção ao terceiro e quarto momentos, o iconoclasmo modernista e o redimensionamento efetuado por Silviano Santiago, respectivamente. Levando adiante o argumento central do importante ensaio de Santiago (no qual este assinala a ligação estreita entre a formação dos centros econômicos e o controle sobre novas tecnologias de comunicação), Castro Rocha, citando o discurso de Madison, aponta a identificação que Nabuco fez entre progresso científico e a contribuição de países não hegemônicos levando enfim à criação de uma comunidade americana na qual estariam reunidas as duas Américas, a latina e a anglo-saxônica.

Em sua leitura, Castro Rocha também reconhece seu débito a Evaldo Cabral de Mello e o prefácio deste à edição do centenário de *Minha formação*, prefácio que Castro Rocha identifica como o quinto momento do seu panorama. Mostrando como a metáfora da apropriação, tão importante para o Modernismo, na verdade já aparecia em *Minha formação*, onde Nabuco defende uma via dupla no estudo crítico do intercâmbio cultural, Castro Rocha incorpora a questão do bilinguismo ao seu argumento, indo na verdade muito além, ao introduzir as ideias de Walter Benjamin, Haroldo de Campos e Vilém Flusser sobre tradução, transcriação e esperanto-português, respectivamente.

Por último, Castro Rocha ressalta a aguda preocupação que Nabuco tinha com problemas intimamente relacionados à nossa atualidade, inclusive a relação de poder entre o centro e a periferia, definidos estes não como lugares sempre fixos e idênticos, mas sim como uma complexa série de relações assimétricas – política, econômica e culturalmente falando – e, acima de tudo, relacionais e mutáveis. Daí a percepção que Nabuco tinha dos laços estreitos entre hegemonia cultural e poder econômico. E daí a posição de Nabuco como um europeísta (para usar a terminologia de Ernesto Sábato), isto é, aquele que ao contrário do europeu (o qual não consegue entender seus próprios limites), tem, como parte da sua condição (o "dilema do mazombo", *apud* Evaldo Cabral de Mello) um olhar perspicaz e crítico sem o qual Nabuco não teria alcançado nem o equilíbrio entre nacionalismo e universalismo nem a base necessária para a compreensão da formação cultural do Brasil.

ENCERRAM ESTE VOLUME QUATRO TEXTOS, da autoria de Jeffrey Needell, Celso Castilho, Peter Beattie e Courtney Campbell, sobre a faceta de Nabuco que o consagraria aos olhos da nação, o abolicionismo.

O texto de Needell, "Nabuco e a batalha parlamentar pela Abolição", tenta remediar o descaso que desde a década de 1970 tem sido dado à luta abolicionista. Ao privilegiar as especificidades locais, uma análise abrangente, de nível nacional, foi sendo abandonada pelos estudiosos do abolicionismo nas últimas décadas. Desde 2004, porém, Needell vem realizando uma análise mais ampla do movimento abolicionista, a partir do estudo da relação dialética entre a política formal e o movimento popular nas ruas do Rio de Janeiro. Destacando a reputação de Nabuco como a que mais tem sofrido com este descaso, Needell se propõe aqui a resgatar a contribuição singular de Joaquim Nabuco à batalha abolicionista.

A primeira das três partes do capítulo focaliza as diversas fases do movimento abolicionista entre 1879 e 1888. Needell contextualiza sua periodização do abolicionismo brasileiro mediante um retrospecto da sabidamente ineficaz legislação debatida e aprovada nesses anos e da origem do movimento abolicionista como uma reação da ala reformista do Partido Liberal, frustrada com a posição oficial pós-escravista do partido ao subir ao poder em 1878. Needell começa nesse ponto a acompanhar a atividade de Nabuco, primeiro, como membro dessa ala, com seus discursos a favor de uma reforma que antecipasse a emancipação, e, depois, como incentivador dos radicais urbanos, inclusive da imprensa, como José do Patrocínio (1854–1905). Essa primeira fase, iniciada em 1879 e sustentada por uma frente ampla que incluía deputados, jornalistas e oficiais subalternos do Exército, estendeu-se até 1881, quando Nabuco e outros membros da minoria reformista, atacados pelos fortes e bem-financiados interesses dos partidos majoritários, não conseguiram se reeleger. Isso deu início à segunda fase, em que o movimento, agora livre das limitações do decoro parlamentar, ficou sob a liderança de militantes urbanos, aliados de Nabuco na imprensa, e organizações voluntárias e gente dos teatros onde ocorriam as reuniões pró-abolição. Foi formada uma rede nacional de ativismo emancipatório desde o Amazonas até o Rio Grande do Sul. Foi durante essa fase de radicalização (1881–1884) que os abolicionistas cearenses conseguiram banir a escravidão da sua província (em 1884) e os movimentos de luta rua a rua tomaram ímpeto em outras partes do país. Esses sucessos levaram o imperador a tentar conter e, ao mesmo tempo, tirar vantagem desse movimento radical, gerando uma grave e complicada crise política que culminou com a elevação dos conservadores ao poder sob a liderança repressiva do barão de Cotegipe. Nos dois anos seguintes, houve uma radicalização ainda maior por parte dos abolicionistas, com mobilizações rurais, fugas frequentes de escravos e a grande popularidade do romantismo abolicionista fazendo clara a conexão entre a causa abolicionista e as aspirações da população por civilização e progresso. Em 1887, quando o imperador, gravemente enfermo, viajou à Europa, os militares já estavam desafiando abertamente as ações do gabinete, recusando-se, inclusive, a intervir na cada vez maior fuga de escravos. Isabel, a princesa regente, forçou a saída de Cotegipe no início de 1888 e nomeou em seu lugar João Alfredo, cujo tímido modelo de transição gradual era muito pouco e chegou tarde demais, sendo levado, enfim, a aceitar a exigência abolicionista por emancipação imediata em maio do mesmo ano.

A segunda seção do capítulo examina a posição de Nabuco numa fase da luta pela emancipação em que a política parlamentar tendia para a repressão e o movimento público para a radicalização. Em 1879, ele retomou a luta política ao romper com a liderança moderada do Partido Liberal e exigir uma nova reforma emancipacionista. A partir desse ponto, a abolição se tornou sua grande paixão e a causa pela qual tem sido mais admirado até os nossos dias. Sua rápida ascensão se explica menos pelo seu forte comprometimento e grande identificação com a causa do que por uma combinação de fatores entre os quais sobressaem a apresentação pessoal, os triunfos oratórios e um admirável talento teatral.

Needell conclui seu ensaio com um apanhado do sucesso de Nabuco fora do Parlamento – seu êxito no movimento mais amplo, principalmente na fase mais radical, a partir de 1881. A chave para entender tal sucesso foram as mudanças na cultura política da Monarquia em sua última década de existência. Através de quase todo o regime imperial as mobilizações políticas das massas urbanas eram controladas pela elite política, e mesmo nos últimos anos da Monarquia, tanto na Revolta do Vintém como na campanha abolicionista, a mobilização foi orientada por parlamentares ou por radicais da classe média urbana e seu objetivo final era na verdade alcançar a mudança através do governo parlamentar, levando a Câmara e a Coroa a aceitar a emancipação dos escravos como fato consumado e assim legalizá-la. Daí que o papel de Nabuco como líder parlamentar, além de autor de *O Abolicionismo* (1883) e porta-voz do movimento nas ruas e nos teatros, foi de fundamental importância no desenrolar dos acontecimentos que levaram à abolição. Sua compreensão aguda da relação vital entre o movimento nas ruas e as discussões no Parlamento e do seu papel em ambos foi essencial para que ele alcançasse a posição não somente de líder mais visível do abolicionismo, como também de seu símbolo mais respeitado.

CONTRASTANDO COM O AMPLO PANORAMA desenhado por Needell, Celso Castilho, em "Agitação abolicionista, transtornos políticos: O Recife na véspera da campanha abolicionista", concentra-se em um só ano, o de 1884, e lugar, o Recife, analisando o efeito que os eventos cruciais ocorridos nesse ano, principalmente a abolição da escravidão na província do Ceará, tiveram sobre os debates emancipatórios em Pernambuco. Entre as importantes consequências da decisão cearense encontram-se a reconfiguração dos parâmetros do debate no Recife e a grande celebração do 25 de março pelos abolicionistas locais. Os festejos, numa escala e proporção até então jamais vistas em Pernambuco, ocasionaram, porém, uma forte reação negativa da Associação dos Plantadores de Cana de Açúcar, a qual havia mantido, até aquele ponto, uma atitude pública deliberadamente ambígua a respeito da abolição. Como resultado, uma nova polarização passou a orientar os debates em meados de 1884, com os jornais locais desempenhando papel central na demarcação dos dois lados. Foi justamente através da imprensa que os plantadores de cana adotaram, pela primeira vez, uma voz coletiva. Foi igualmente nas páginas dos jornais que o tom dos debates mudou, deixando de lado os argumentos "humanitários" dos abolicionistas do começo da década e assumindo um novo linguajar, acerbo e antagônico, que iria caracterizar a discussão nos últimos meses de 1884.

As duas consequências acima citadas ajudam a pôr em perspectiva o mais famoso acontecimento daquele ano, que foi a campanha eleitoral centrada no abolicionismo. Há mais de um século, no entender de Castilho, a historiografia da emancipação dos escravos no Brasil tem exaltado o papel de Joaquim Nabuco no movimento e sua atuação nessas eleições parlamentares.

No entanto, ainda ficam por fazer estudos mais completos do contexto político local antes da volta de Nabuco a Pernambuco para participar da campanha eleitoral. A energia, as tensões e os confrontos que caracterizaram o estilo da campanha de Nabuco devem ser entendidos, segundo Castilho, como consequências de um processo de polarização já existente no Recife, precedendo portanto o início da campanha, um processo que havia sido cristalizado em dois momentos desse mesmo ano, o primeiro, na manhã de 25 de março, quando teve lugar a grande demonstração pública comemorativa da abolição cearense, e o segundo a reação contrária, que foi o congresso da Associação dos Plantadores de Cana de Açúcar, durante o mês de julho.

É de uma análise detalhada desses dois eventos que se ocupa o estudo de Castilho, e não das eleições aparentemente fraudulentas que levaram à derrota de Nabuco, nem de como esse resultado atraiu o apoio de segmentos da população previamente desinteressados da causa abolicionista, e nem mesmo de como a publicação, logo a seguir, de *A campanha abolicionista no Recife: Eleições 1884*, uma coleção de discursos abolicionistas de Nabuco, veio a ser um poderoso instrumento de propaganda pró-emancipação. Pois, como este capítulo bem demonstra, o que houve foi um dessas raras ocasiões em política em que o *processo* foi mais importante do que o resultado.

PETER BEATTIE, EM "Joaquim Nabuco, o advogado, e Thomaz, o escravo: Perspectivas locais, nacionais e comparativas sobre antiescravidão e pena de morte", ecoa o ensaio de Castilho porque também se concentra em uma batalha da luta abolicionista travada no Recife. Ao fazer um exame detalhado do julgamento do escravo Thomaz e, especificamente, da defesa que Nabuco, ainda um quartanista de direito em 1869, montou para o acusado, salvando-o da pena de morte (convertida em prisão perpétua), Beattie não somente mostra como as lutas contra a escravidão e a pena capital estiveram interligadas no Brasil, como também dá uma valiosa colaboração ao melhor entendimento e reconhecimento da oposição visceral de Nabuco à pena de morte no país. O legado de Nabuco torna-se ainda mais admirável ao levarmos em conta que, desde que foi abolida, a pena capital nunca foi reintroduzida no Brasil, nem as tentativas que ocasionalmente ressurgem no Congresso brasileiro chegam perto de obter uma maioria de votos.

O gesto audacioso de Nabuco, apresentando-se, com apenas 20 anos de idade, para defender um escravo acusado de dois assassinatos e uma ousada fuga da prisão, prenunciava outras intervenções igualmente dramáticas nas batalhas em que iria participar através de sua carreira pública. Baseando-se nesta sua primeira experiência como advogado Nabuco escreveu um texto, *A escravidão*, o qual, deixado inconcluso, somente foi publicado anos depois de sua morte. Nessa obra vê-se como o jovem Nabuco formula argumentos contra a escravidão em conexão com a pena de morte, argumentos que ele expandirá e desenvolverá, mais de uma década depois, em *O Abolicionismo*; o mesmo texto, segundo Beattie, nos dá uma ideia de como a defesa de Thomaz concretizou a ojeriza de Nabuco a três instituições brasileiras: o açoitamento, a pena de morte e a escravidão. Ao defender o escravo, explica Beattie, Nabuco recorreu a alguns dos seus tropos abolicionistas mais eficazes, inclusive a associação entre a desumanidade da escravidão (como, por exemplo, a punição aviltante do açoitamento público aplicado a Thomaz) e a alegada preponderância de violência entre os escravos.

O julgamento de Thomaz torna-se, para Beattie e para nós leitores, um ponto de observação privilegiado a respeito de uma importante questão, a saber, por que foi que o Brasil esteve entre os primeiros países do mundo a abolir a pena de morte (fazendo-o *de facto* em 1876, e por lei, já na República, em 1889), enquanto foi a última nação independente do hemisfério ocidental a abolir totalmente a escravidão. Em uma abordagem comparativa, Beattie explica que, ao contrário dos Estados Unidos, onde a abolição da escravidão precedeu a completa supressão da pena de morte, no Brasil e outras nações latino-americanas a existência da escravidão não se constituiu num obstáculo à abolição da pena capital, sugerindo que nesses países a abolição da pena de morte era institucionalmente compatível com a legislação que permitia a existência da escravidão. Além disso, Beattie mostra como no Brasil a suspensão pelo imperador da aplicação de penas capitais constituiu-se uma revogação *de facto* mais de uma década antes da sua extinção completa. Preocupado com a imagem negativa do país nas suas viagens ao exterior e respondendo a críticas de intelectuais europeus de grande prestígio, Pedro II, assim como Nabuco e outros intelectuais de peso, procurava meios alternativos para demonstrar refinamento e civilização. Abolições *de facto* ou parciais, inclusive em países como Portugal, argumenta Beattie, parecem ter convencido o governo e a população de que a pena capital não era um fator deterrente de assassinatos e outros crimes graves. Em última análise, segundo Beattie, as abolições parciais da pena de morte levaram a abolições completas, do mesmo modo que as leis do ventre livre abriram o caminho para a abolição total da escravidão no Brasil e em muitas nações latino-americanas.

COMO OS DOIS CAPÍTULOS ANTERIORES, o de Courtney Campbell, "'Tinha apenas em vista chamar a atenção': Joaquim Nabuco, abolicionistas britânicos e o caso de Morro Velho", também se concentra em apenas um episódio da luta abolicionista e, como no ensaio de Peter Beattie, estuda especificamente o papel desempenhado por Nabuco na resolução de uma disputa, neste caso a de Morro Velho. Apesar de sua veneração pela Grã-Bretanha e pela sociedade inglesa, Nabuco não demonstrou nenhuma ambivalência ou hesitação a respeito da sua defesa dos escravos de Cata Branca contra os interesses da inglesa St. John d'el Rey Mining Company, que se opunha ferrenhamente à emancipação de escravos, prometida em um contrato público e legal. Na verdade, indo mais além, Nabuco costumava afirmar que estava prestando um serviço não apenas aos escravos ou ao Brasil, mas também à Coroa inglesa, pois, ironicamente, enquanto o governo brasileiro se ausentou do caso, era grande o interesse do público inglês a favor da liberdade desses escravos. Recorrendo a artigos de jornal, correspondência pessoal e diplomática de Nabuco e outros, documentos da justiça brasileira e papéis da mineradora inglesa, o capítulo de Campbell nos proporciona uma melhor compreensão das relações entre os abolicionistas brasileiros e britânicos na sua luta contra súditos ingleses residentes no Brasil, vindo, assim, juntar-se a obras importantes que tratam do assunto, como a recentemente publicada coleção de cartas organizada por Leslie Bethell e José Murilo de Carvalho.[31]

Campbell documenta as intervenções de Nabuco no Parlamento brasileiro, nas quais o líder abolicionista denunciava a St. John d'el Rey por desobedecer um contrato registrado em foros brasileiros, e mostra como os debates que se seguiram deram enorme visibilidade e ímpeto ao movimento pró-abolição, com grande cobertura da imprensa nacional e estrangeira. Campbell também examina como Nabuco, ao mesmo tempo que argumentava o caso baseando-se na legislação brasileira, apresentava-se aos olhos da Grã-Bretanha como um representante do espírito abolicionista inglês, como fica evidente em sua relação estreita com a influente British and Foreign Anti-Slavery Society, cujo apoio, na forma de cartas e documentos, foi essencial para a resolução da contenda.

Nabuco, naturalmente, logo reconheceu que o caso de Morro Velho era muito mais do que uma simples batalha jurídica, sendo, como foi, um evento de suma importância em sua carreira política e no movimento abolicionista como um todo. Usando informações e documentação recebidas de líderes da British and Foreign Anti-Slavery Society, ele providenciou respaldo jurídico e parlamentar a um caso que se encontrava parado há anos. Sua colaboração com a imprensa, atraindo inclusive a atenção e apoio de jornais que até então tinham ficado à margem do debate abolicionista, deu maior publicidade à contenda. Os debates a respeito de Morro Velho transcederam, consequentemente, esse caso específico, e puseram a luta abolicionista brasileira em primeiro plano, tanto no nível nacional como no internacional, tendo agora Nabuco como seu líder inconteste.

Na conclusão do capítulo, Campbell observa como o próprio Jacintho Dias da Silva, um mero defensor público de Minas Gerais responsável pela defesa dos escravos de Cata Branca, se surpreendeu com a vitória sobre os interesses ingleses e comenta que na verdade a vitória de Morro Velho foi conseguida não apenas com devoção à causa, legislação eficaz e tribunais honestos, mas em grande parte através da publicidade e sentimento público amealhados por Nabuco graças ao apoio e documentação recebidos de seus aliados abolicionistas no Brasil e no exterior.

EM SUA HISTÓRIA DA UNIVERSIDADE DE WISCONSIN, Merle Curti comenta que "While the time-honored disciplines were not discarded, the University displayed a willingness, from the very beginning, to embrace new disciplines, to absorb into its course of study activities which would have been anathema to the older, traditional colleges and universities."[32] Até aquele ponto, a missão de pesquisa e ensino da Universidade não havia ainda se expandido ao ponto de englobar o estudo sistemático de países da América do Sul. Atendendo àquela abertura assinalada por Curti, a planejada visita de Nabuco teria sido até então o mais forte sinal de interesse por uma nação jovem que por essa época ainda atraía pouca atenção nas universidades norte-americanas. A partir desse ponto, esporadicamente a princípio e mais visivelmente nas décadas seguintes, a comunidade universitária de Wisconsin começa a promover conferências, cursos e seminários sobre o Brasil. Embora o ensino sistemático da língua portuguesa na Universidade somente se iniciasse uma geração e meia mais tarde, estava por assim dizer lançada a semente dos estudos brasileiros em Madison.[33]

NOTAS

1 Os seis discursos foram reunidos em Joaquim Nabuco, *Discursos e conferências nos Estados Unidos*, trad. Arthur Bomilcar (Rio de Janeiro: B. Aguila, 1911); *Camões e Assuntos americanos*, trad. Carolina Nabuco (São Paulo e Rio de Janeiro: Companhia Editora Nacional e Editora Civilização Brasileira, 1940); e em *Pensamentos soltos e Assuntos americanos*. Obras completas de Joaquim Nabuco. Vol. 10 (São Paulo: Instituto Progresso Editorial S.A., 1949); são eles, em ordem cronológica, "O lugar de Camões na literatura" (Conferência na Universidade de Yale em 14 de maio de 1908); "O sen-

timento da nacionalidade na história do Brasil" (Conferência perante o Spanish Club da Universidade de Yale, em 15 de maio de 1908); "A aproximação das duas Américas" (*Convocation address* na Universidade de Chicago, em 28 de agosto de 1908); "Camões, poeta lírico" (Conferência no Colégio de Vassar em 21 de abril de 1909); "*Os Lusíadas*, epopeia do amor" (Conferência na Universidade de Cornell em 23 de abril de 1909); e "A parte da América na civilização" (*Baccalaureate address* na Universidade de Wisconsin, em 20 de junho de 1909, lido pelo reitor da Universidade, Charles Van Hise). A edição de 1911 contém mais oito discursos pronunciados em outras instituições não universitárias. A "Nota dos Editores" da edição de 1949 faz referência, ao início do volume, às traduções anteriores dos discursos (de Bomilcar, em 1911 e de Carolina Nabuco, em 1940) mas não especifica qual tradução está sendo usada em cada discurso. Em *Os discursos americanos de Joaquim Nabuco*, trad. João Carlos Gonçalves (Recife: Fundação Joaquim Nabuco; Editora Massangana, 1988), Carlos Daghlian ajunta aos seis discursos outras orações de Nabuco em diversas instituições públicas e particulares, num total de dezoito pronunciamentos, propondo uma classificação em quatro grupos temáticos: Camões; Brasil; Assuntos americanos; Pan-americanismo (p.25–27).

2 Hove, Arthur. *The University of Wisconsin: A Pictorial History*. Madison: University of Wisconsin Press, 1991, 73.

3 Vance, Maurice M. *Charles Richard Van Hise: A Biography*. Tese de doutoramento, Universidade de Wisconsin, 1952, 270–75.

4 *The Wisconsin Alumni Magazine*, vol.10, nº 1 (outubro 1908), 14. A menos que haja menção contrária, são minhas todas as traduções feitas nesta introdução, inclusive as dos trechos citados da correspondência entre Nabuco e Van Hise.

5 Carta de Joaquim Nabuco a Van Hise, 5 de maio de 1908 (Charles Van Hise papers, Series 4/10/1, Box 12, Folder 187 [Nabuco], University of Wisconsin Archives). As cartas entre Nabuco e Van Hise, num total de 18, abrangem o período de 5 de maio de 1908 até 6 de julho de 1909. Com a exceção da primeira carta de Van Hise a Nabuco, os originais das cartas que Van Hise recebeu de Nabuco e as cópias daquelas que Van Hise enviou a Nabuco encontram-se nesta pasta catalogada nos Arquivos da Universidade de Wisconsin, em Madison; todas as citações subsequentes da correspondência de Nabuco e Van Hise referem-se à pasta numerada

mencionada acima. Na mesma pasta encontram-se também o programa, com capa de couro, da cerimônia de formatura, com o nome de Nabuco como orador; o discurso de saudação a Nabuco, da autoria do professor de ciência política, Paul S. Reinsch, para a cerimônia de outorga do título honorário de Doutor em Leis (LL.D.); e cópias de cartas a Nabuco do embaixador britânico, James Bryce, e do reitor de Harvard, Charles Eliot, nas quais tecem comentários elogiosos ao texto de Madison, que lhes havia sido enviado por Nabuco; estas duas cópias foram anexadas por Nabuco à sua carta a Van Hise datada de 6 de julho de 1909.

6 O prestígio de Nabuco junto a Van Hise fica ainda mais claro ao se levar em conta que este raramente abria mão da sua prerrogativa de fazer ele mesmo a alocução durante a cerimônia de formatura.

7 DeWitt Smith (1854–1916) foi diretor da faculdade de Piracicaba entre 1908 e 1913.

8 Nabuco, Joaquim. *Diários, 1873–1910*, (org.) Evaldo Cabral de Mello, 2ª ed. Rio de Janeiro: Bem-Te-Vi, 2006, 683.

9 26 de maio de 1909: "Acabo a minha conferência de Madison, *America and Civilization*" (*Diários*, p.699). Dois dias depois, em carta a Van Hise, Nabuco já usa aquele que viria a ser o título definitivo do discurso e do ensaio, "The Share of America in Civilization".

10 O telegrama da Western Union localiza Manchester no estado de Massachusetts, e o mesmo fazem Nabuco na sua carta a Van Hise de 6 de julho de 1909 e Luis Viana Filho em *A vida de Joaquim Nabuco* (São Paulo: Companhia Editora Nacional, 1952), 344; no entanto, a nota 425 da segunda edição dos *Diários* diz que a cidade fica no estado de New Hampshire (p.700).

11 Nabuco, Carolina. *A vida de Joaquim Nabuco*. São Paulo: Companhia Editora Nacional, 1928, 503. A ortografia das citações foi atualizada aqui e em todo o volume.

12 Este segundo motivo não é mencionado nas duas correspondências de Nabuco enviadas a Van Hise após a morte de Afonso Pena. Ver também o registro no diário no dia da morte de Pena, 14 de junho (Nabuco, Joaquim. *Diários*, 2ª ed., 700).

13 Nabuco, Joaquim. *Diários*, 2ª ed., 701. Enquanto correto a respeito da data do recebimento do doutorado honorário ("Hoje, 23"), Nabuco se equivoca aqui quanto à data do *baccalaureate address*, que deveria ter sido pronunciado no dia 20.

14 A circular de Stone, anexada à cópia que ele havia recebido de Nabuco, encontra-se na mesma pasta (ver nota 5, acima) dos University of Wisconsin Archives.

15 Bryce (1838–1922), primeiro visconde Bryce de Dechmont, foi embaixador do Reino Unido em Washington entre 1907 e 1913 (tendo portanto sido colega de Nabuco no corpo diplomático da capital americana aproximadamente três anos), e membro da House of Lords a partir de 1914. Quando chegou aos Estados Unidos, Bryce já era muito respeitado no país por ser o autor do clássico *The American Commonwealth*, 3 vols. (Londres e Nova Iorque: Macmillan,1888), um estudo das instituições americanas feito a partir do ponto de vista de um especialista em história e direito constitucional. Entre seus vários livros, um nos interessa mais de perto, *South America: Observations and Impressions* (Londres e Nova Iorque: Macmillan,1912). Sobre Bryce, ver, entre outros, John T. Seaman, Jr., *A Citizen of the World: The Life of James Bryce* (Londres e Nova Iorque: Tauris Academic Studies, 2006). A convite de Van Hise, Bryce pronunciou o *baccalaureate address* na cerimônia de formatura na Universidade de Wisconsin no dia 14 de junho de 1908, um domingo. O texto do seu discurso, "Recollection in After Life", foi publicado na *Wisconsin Alumni Magazine*,vol. 9, nº 9–10 (junho 1908), 331–36. É bem possível que a recomendação do nome de Nabuco para o *baccalaureate address* de 1909 tenha vindo de Bryce ou de Eliot, ambos conhecidos de Van Hise.

16 Nabuco, Joaquim. *Diários*, 2ª ed., 701.

17 Nabuco, Joaquim. "A parte da América na Civilização." In *Pensamentos soltos e Camões e Assuntos Americanos*. Obras completas de Joaquim Nabuco, vol. 10 (São Paulo: Instituto Progresso Editorial, 1949), 459. Não consta o nome do tradutor ou tradutora.

18 O discurso foi expandido e incluído mais tarde na coleção de ensaios de Eliot intitulada *American Contributions to Civilization and Other Essays and Addresses* (Nova Iorque: Century Company, 1897).

19 O francês Alexis de Tocqueville (1805–1859) é o autor do clássico *Democracy in America*, publicado em 1835.

20 "Por toda minha vida tenho observado a imensa diversidade em relação aos dotes, capacidades e motivos do povo a quem chamamos de 'americano', assim como as diversidades raciais que persistem na população em geral. Parece-me que a liberdade não produz igualdade de condição social mas sim as maiores desigualdades jamais vistas no mundo". Carta de Charles W. Eliot a Joaquim Nabuco, 28 de junho de 1909; cópia enviada por Nabuco a Van Hise. Van Hise papers, University of Wisconsin Archives; ver nota 5, acima.

21 Em junho de 1909, antes do uso residencial do ar condicionado, Bryce e Nabuco fugiam do calor e umidade opressivos de Washington no verão; eles, assim como Eliot, cumpriam um ritual da elite americana ao veranear em cidades seletas no litoral da Nova Inglaterra.

22 Carta de James Bryce a Joaquim Nabuco, 1 de julho de 1909; cópia enviada por Nabuco a Van Hise. Van Hise papers, University of Wisconsin Archives; ver nota 5, acima.

23 Vol. 10, nº 9–10 (junho/julho 1909), 363–64. Estes dois números da revista são dedicados ao noticiário sobre a semana de formatura. Se Nabuco tivesse ido a Madison, quase certamente teria participado da inauguração da estátua de Lincoln, ocorrida na terça-feira dessa semana, dia 22 de junho, na qual Van Hise leu a carta de doação feita pelo magnata madeireiro e benemérito Thomas E. Brittingham (1860–1924) à Universidade de Wisconsin (p.369–78). A estátua foi deliberadamente colocada no ponto mais central do campus, por onde transita diariamente o maior número de alunos para que estes reflitam sobre o papel primordial de Lincoln na existência do país. Nabuco era grande admirador de Lincoln, sobre quem pronunciou ao menos dois discursos nos Estados Unidos, ambos no dia de observação ao nascimento de Lincoln, um no Clube Republicano Lincoln, em Grand Rapids, Michigan, aos 12 de fevereiro de 1906, e o outro em Washington, como parte das comemorações do centenário de Lincoln, aos 12 de fevereiro de 1908.

24 Vol. 15, nº 1 (outubro 1909), 54–65.

25 Ver nota 1, acima.

26 Veja-se a fórmula inicial de *Raízes do Brasil*, o desterro em nossa própria terra.

27 Nabuco, Joaquim. *Minha formação* [1900]. Rio de Janeiro: Topbooks, 2004, 49.

28 Passos, José Luiz. *Machado de Assis: o romance com pessoas*. São Paulo: Edusp/ Nankin, 2007, 241–42.

29 Ver nota 15, acima.

30 Santiago, Silviano. "O entre-lugar do discurso latino-americano." *Uma literatura nos trópicos*. São Paulo: Perspectiva, 1978.

31 *Joaquim Nabuco e os abolicionistas britânicos: Correspondência 1880–1905*, (org.) Leslie Bethell e José Murilo de Carvalho. Rio de Janeiro: Topbooks, 2008.

32 "Apesar de as disciplinas tradicionais não terem sido descartadas, a Universidade demonstrou, desde o início, uma boa vontade em adotar novas matérias, ao absorver em seu ensino atividades que teriam sido consideradas anátemas nas antigas faculdades e universidades". Curti, Merle. *The University of Wisconsin: A History*. 2 vols. Volume 1 (1848–1925). Madison: University of Wisconsin Press, 1949, 71.

33 Registro aqui minha gratidão ao Dr. David Null, diretor dos University of Wisconsin Archives, pelo acesso irrestrito ao arquivo de Charles Van Hise e, em particular, à correspondência Van Hise-Nabuco. Estendo meus agradecimentos à bibliotecária da área ibero-americana na Universidade de Wisconsin, sra. Paloma Celis Carbajal, e à sua assistente, Alyson Williams, e, na Editora Bem-Te-Vi, a Lélia Coelho Frota, Leonardo Fróes, Mariana Ferreira da Silva e Marcello Braga Machado, por sua inestimável ajuda.

DIPLOMACIA PÚBLICA: O LEGADO DURADOURO DO EMBAIXADOR NABUCO

Diana Page

A HISTÓRIA DIPLOMÁTICA entre o Brasil e os Estados Unidos ao longo dos últimos cem anos vem sendo registrada e analisada, mas a prática da "diplomacia pública" só recentemente foi reconhecida como um instrumento importante na política externa. Trata-se de um instrumento que Joaquim Nabuco, como embaixador, utilizou de formas novas em benefício do Brasil, criando, na verdade, princípios de diplomacia pública antes de qualquer de seus contemporâneos. Suas lições são valiosas para o Brasil e para os Estados Unidos hoje.

Existem muitas definições de diplomacia pública – todas elas formuladas nos últimos trinta anos. O dicionário de termos de relações internacionais do Departamento de Estado dos EUA declara: "Diplomacia pública se refere a programas patrocinados pelo governo com o intuito de informar ou influenciar a opinião pública em outros países".[1]

Desde a década de 1950, quando foi fundada a Agência de Informação dos EUA, já se debatia se a missão de influenciar a visão que o público tem de um país seria propaganda ou algo mais aceitável – agora denominado diplomacia pública – que envolveria comunicar os princípios, os valores e a cultura que verdadeiramente refletem um país.

O "pai" da diplomacia pública nos Estados Unidos, o famoso jornalista de rádio e televisão Edward R. Morrow, uma vez disse a uma comissão do Congresso que, embora a ética norte-americana exija a verdade, a razão mais importante para se dizer a verdade é que ela é a melhor propaganda que existe e as mentiras, a pior. Assim, na prática da diplomacia pública, a melhor estratégia é expressar verdades através de um representante confiável da nação. A diplomacia pública difere das formas tradicionais de diplomacia por lidar principalmente com indivíduos e com organizações não governamentais e, também, por apresentar um amplo leque de visões além das posições oficiais do governo.

Em 2005, quando eu era chefe do consulado dos Estados Unidos em Recife, o *Diário de Pernambuco* publicou artigos do dr. Humberto França a respeito de Joaquim Nabuco e das relações EUA-Brasil. Nabuco não só foi o primeiro embaixador do Brasil em Washington, como trouxe o secretário de Estado norte-americano Elihu Root ao Brasil, passando no caminho por sua Recife natal, em julho de 1906. Essa foi a primeira viagem ao exterior feita por um secretário de Estado norte-americano; Root viajou de navio por toda a costa da América do Sul depois de participar da III Conferência Pan-americana, realizada no Rio de Janeiro. Mas foi a Recife primeiro porque seu amigo, o embaixador Nabuco, pediu que ele fizesse uma escala ali.

Com o dr. França, e a assistência do então governador de Pernambuco, José Mendonça Filho, uma celebração do centenário da visita de Root a Recife foi organizada em 2006 no palácio do governador, o do Campo das Princesas, o mesmo lugar onde o secretário Root foi recebido em 1906.

Essa celebração motivou novas pesquisas acerca das realizações de Joaquim Nabuco como embaixador nos Estados Unidos, e agora, no contexto do centenário Nabuco e Madison, vale a pena observar como Nabuco era hábil em "diplomacia pública".

Há exatos cem anos, em 25 de abril de 1909, os diários de Nabuco registram que ele fez uma conferência na Universidade de

Cornell em Ithaca, Nova York, sobre *Os Lusíadas* de Camões. Alguns dias antes, ele também falara sobre poesia portuguesa no Vassar College. Sua filha, Carolina Nabuco, expôs claramente as razões na biografia de seu pai: "Revelar Camões aos americanos era fazer propaganda da língua portuguesa e tratar de um assunto que o deliciava".[2]

Em seguida, Nabuco iria preparar cuidadosamente o discurso que faria na cerimônia de colação de grau da Universidade de Wisconsin, esperando poder vir a Madison. Deu conferências em várias das grandes universidades do Nordeste dos Estados Unidos – Yale, Columbia –, bem como em Chicago. Visitou Stanford e a Universidade da Califórnia. Esse tipo de atividade não fazia parte da diplomacia tradicional da década de 1900, e era algo que envolvia viagens longas e árduas.

Também é significativo que um embaixador brasileiro recebesse convites para falar nessas universidades. É uma grande honra ser convidado a discursar numa colação de grau e receber títulos honorários, o que significa que houve um reconhecimento em nível acadêmico de um diplomata de um país relativamente desconhecido. Poucos diplomatas alcançam esse *status*. É improvável que, em 1909, se visse algum embaixador norte-americano discursando nos augustos auditórios de universidades inglesas, que dirá falando a brasileiros no Rio de Janeiro. Como também não se viam embaixadores ingleses, franceses ou alemães nos *campi* universitários em que Nabuco deu palestras. A ampla atuação pública de Nabuco era algo extremamente incomum naquela época. Hoje, falar para plateias universitárias é um dos objetivos dos diplomatas, mas o embaixador Nabuco estava muito à frente de seu tempo. Estava inventando a diplomacia pública.

Por que ele escreveu o discurso que está no centro deste centenário, "The Share of America in Civilization"? Minha hipótese é que seu objetivo era fazer os americanos pensarem: "Eis alguém que nos entende bem, que louva os aspectos da nossa identidade nacional que acreditamos que nos distingam". Ele queria convencer os americanos de que havia grandes semelhanças entre o Brasil e os Estados Unidos. Valores comuns e respeito mútuo levariam a uma aliança sólida. Não espanta que ele não tenha criticado os Estados Unidos, como fazia em seus diários. Não dizia tudo o que pensava. Não mencionou a questão racial. Era um diplomata, afinal. Não é papel de um diplomata criticar ou provocar. O discurso mostra como Nabuco era sutil; ele só se refere ao Brasil nas linhas finais, destacando aspectos do país que criariam uma impressão favorável. Menciona Santos-Dumont, o inovador no campo da aviação, uma figura fascinante para seus concorrentes americanos. Menciona também resoluções pacíficas de disputas de fronteira alcançadas através da arbitragem e do exemplo do Brasil. Escolheu cuidadosamente sua mensagem.

Na exposição de documentos de Nabuco na biblioteca central da universidade, encontrava-se a carta que o embaixador escreveu depois ao reitor da Universidade de Wisconsin, dizendo que havia enviado à Associated Press algumas centenas de cópias do discurso que faria na colação de grau. Conhecia suficientemente o poder da imprensa para utilizar os serviços de uma grande empresa de telégrafos para contactar jornais do país inteiro. Esse é outro aspecto da habilidade de Nabuco na diplomacia pública.

Por exemplo, ele apareceu no *New York Times* de 16 de julho de 1905, numa matéria intitulada "Ministro brasileiro oferece banquete naval. Muitos oficiais e diplomatas entre os convidados do sr. Nabuco. Seu brinde ao sr. Roosevelt: Diz que a ascensão da América acima de todas as nações data de sua elevação à cadeira presidencial". Para ganhar essa cobertura favorável, Nabuco usou a visita do navio de treinamento brasileiro *Benjamin Constant* para oferecer um jantar, fazer seu brinde e criar notícia para o jornal de mais prestígio na época.

Essa não foi a primeira vez que ele se valeu da a visita de um navio da Marinha para despertar interesse na opinião pública. Quando era o principal diplomata do Brasil na Inglaterra, Nabuco conseguiu sucesso semelhante ao levar os oficiais de um navio visitante à abadia de Westminster para depositar uma coroa de flores no túmulo de lorde Cochrane, o herói naval que conduziu a Marinha do Brasil à vitória sobre os portugueses na Guerra da Independência. Com o hino nacional brasileiro ascendendo dos tubos do órgão de Westminster, os ingleses foram lembrados de seus laços históricos com o Brasil.[3]

Assim, ele repetiu em Nova York o sucesso que obtivera usando a visita de um navio da Marinha, adaptando sua estratégia à cultura local e conseguindo para o Brasil uma longa matéria que certamente agradaria ao presidente Roosevelt. Uma boa matéria no *New York Times* é sempre um troféu diplomático, mas para Nabuco uma só nunca era suficiente. Ele escreveu em seu diário: "Infelizmente, tudo perde-se na imprensa não sendo repetido até formar opinião, e é um país de dez a doze cabeças, Washington, New York, Chicago, Boston, etc., uma região não lendo os jornais das outras".[4] Essa é, ainda hoje, uma observação astuta sobre a complexidade do uso da imprensa para formar a opinião pública nos Estados Unidos.

Obviamente, o país de muitas cabeças exigia do embaixador Nabuco viagens extensas e discursos abrangentes. Por exemplo, em 2 de fevereiro de 1906, o embaixador Nabuco falou sobre a influência de Lincoln no mundo ("Lincoln's World Influence") no Clube Republicano de Grand Rapids, no Michigan. Num estado do meio-oeste, uma organização política local serve de palco para o diplomata brasileiro falar sobre o ícone do partido deles, Abraham Lincoln, no dia do aniversário deste. Essa é uma realização de Nabuco que parece quase impossível conceber; ele havia estabelecido um paralelo entre o ícone da América, Abraham Lincoln, e seu próprio papel como um dos líderes do movimento antiescravista brasileiro. Dois anos depois, Nabuco novamente discursou no dia do aniversário de Lincoln, mas desta vez na sala de audiências do Senado dos Estados Unidos, diante dos comissários do Distrito de Columbia.[5] Nabuco conseguiu estabelecer uma conexão entre a emancipação pacífica dos escravos no Brasil e a Guerra Civil na América sob a liderança de Lincoln, uma comparação que, em mentes americanas, poderia beneficiar o Brasil. Independente das grandes diferenças existentes entre o Brasil e os Estados Unidos com respeito à escravidão e ao racismo, Nabuco enfatizava um aspecto positivo, através da figura de Abraham Lincoln.

Reconhecido o grande mérito da inovadora diplomacia pública do embaixador Nabuco, resta ainda saber se suas contribuições deixaram algum benefício ou legado duradouro. Para defender a posição de que Nabuco continua a exercer influência na diplomacia do Brasil, pode-se começar pelo modo como o Ministério das Relações Exteriores brasileiro se define no seu *website* ao declarar sua missão (o papel do Itamaraty):

http://www.mre.gov.br/index.php?option=com_content&task=view&id=6&Itemid=342

Entre as funções dos diplomatas do Brasil inclui-se "comunicação e disseminação da cultura e idioma do país". O Departamento Cultural do Ministério das Relações Exteriores exerce essas atividades. Embaixadas e consulados promovem o Brasil através de sua literatura, arte, música e cinema. Cursos de língua portuguesa são oferecidos por institutos culturais. Eles fazem o que o embaixador Nabuco fez nos Estados Unidos.

Outra influência de Nabuco é percebida hoje nos distintos alunos do Instituto Rio Branco, que continuam a aceitar o desafio de serem líderes intelectuais em seu país, além de diplomatas. Podem encontrar-se diplomatas brasileiros em universidades do mundo inteiro, lecionando ou realizando estudos de doutorado. Alguns desses diplomatas mundialmente respeitados estão dando a sua contribuição para a celebração do centenário do discurso de Nabuco escrito para a Universidade de Wisconsin. Eles são o legado vivo de Joaquim Nabuco, levando adiante a tradição da diplomacia pública que ele iniciou.

NOTAS

1 U.S. Department of State, *Dictionary of International Relations Terms*, 1987, 85.

2 Carolina Nabuco, *A vida de Joaquim Nabuco*. São Paulo: Companhia Editora Nacional, 1928, 473.

3 Ver Carolina Nabuco, *A vida de Joaquim Nabuco*. São Paulo: Companhia Editora Nacional, 1928, 365.

4 Joaquim Nabuco, *Diários*, vol. 2, 1889–1910. Rio de Janeiro e Recife: Bem-Te-Vi Produções Literárias e Editora Massangana, 2005, 335 (15 de agosto de 1905).

5 Em 1909 o distrito federal tinha governantes nomeados, em vez de prefeito e vereadores eleitos; cem anos mais tarde, o Distrito de Columbia ainda não tem senadores nem representantes com poder de voto na Câmara.

JOAQUIM NABUCO EM WASHINGTON E O DESENVOLVIMENTO DO SERVIÇO DIPLOMÁTICO DOS ESTADOS UNIDOS

Alfred M. Boll, SJD[1]

Este ensaio é um esboço do que, a meu ver, é uma narrativa muito mais longa, interessante e importante dos contatos e influência do embaixador Joaquim Nabuco em Washington, que ainda está por ser pesquisada e contada na íntegra. O ensaio se baseia numa palestra feita na Universidade de Wisconsin em Madison, em abril de 2009, durante o colóquio "Nabuco and Madison: A Centennial Celebration", que rememorou a oração aos formandos escrita por Nabuco em 1909, para a cerimônia de colação de grau na Universidade, e a dedicação da Universidade de Wisconsin, por mais de cem anos, ao incremento dos estudos e relações institucionais e pessoais entre o Brasil e os Estados Unidos. Não é pois de surpreender que Nabuco tenha escolhido Madison para expor suas ideias sobre diplomacia, relações internacionais e a importância das relações interamericanas.

A minha proposta é que as ideias de Nabuco sobre governo, diplomacia e profissionalismo, que influenciaram o desenvolvimento das instituições governamentais brasileiras, podem também ter desempenhado um papel em reformas do governo nos Estados Unidos, especificamente a constituição dos serviços diplomáticos e consulares. Estes passaram por mudanças estruturais e constitutivas, por volta da época, 1905–1910, em que Nabuco serviu como embaixador do

Brasil nos Estados Unidos, e reformas significativas, implementadas nos anos subsequentes, tiveram origem durante o tempo de Nabuco no seu posto em Washington. Não posso apontar um documento específico nem outra evidência de que Nabuco tivesse qualquer papel direto e pessoal, ou influência, na criação do serviço diplomático dos Estados Unidos, que hoje é igualitário, meritocrático, profissional. Contudo, há fortes indicações de que ideias sabidamente abraçadas por Nabuco foram decisivas para a reforma do serviço diplomático dos Estados Unidos, e que suas amizades e contatos profissionais em Washington ocorreram com as pessoas que mais apoiavam tal reforma. Espero que este ensaio sirva de ponto de partida para estudantes e estudiosos que, no Brasil e nos Estados Unidos, venham a examinar o assunto com toda a atenção que ele merece. Tópicos como este, a meu ver, demonstram o valor dos programas interdisciplinares, como o que é consagrado, na Universidade de Wisconsin em Madison, aos estudos ibéricos, caribenhos e latino-americanos.[2]

Nos tempos da oração do embaixador Nabuco em Wisconsin em 1909, de 1789 até 1924, para ser mais preciso, os Estados Unidos não dispunham de um serviço unificado de relações exteriores, mas sim de diferentes encargos consulares e diplomáticos que pouco tinham em comum, sob muitos aspectos, com o modo como o atual serviço diplomático é administrado e composto. A caracterização das missões diplomáticas americanas, no mesmo ano, por William Sydney Porter (mais conhecido como O. Henry, 1862–1910), é bem conhecida:

> Você não dá valor à casa, senão quando a deixa, ao dinheiro, senão quando é gasto, à sua esposa, senão quando ingressa num clube feminino, e à Old Glory, senão quando a vê pendurada num cabo de vassoura no barraco de um cônsul numa cidade estrangeira.[3]

As características e o valor estético das embaixadas e consulados americanos, com efeito, já foram questionados ou descritos de muitas diferentes maneiras,[4] mas a ideia de um barraco diplomático, ou da bandeira dos Estados Unidos (a "Old Glory") oficialmente pendurada num cabo de vassoura, só pode ser relegada a uma era extinta que, no entanto, ainda modela a própria noção que os americanos temos de nós mesmos como nação.

No século XIX, o serviço diplomático dos Estados Unidos contratava embaixadores, chamados na época de ministros, para embaixadas além-mar, enquanto o serviço consular, com seus cônsules, promovia o comércio e dava assistência a marinheiros. O que definia a natureza desses serviços era o pouquíssimo dinheiro destinado à sua manutenção pelo Congresso, sendo os funcionários nomeados por indicação política direta, não por concurso ou mérito.[5] Essa prática de distribuição de cargos, conhecida como *spoils system*, foi vista pelo presidente Theodore Roosevelt como "completamente malévola".[6]

Até 1856, os cônsules não recebiam salários,[7] e mesmo depois disso os salários de secretários e cônsules iniciantes eram tão baixos que somente filhos de ricos (a primeira mulher a ingressar no serviço diplomático dos Estados Unidos foi Lucile Atcherson, em 1922)[8] podiam pensar em abraçar a carreira.[9] Esperava-se que muitos fossem homens de negócios que às vezes viviam em residência permanente no estrangeiro, onde não só tinham seus próprios ganhos, como até pagavam para gerir o consulado ou a embaixada através de seus negócios, cobrando taxas pelos serviços prestados. Os diplomatas americanos eram rotulados de incompletos, como profissionais, e até de incompetentes, e viviam divorciados da realidade de sua terra.[10] Em 1906, um ano após a chegada do embaixador Nabuco a Washington, foi feita a primeira grande reforma do serviço consular. Com o apoio do secretário de Estado, Elihu Root (1845–1937), e do senador Henry Cabot Lodge (1850–1924), de Massachusetts, adotou-se um processo de exame para a nomeação de cônsules.[11] O Departamento de Estado, instituindo inspeções regulares dos postos diplomáticos e consulares, também fixou critérios uniformes para avaliar o pessoal e o funcionamento dos consulados.[12] À comissão de relações exteriores do Senado, em 1905, escreveu o secretário de Estado Root:

> O Departamento de Estado não tem meios de saber se o cônsul de qualquer posto está fazendo corretamente seu trabalho, a não ser por informações que casualmente chegam ao Departamento, a partir de cartas ou conversas de viajantes americanos. Condições muito escandalosas existiram por consideráveis períodos no passado, sem interferência, porque o Departamento não sabia nem tinha meios de averiguar se existiam.[13]

Os salários baixos, naturalmente, ainda indicavam que apenas os ricos podiam se permitir o trabalho. Os exames garantiam tão-só, para os ricos, um enquadramento mais brilhante. Embora o auge da reforma dos serviços diplomáticos e consulares não tenha acontecido senão em 1924, a adoção do exame de ingresso foi um primeiro passo importante para a profissionalização do serviço consular.

Sabemos que Root e Nabuco trabalharam em íntima associação e que ambos partilhavam de ideias, uma visão para as Américas, amizade pessoal e mútua admiração.[14] Moviam-se os dois, apesar de Nabuco ser maçom e Root não, nos mesmos círculos sociais.[15] Numa carta a Nabuco, em novembro de 1905, Root expressou a afeição por ele e também a admiração que sentia pelo Brasil e seu povo:

> É agradável se ter aqui, justo quando um progresso positivo parece possível, um representante da maior república sul-americana, um homem que pensa, que aplica a filosofia da história à conduta possível de todos os dias e que tem o sentido de proporção, provindo da familiaridade de diversos pontos de vista, dos assuntos internacionais.[16]

As palavras de Root, na inauguração do Edifício Pan-americano em Washington, após a morte de Nabuco em 1910, lembram a estima em que ele era tido, bem como as estreitas relações pessoais de que desfrutava em Washington:

> Uma voz que deveria ter falado aqui hoje está calada, mas muitos de nós não podem se esquecer, nem cessar de prantear e de honrar, nosso nobre e querido amigo Joaquim Nabuco, embaixador do Brasil, decano do corpo diplomático americano, respeitado, admirado, confiável, amado e seguido por todos nós, que foi figura de proa no movimento internacional do qual a criação deste edifício é parte.[17]

Root viajou ao Rio de Janeiro em 1906, por intimação de Nabuco, na primeira visita oficial de um secretário de Estado americano à América Latina, para participar da III Conferência Pan-americana, da qual Nabuco foi eleito presidente.[18] Root se comprometeu, na conferência, com menos intervenção americana na região, e suas aberturas agradaram em cheio. Não estava claro, na época, que o pan-americanismo enfraqueceria nos Estados Unidos nas décadas que se seguiram à guerra americano-espanhola de 1898.

Vários estudiosos, de fato, interpretaram as reformas governamentais do começo do século XX como um legado da guerra de 1898. Não só houve uma nova perspectiva para os Estados Unidos, como potência regional e mundial, mas também um interesse crescente por carreiras no serviço público e uma consciência nacional, por oposição à regional.[19] Da guerra resultaram também um maior interesse dos homens de negócios americanos pelos mercados estrangeiros, o aumento das exportações e a consequente dependência de funcionários consulares dos Estados Unidos que eram incompetentes ou pouco prestativos. Reclamações feitas por homens de negócios a Root e ao presidente Roosevelt desempenharam claramente um papel na reforma do serviço consular em 1906.[20]

Mas essa reforma pode ter sido apenas um reflexo das mudanças que aconteciam na época, baseadas em ideias de profissionalismo que tanto Nabuco e Root quanto o ambiente ideológico que lhes era comum parecem ter partilhado. Root e Nabuco tinham um mesmo compromisso com a ideia de que as disputas e os litígios internacionais deviam ser submetidos a especialistas, e não deixados a políticos. Ambos apoiaram a participação dos Estados americanos nas conferências de paz de Haia, bem como a codificação das regras relativas à condução de hostilidades, e foram destacados proponentes da arbitragem internacional.[21] Ao defendê-la, Root se baseava na crença de que os profissionais conseguiriam mais que os políticos, nas negociações.[22] Já as ideias de Nabuco sobre arbitragem, sua insistência na cooperação entre povos com interesses em comum, ou na convicção de que especialistas deveriam se incumbir das questões para evitar o risco de politização dos conflitos, baseavam-se em parte na experiência (insatisfatória) do Brasil em seu litígio de fronteira com a Inglaterra quanto à Guiana Inglesa, sobre o qual ele escreveu extensamente em 1903.[23] O litígio foi resolvido em 1904, após arbitragem pelo rei Vítor Emanuel da Itália. Embora não tenha participado da conferência de Haia em 1907, Nabuco fora a primeira escolha do ministro do Exterior, de fato, para chefiar a delegação brasileira.[24] Em relação à conferência, Root confiou a Nabuco suas opiniões mais íntimas, consolando-o quanto aos resultados.[25] Está claro, contudo, que o modo como Root e Nabuco então pensavam sobre profissionalização e especialistas hoje parece elitista.[26] Estender-se-iam suas ideias à diplomacia e ao corpo diplomático como um todo? A conferência de Nabuco em Madison, por seus argumentos, mostra que sim.

As ideias de Nabuco sobre as contribuições da América à civilização, no texto escrito para a Universidade de Wisconsin em 1909, não são apenas uma caracterização dos Estados Unidos, pois aludem também a maiores expectativas de como o país deveria e poderia gerir-se. Nabuco afirma que "a imigração é a maior de todas as contribuições da América à civilização"[27] e que é ela que garante o dinamismo e individualidade do país:

> Com o constante influxo de recém-chegados, o resíduo nacional inútil, inerte ou decaído não aparece tanto quanto o faria, se não houvesse novos elementos para compensar o desgaste. Em todas as sociedades, de fato, existe um sedimento, que se

forma daquelas partes nas quais o primitivo espírito nacional se extinguiu, ao menos parcialmente, e que em si mesmas não seriam adequadas para preservar e levar adiante a individualidade do país. Qualquer aristocracia na América seria um sedimento dessa espécie.[28]

Lendo estas palavras, não podemos senão pensar nos serviços consulares e diplomáticos americanos ainda não reformados, na época em que, assim como pareciam desorganizados e insatisfatórios ao secretário de Estado Root e outros reformistas, terão impressionado Nabuco como não representativos e talvez até indignos dos Estados Unidos. Na oração de Wisconsin, Nabuco prossegue afirmando que a igualdade de condições sociais entre todas as classes da nação, tanto quanto a democracia, é outra das grandes contribuições da América à civilização. No serviço público, bem parece que o profissionalismo e a meritocracia vão de par com essa ideia, sobretudo quando se considera o que Nabuco pensava sobre o papel de liderança da América para a melhoria das condições sociais do homem. É lícito refletir ainda sobre a natureza de Nabuco como um monarquista que, enxergando além de suas próprias ideias e preferências políticas, concentrou-se apenas nos interesses do país, como o barão do Rio Branco,[29] quando examinou como ele via o serviço público e a burocracia. Em *Minha formação*, Nabuco afirma que "os cargos públicos não são monopólio do partido que está no poder e devem ser confiados a quem melhor os pode desempenhar".[30] A afirmativa parece ser uma expressão muito pessoal, relacionada a características do próprio Nabuco, mas pode-se estendê-la para abarcar o serviço público em geral, não somente o topo.

Não me é possível, a esta altura, documentar em que medida as ideias de Nabuco sobre diplomacia e governo, juntamente com seu trabalho em Washington, influenciaram Root ou outros, ou se as opiniões de Root, em contrapartida, inspiraram as percepções de Nabuco sobre os Estados Unidos, as contribuições da América à civilização e a constituição e funcionamento das instituições governamentais. A mútua admiração e a cooperação íntima entre Root e Nabuco poderão ter se encaminhado para conversas sobre operações de governo num sentido mais amplo? Root era secretário de Estado, mas muitos outros, nos Estados Unidos, foram então fundamentais para as reformas institucionais do governo – Nabuco terá tido contato com tais pessoas? É de se esperar que estudiosos empreendedores venham a explorar e pesquisar a fundo essa área. Naturalmente isso requer uma compreensão das ideias de Nabuco,[31] bem como de suas atividades e contatos em Washington. Um excelente ponto de partida para o trabalho é o *Guia de pesquisa* publicado pelo Ministério das Relações Exteriores do Brasil.[32] O desenvolvimento da diplomacia brasileira deve também ser levado em conta. Como nos primeiros anos do serviço nos Estados Unidos, de 1851, quando foi estabelecido o serviço do exterior no Brasil, até as reformas posteriores à Segunda Guerra Mundial, e malgrado um exame de ingresso instituído em 1852, o que determinava a nomeação para um posto era a decisão pessoal do ministro e de seu círculo imediato.[33] Um estudioso comenta que "até mesmo o ministro do Exterior herói, o barão do Rio Branco, fiava-se num método altamente aristocrático de seleção, que punha as boas maneiras acima da inteligência como requisito de admissão".[34]

A lei que criou o moderno Serviço de Relações Exteriores dos Estados Unidos foi o Rogers Act de 1924, culminância de quase trinta anos de esforços reformistas, que fundiu os serviços consulares e diplomáticos num órgão unificado, instituiu exames competitivos para todo o novo pessoal, estabeleceu um sistema de promoção baseado no mérito e tomou medidas quanto a orçamento, salário e aposentadoria que garantiram a retenção de funcionários qualificados e a redução ou eliminação da dependência de fundos não governamentais.[35] Se em 1920 doze candidatos submeteram-se ao exame para a carreira diplomática, a cada ano, hoje em dia, quase 20 mil pessoas o fazem: 25% delas passam no exame escrito inicial e 10% têm êxito na subsequente prova oral, habilitando-se afinal ao trabalho.[36] Entre as agências do Serviço de Relações Exteriores dos

Estados Unidos, hoje, estão não só o Departamento de Estado, mas também os Departamentos de Comércio e Agricultura, a Agência Americana para o Desenvolvimento Internacional e o Sistema Internacional de Radiodifusão.

Ao celebrar o legado do embaixador Nabuco e a amizade entre os Estados Unidos e o Brasil, na qual lhe coube parte tão importante,[37] bem podemos ter em mente a advertência que ele fez em sua conferência de 1908 na Universidade de Chicago, qual seja, que as duas Américas, naquela época, permaneciam desconhecidas uma da outra.[38] Malgrado a tentação de concluir que este não é mais o caso, tendo em vista os múltiplos laços pessoais, comerciais, acadêmicos e governamentais entre o Brasil e os Estados Unidos, e os princípios que vinculam as duas democracias, acredito que seria bom nos perguntarmos se até agora temos vivido pelos padrões e o ideal que Nabuco e Root estabeleceram para nossos povos e países. Quer atuemos em pesquisas, em negócios ou no serviço público, sempre podemos refletir sobre o que mais podemos fazer para compreender melhor um ao outro, reconhecer os interesses em comum e realizar objetivos mútuos, promovendo um bem-estar partilhado. No raiar do século XX, Root e Nabuco concentraram-se numa posição em comum, em nível hemisférico, entre Brasil e Estados Unidos. No começo do século XXI, os dois países servem de modelos democráticos numa escala muito mais ampla e enfrentam, de fato, problemas e responsabilidades em comum que tornam o entendimento e a cooperação ainda mais importantes. Se as ideias e a influência de Nabuco desempenharam realmente um papel nas reformas governamentais dos Estados Unidos no princípio do século XX, cabe-nos então esperar que o entendimento e a comunicação entre nossos países sejam de tal ordem que continuemos a aprender um com o outro, beneficiando-nos mutuamente no sentido mais positivo. É difícil não lembrar que o primeiro livro de Nabuco foi sobre *Os Lusíadas*: que o espírito de aventura e convicção, que cativou Nabuco em sua juventude, possa conduzir adiante a erudição brasíleo-americana.

NOTAS

1 O autor é funcionário do Serviço de Relações Exteriores dos Estados Unidos e serve atualmente em Pristina, Kosovo. As opiniões aqui expressas são dele e não refletem necessariamente as do Departamento de Estado dos Estados Unidos.

2 O autor, que recebeu o título de mestre em estudos ibéricos e latino-americanos da Universidade de Wisconsin em 1993, deseja reconhecer a inspiração proporcionada pelo professor Severino João Albuquerque ao lhe abrir o mundo do Brasil e da língua portuguesa. A Brazil Initiative, da Universidade, e a cooperação a ela relacionada entre a Universidade, o setor privado, agências governamentais dos Estados Unidos e do Brasil e instituições como a Fundação Joaquim Nabuco, do Recife, dão testemunho do vínculo contínuo e forte entre Madison e o Brasil.

3 Henry, O. (Porter, William Sydney). 1909. *Roads of Destiny – XIII The Fourth in Salvador.* The Project Gutenberg eBook: (internet) http://www.gutenberg.og/files/1646/1646-h/1646-h.htm, acessado em 9 de novembro de 2009. Trad. Leonardo Fróes.

4 Nos últimos anos, críticas significativas têm sido feitas ao estilo de construção das embaixadas dos Estados Unidos. O *Frankfurter Allgemeine Zeitung* foi citado por ter dito, em relação à recém-construída embaixada americana em Berlim, num terreno adjacente ao portão de Brandemburgo, que "praticamente não existe um prédio moderno, excetuados os abrigos nucleares e os centros de testes de pesticidas, que esteja tão histericamente separado do espaço público como esta embaixada". "Verdict on the new US embassy in Berlin: as elegant as a council house". 2008. Londres: *The Times*, May 28, TimesOnline (internet): http://entertainment.timesonline.co.uk/tol/arts_and_entertainment/visual_arts/architecture_and_design/article4016465.ece, acessado em 4 de novembro de 2009.

5 Ver Stuart, Graham H. 1936. *American Diplomatic and Consular Practice.* Nova York: D. Appleton-Century Company, 162–180; Lay, Tracy Hollingsworth. 1928. *The Foreign Service of the United States.* Nova York: Prentice-Hall, 229–252.

6 Moskin, Robert. 1999. "A Corps is Born. How a State Department insider and a young congressman joined forces to create America's Foreign Service". *The Foreign Service Journal*: American Foreign Service Association: (internet) http://www.afsa.org/fsj/May99/Corps.cfm, acessado em 9 de novembro de 2009. Ver Blancké, W. Wendell. 1969. The Foreign Service of the United States. Nova York: Praeger, 9.

7 United States Department of State. *Frequently asked historical questions*: (internet) http://www.state.gov/r/pa/ho/faq/, acessado em 9 de novembro de 2009.

8 Ibid.

9 Ver Moskin.

10 Ibid.

11 Ibid. Ver "Consuls, Diplomats". 1926. *Time*, November 29: (internet) http://www.time.com/time/magazine/article/0,9171,729689,00.html, acessado em 7 de dezembro de 2009.

12 US National Archives (compiled by George Brent and Kent Carter). 1974. Inspection Report on Foreign Service Posts 1906–1939. Washington: US National Archives: 1.

13 Ibid. Trad. Leonardo Fróes.

14 Ver da Costa, João Frank. 1968. *Joaquim Nabuco e a política exterior do Brasil*. Rio de Janeiro: Gráfica Record Editora, 215–226.

15 Böckmann Schneider, Fábio. 2006. *Trabalho de apresentação na solenidade de posse sobre Joaquim Aurélio Barreto Nabuco de Araújo*. Academia Maçônica de Letras do Rio Grande do Sul: (internet) http://www.bockmann.com.br/macon/trabalho.doc, acessado em 7 de dezembro de 2009. Böckmann Schneider afirma que Nabuco foi iniciado na "Loja América" em dezembro de 1868, pouco antes de Rui Barbosa ser iniciado na mesma loja. Não se faz menção a Root como maçom nas atas referentes à colocação da pedra fundamental do (National) War College em 21 de fevereiro de 1904, da qual ele participou com seu amigo e mentor, o presidente Theodore Roosevelt, que era maçom. Harper,

Kenton N. 1911. *History of the Grand Lodge and of Freemasonry in the District of Columbia.* Washington: Grand Lodge (Beresford Printer), 124.

16 da Costa, 223.

17 Nabuco, Carolina. 1928. *A vida de Joaquim Nabuco.* São Paulo: Companhia Editora Nacional.

18 Gomes, Luiz Souza. 1950. *Joaquim Nabuco e o pan-americanismo.* Rio de Janeiro: Departamento de Imprensa Nacional, 47.

19 Bacevich, Andrew J. 1982. "Family Matters: American civilian and military elites in the Progressive Era". *Armed Forces and Society* 8 (Spring), 405-418.

20 Childs, J. Rivers. 1948. *American Foreign Service.* Nova York: Henry Holt and Company, 9.

21 No tocante a Root, ver Koskenniemi, Marti. 2008. "The ideology of international adjudication of the 1907 Hague Conference". *Topicality of the 1907 Hague Conference, the Second Peace Conference*, ed. Yves Daudet. Hague: Academy of International Law, 132-145.

22 Root, Elihu. 1909. "The relations between international tribunals of arbitration and the jurisdiction of national courts". *American Journal of International Law* 3 (July), 529-536. Root fez este discurso no terceiro encontro anual da American Society of International Law, da qual era presidente. Zasloff sustenta que a ideologia jurídica clássica manifestada por Root influenciou a orientação da política externa americana na virada dos séculos XIX e XX e que o direito internacional poderia constituir uma base para a ordem mundial, acima e além do pragmatismo. Zasloff, Jonathan. 2003. "Law and the shaping of American Foreign Policy: from the Gilded Age to the new era". *New York University Law Review* 78:1 (April), 239-373. Ver também: Zasloff, Jonathan. 2006. "Commentary: the legacy of Elihu Root". *Proceedings of the American Society of International Law*: 213. No tocante a Root, a política da "boa vizinhança" nas Américas e a arbitragem internacional, ver Leopold, Richard W. 1954. *Elihu Root and the Conservative Tradition.* Nova York: Little, Brown.

23 Nabuco, Joaquim. 1949. *O direito do Brasil*. São Paulo: Instituto Progresso Editorial. Esta defesa do caso do Brasil contra a Inglaterra, quanto à sua fronteira norte com a Guiana Inglesa, foi originalmente publicada por Nabuco em Paris, em 1903.

24 Nabuco, Carolina: 342–343. O barão do Rio Branco nomeou Rui Barbosa e não Nabuco, antes de o convite a este último tornar-se público, devido a uma campanha de imprensa no Rio de Janeiro. Ibid. Ver as instruções de Root aos delegados americanos às conferências de paz, recomendando que lessem a palestra de Nabuco em Chicago em 1908 (ver nota 38). United States Department of State. 1913. *Instructions to the American Delegates to the Hague Conferences, 1899 and 1907*. Boston: World Peace Foundation, 27. Open Library: (internet) http://openlibrary.org/b/OL7235818M/Instructions_to_the_American_delegates_to_the_Hague_conferences_1899_and_1907, acessado em 7 de dezembro de 2009. Nabuco fez um discurso sobre o trabalho de Root nas conferências de Haia, em Nova York, em 26 de fevereiro de 1909. Nabuco, Joaquim. *Mr. Root and peace: speech at the dinner given by the Peace Society of New York in honor of Mr. Root on February 26, 1909*. Fundação Joaquim Nabuco: (internet) http://www.dominiopublico.gov.br/pesquisa/DetalheObraForm.do?select_action=&co_obra=15678, acessado em 7 de dezembro de 2009.

25 Ibid.

26 Ver Stead, William T. 1925. *O Brasil em Haya*. Rio de Janeiro: Imprensa Nacional, 104.

27 Nabuco, Joaquim. 1909. "The Share of America in Civilization". *The American Historical Review* 15:1 (Oct.), 54–65, 57.

28 Ibid., 58. Trad. Leonardo Fróes.

29 Ver Almino, João. 2008. "The earthenware and the iron pot. Nabuco's utopia for the two Americas". *Luso-Brazilian Review*, 45:2, 1–18, 13.

30 Joaquim Nabuco. 1957. *Minha formação*. Rio de Janeiro: Livraria José Olympio Editora, 86.

31 Levando em consideração, por exemplo, suas ideias sobre reforma judicial em 1871, que se encontram in Nabuco, Joaquim. 1896. *Um estadista do Império*, vol. 3. Rio de Janeiro: H. Garnier, 257–267.

32 Ministério das Relações Exteriores. 1981. *Guia de pesquisa, Joaquim Nabuco em Washington*. Brasília: Editora da Universidade de Brasília.

33 Rosenbaum, H. Jon. 1968. "A Critique of the Brazilian Foreign Service". *The Journal of Developing Areas 11* (April), 377–392, 378.

34 Ibid. Trad. Leonardo Fróes.

35 Ver Stuart, 181–197.

36 Ver Lewin, Tamar. 2006. "The Foreign Service Exam. Rarely Win at Trivial Pursuit? An Embassy door opens". *New York Times*, December 17: (internet) http://www.nytimes.com/2006/12/17/weekinreview/17lewin.html, acessado em 7 de dezembro de 2009; ACT. 2009. "Becoming a Foreign Service Officer". *Activity* 47:2 (Spring): (internet) http://www.act.org/activity/spring2009/become.html, acessado em 7 de dezembro de 2009; United States Department of State. *Careers representing America, Foreign Service Officer*, FAQS: (internet) http://careers.state.gov/officer/faqs.html, acessado em 7 de dezembro de 2009.

37 Em relação ao trabalho do barão do Rio Branco com Nabuco para fomentar a amizade entre o Brasil e os Estados Unidos, ver Ganzert, Frederic William. 1942. *The Baron do Rio Branco, Joaquim Nabuco and the Growth of the Brazilian-American Friendship, 1900–1910*. Durham: Duke University Press.

38 Nabuco, Joaquim. 1908. "The Approach of the Two Americas, Convocation address delivered before the University of Chicago". *University of Chicago Magazine*, October. Fundação Joaquim Nabuco: (internet) www.dominiopublico.gov.br/download/texto/jn000029.pdf, acessado em 7 de novembro de 2009.

BIBLIOGRAFIA

ACT. 2009. «Becoming a Foreign Service Officer.» *Activity* 47:2 (Spring): (internet) http://www.act.org/activity/spring2009/become.html.

ALMINO, João. 2008. «The Earthenware and the iron pot. Nabuco›s utopia for the two Americas.» *Luso-Brazilian Review* 45 (2), 1–18.

BACEVICH, Andrew J. 1982. "Family Matters: American civilian and military elites in the Progressive Era." *Armed Forces and Society* 8 (Spring): 405–418.

BLANCKÉ, W. Wendell. 1969. *The Foreign Service of the United States*. New York: Praeger.

BÖCKMANN SCHNEIDER, Fábio. 2006. *Trabalho de apresentação na solenidade de posse sobre Joaquim Aurélio Barreto Nabuco de Araújo*. Rio Grande do Sul: Academia Maçônica de Letras do Rio Grande do Sul (internet) http://www.bockmann.com.br/macon/trabalho.doc.

CHILDS, J. Rivers. 1948. *American Foreign Service*. New York: Henry Holt and Company.

«Consuls, Diplomats.» 1926. *Time*, November 29: (internet) http://www.time.com/time/magazine/article/0,9171,729689,00.html.

COSTA, João Frank da. 1968. *Joaquim Nabuco e a política exterior do Brasil*. Rio de Janeiro: Gráfica Récord Editora.

GANZERT, Frederic William. 1942. *The Baron do Rio Branco, Joaquim Nabuco, and the growth of the Brazilian-American friendship, 1900–1910*. Durham: Duke University Press.

GOMES, Luiz Souza. 1950. *Joaquim Nabuco e o pan-americanismo*. Rio de Janeiro: Departamento de Imprensa Nacional.

HARPER, Kenton N. 1911. *History of the Grand Lodge and of Freemasonry in the District of Columbia*. Washington: Grand Lodge, Beresford Printer.

HENRY, O. (Porter, William Sydney). 1909. *Roads of Destiny – XIII The Fourth in Salvador*. The Project Gutenberg eBook (internet): www.gutenberg.org/files/1646/1646-h/1646-h.htm.

KOSKENNIEMI, Marti. 2008. "The ideology of international adjudication of the 1907 Hague Conference." *Topicality of the 1907 Hague Conference, the Second Peace Conference*, ed. Yves Daudet. Hague Academy of International Law, 132–145.

LAY, Tracy Hollingsworth. 1928. *The Foreign Service of the United States*. New York: Prentice-Hall.

LEOPOLD, Richard W. 1954. *Elihu Root and the Conservative tradition*. New York: Little, Brown.

LEWIN, Tamar. 2006. "The Foreign Service Exam. Rarely win at Trivial Persuit? An Embassy door opens." *New York Times*, December 17: (internet) http://www.nytimes.com/2006/12/17/weekinreview/17lewin.html.

MINISTÉRIO DAS RELAÇÕES EXTERIORES. 1981. *Guia de pesquisa, Joaquim Nabuco em Washington*. Brasília: Editora Universidade de Brasília.

MOSKIN, Robert. 1999. «A Corps is Born. How a State Department insider and a young congressman joined forces to create America's Foreign Service." *The Foreign Service Journal* (May): American Foreign Service Association (internet) http://www.afsa.org/fsj/May99/Corps.cfm.

NABUCO, Carolina. 1928. *A vida de Joaquim Nabuco*. São Paulo: Companhia Editora Nacional.

NABUCO, Joaquim. 1896. *Um estadista do Império*. Rio de Janeiro: H. Garnier.

_____. 1957. [1900]. *Minha formação*. Rio de Janeiro: Livraria José Olympio Editora.

_____. 1908. "The Approach of the Two Americas, Convocation address delivered before the University of Chicago." *University of Chicago Magazine* (October). Fundação Joaquim Nabuco: (internet) http://www.dominiopublico.gov.br/download/texto/jn000029.pdf.

_____. 1909. *Mr. Root and peace: speech at the dinner given by the Peace Society of New York in honor of Mr. Root on February 26, 1909*. Fundação Joaquim Nabuco: (internet) http://www.dominiopublico.gov.br/pesquisa/DetalheObraForm.do?select_action=&co_obra=15678.

_____. 1909. «The Share of America in Civilization.» *The American Historical Review* 15:1 (October), 54–65.

_____. 1949. *O direito do Brasil*. São Paulo: Instituto Progresso Editorial.

ROOT, Elihu. 1909. "The relations between international tribunals of arbitration and the jurisdiction of national courts." *American Journal of International Law* 3 (July), 529–536.

ROSENBAUM, H. Jon. 1968. "A Critique of the Brazilian Foreign Service." *The Journal of Developing Areas* 11 (April), 377–392.

STEAD, William T. 1925. *O Brasil em Haya*. Rio de Janeiro: Imprensa Nacional.

STUART, Graham H. 1936. *American diplomatic and consular practice*. Nova York: D. Appleton-Century Company.

UNITED STATES DEPARTMENT OF STATE. 1913. *Instructions to the American Delegates to the Hague Conferences, 1899 and 1907*. Boston: World Peace Foundation. Open Library (internet): http://openlibrary.org/b/OL7235818M/Instructions_to_the_American_delegates_to_the_Hague_conferences_1899_and_1907.

_____. 2009. *Careers representing America, Foreign Service Officer*, FAQS: (internet) http://careers.state.gov/officer/faqs.html.

_____. 2009. *Frequently asked historical questions*: (internet) http://www.state.gov/r/pa/ho/faq/.

US NATIONAL ARCHIVES (compiled by George Brent and Kent Carter). 1974. *Inspection Report on Foreign Service Posts 1906–1939*. Washington: US National Archives.

"Verdict on the new US embassy in Berlin: as elegant as a council house." 2008. *The Times* (London), May 28: TimesOnline (internet) http://entertainment.timesonline.co.uk/tol/arts_and_entertainment/visual_arts/architecture_and_design/article4016465.ece.

ZASLOFF, Jonathan. 2003. "Law and the shaping of American Foreign Policy: from the Gilded Age to the new era." *New York University Law Review* 78:1 (April), 239–373.

_____. 2006. "Commentary: the legacy of Elihu Root." *Proceedings of the American Society of International Law* 100:213.

JOAQUIM NABUCO NOS ESTADOS UNIDOS: A DIPLOMACIA PAN-AMERICANISTA – 1905-1910

Humberto França

I : INTRODUÇÃO

Aos 17 de janeiro de 1910, Manuel de Oliveira Lima ainda desconhecia a notícia do falecimento do embaixador do Brasil em Washington quando, em uma carta ao diplomata português Jaime Batalha Reis, dirigiu novas críticas a Joaquim Nabuco: "Se quiser, também lhe mandarei *O Pan-americanismo*, [seu livro] que está nas suas ideias, mas não absolutamente nas de Nabuco, que, por causa desse livro, rompeu relações comigo... É verdade que está embaixador, e um embaixador não pensa como o resto dos mortais"...[1] Em 28 de janeiro, dias após a morte de Nabuco, Oliveira Lima, em sua resposta a Batalha Reis, reforçou os ataques às ideias e ao entusiasmo pan-americanista do então já falecido embaixador do Brasil nos Estados Unidos: "Não gostei da última fase da vida dele, desse exagerado americanismo sem pan, ao qual não foi sincero, e a que se agarrou para refazer-se de uma popularidade que ele imaginara destruída pela sentença arbitral de Roma e que de fato só havia sido pela sua explicação da adesão à República e pelo seu fictício ardor pela causa dos Estados Unidos da América. Ele chegara ao ponto – e já começaria a ser sincero nesta crença postiça, à força de... dizer que a América Latina teria assistido honrada e agradecida o protetorado americano! Se isto já não era fruto da decrepitude, uma decrepitude precoce, é pelo menos extraordinário".[2]

O cônsul Batalha Reis, incomodado com a dureza das palavras de Lima, saiu em defesa de Joaquim Nabuco: "Tive, como sabe, em Londres, por anos, íntimo trato com Nabuco, e conheço-lhe, julgo eu, todas as obras e todas as ideias. ... Mas a sua carta atribui ao Nabuco opiniões interessadas, falta de sinceridade nas ideias expostas e sustentadas, e neste ponto afigura-se-me que V. não entrou bem na psicologia dele, e não lhe estudando toda a complexidade do espírito, assentou juízo injusto. ... Eu era muito amigo do Nabuco, e tenho-o pelo que da sua vida vi e soube por um dos homens de maior bondade que conheci."[3] Oliveira Lima, ainda diante dessa argumentação, não recuou e manteve suas farpas voltadas para Nabuco: "Eu culpo-o de falta de sinceridade nas suas ideias e mesmo nas suas afeições." E, novamente, Batalha Reis retomou a defesa de Nabuco: "Vi pela primeira vez Joaquim Nabuco nos Estados Unidos há trinta anos, quando as americanas que faziam a moda em Washington e Nova Iorque organizaram concursos de beleza masculina em que o premiaram; vi-o e tratei-o, depois, em Paris, há uns dezesseis anos, quando ele acabava de ver abolir, enfim, em grande parte pela ação da sua eloquência, da sua atividade e da sua coragem, a escravidão." E Reis prosseguiu, oferecendo uma rara descrição de Joaquim Nabuco: "Era um homem alto, esbelto, mas forte, com os movimentos, o gesto, o andar, a voz e as frases do orador, do homem que sente que é o ponto de união de muita gente, que fala para que muita gente o ouça, que se sente escutado, convencendo, que espera ser acompanhado de aplausos (...). Tinha uns olhos profundos, magnéticos. Falava em longos períodos que às vezes interrompia apenas, para cortesmente deixar passar as frases do seu interlocutor, continuando logo as suas, apenas por momentos interrompidas no som, mas não na sequência sintáxica."[4]

Ao recorrer a esses textos do cônsul Jaime Batalha Reis, tenciono reapresentar uma personalidade que ainda hoje se nos defronta e que os seus intérpretes e biógrafos do século passado nomeavam de poliédrica. Estamos a um século da morte de Joaquim Nabuco.

Talvez nenhum brasileiro tenha merecido tantas palavras de admiração e apreço, pela inteligência, conduta ética, capacidade de engenharia política e lucidez. Os seus intérpretes, neste último século, têm lhe atribuído um lugar entre os formadores da nacionalidade, jamais ameaçado por negação ou esquecimento. No entanto, parece que a sua última tarefa na História do Brasil, isto é, o seu esforço de reinvenção de um projeto de política estratégica mediante uma ação diplomática pan-americanista, tem sido alvo de críticas e desqualificação. A sua peleja de diplomata vem sendo parcialmente negada ou encoberta pelo seu legado de líder abolicionista. Portanto, ofereço aqui algumas hipóteses a respeito das ações da diplomacia pan-americanista de Joaquim Nabuco, como se originaram em seu pensamento, sua condução e desdobramentos.

Na atualidade e no passado, historiadores e pesquisadores têm sido pouco complacentes com o ideário e ações pan-americanistas de Nabuco. Sobre a sua figura histórica, foram muitas as críticas. Essas análises fixaram-se historiograficamente e dificultam uma compreensão das razões que sustentaram o ideário diplomático nabuquiano, lançando sombras também sobre os últimos esforços de sua vida pública. Sabemos que os desdobramentos de seu esforço diplomático ofereceram uma substancial contribuição à construção da política estratégica brasileira no decorrer da primeira metade do século XX, sendo, a meu ver, um desafio para os atuais pesquisadores. Impõe-se, portanto, a tarefa de tentar reconstruir o sistema de ideias de Joaquim Nabuco e de desvelar que concepção ele teve do interesse nacional.

Estou convencido de que, apesar de desinteligências pontuais e dos desencontros entre as estratégias do barão do Rio Branco e o desempenho de Joaquim Nabuco em Washington, o plano engenhado pela Chancelaria brasileira para deslocar o Brasil de suas ligações com o mundo europeu, direcionando-o para uma aproximação com os Estados Unidos da América, muito deveu à capacidade de percepção e de elaboração mental refinada de Joaquim Nabuco. Se o embaixador Nabuco tivesse encontrado espaço para um diálogo fluente e mais regular com o chanceler José Maria da Silva Paranhos Júnior, a diplomacia brasileira em Washington talvez tivesse propiciado melhores resultados. Houve, no entanto, equívocos, desencontros, choque de personalidades e estilos. Podemos apontar algumas crises no decorrer do processo, principalmente a complexa condução dos interesses brasileiros na conferência da Haia, em 1907, que foi um marco divisor da política pan-americanista de Nabuco em Washington. Ressalte-se, entretanto, que o chanceler Paranhos Júnior também cometeu erros de avaliação ao conceber o Projeto ABC, um acordo entre os três países do Cone Sul da América do Sul, Argentina, Brasil e Chile, desconsiderando o poder de fogo do grupo antibrasileiro do ministro argentino Estanislao Zeballos. Igualmente, no decorrer do processo de consolidação da embaixada do Brasil em Washington, matreiramente se esquivou de remeter as necessárias instruções a Joaquim Nabuco, complicando assim a condução das decisões e iniciativas do embaixador.

Saliente-se que as personalidades de José Maria da Silva Paranhos Júnior e de Joaquim Nabuco – o primeiro, um pragmático até o excesso de ser um ateórico; o segundo, um homem dotado de intensa imaginação, porém capaz de percepções mentais elaboradas – contraditoriamente se completaram na formulação e na condução diplomáticas. Joaquim Nabuco não somente executou a diplomacia planejada pelo Itamaraty, mas também criou estratégias de política externa e as implantou de modo sutil e, diga-se, com a permissão implícita ou evidente, embora também com críticas e contenções pontuais do barão do Rio Branco. À parte episódios constrangedores vividos por Nabuco, veja-se o caso da decisão precipitada de Paranhos no incidente da canhoneira *Panther*, e também no evento da retirada intempestiva do convite que fizera a Joaquim Nabuco para representar o Brasil na Haia, nomeando Rui Barbosa para o cargo de chefe da delegação brasileira, que levou para a Conferência de 1907 a sua inteligência lúcida, mas também aportou o seu discurso "xaroposo" (Freyre, 1925) e suas insistências jurídico-diplomáticas, algumas, talvez, inaplicáveis.

Seria oportuno assinalar que, em fevereiro de 1907, Nabuco possivelmente já pressentia o problema que surgiria na Haia e anotou em seu diário: "Telegrafo ao Rio Branco sobre a Haia e o Equador. Sobre a Haia peço-lhe que abra mão da minha pessoa, sendo preciso, para melhor decidir o Rui..."[5] Sustento a hipótese de que Joaquim Nabuco estava mais preparado do que Rui Barbosa, no que se refere ao embate diplomático, porque havia apurado o seu ofício de embaixador desde muito, primeiro em Londres e depois em Washington, onde aprofundou seus conhecimentos. Ademais, Nabuco detinha uma experiência cosmopolita que Rui nunca alcançou. Nabuco, no entanto, embora sentindo constrangimento com a insistência de Rio Branco em mantê-lo como vice na chefia da delegação, pois Rui Barbosa tinha precedência por ser o vice-presidente do Senado Federal, resolveu não pressionar o chanceler, sabedor de que a aproximação entre os Estados Unidos e o Brasil produziria um conflito e revelaria os acertos de sua política em Washington, mas também as suas falhas no anfiteatro da Haia. Igualmente, Nabuco temia que a sua atuação na Haia pudesse resultar em acusações de subserviência aos Estados Unidos ou em alguma desinteligência com a delegação norte-americana, o que poderia comprometer o seu relacionamento, que ele tinha como especial, com as autoridades americanas. Acrescente-se que Joaquim Nabuco conhecia de antemão as instruções que o chefe da delegação americana havia recebido, uma vez que ele obtivera do seu amigo, o secretário de Estado dos Estados Unidos, Elihu Root, em caráter confidencial, as pautas e as orientações que o Departamento de Estado havia preparado para a sua delegação: "...hoje [Root] levou-me de bordo à sua casa em automóvel e lá mostrou-me as conferências que vai fazer em Yale e as instruções que vai dar aos delegados da Haia!"[6] Assim sendo, Nabuco, detentor daquelas informações, as repassou a Rui Barbosa e contribuiu de modo indiscutível para melhor preparar a atuação da delegação brasileira à Conferência da Haia.

Os últimos dez anos de vida de Joaquim Nabuco estiveram ligados à sua preocupação com o interesse nacional e com a integridade territorial do Brasil. O seu esforço na defesa do direito do Brasil na complexa e quase perdida questão da Guiana Inglesa, e mais, no seu trabalho para aproximar as duas maiores nações do continente americano – o Brasil e os Estados Unidos – possuía significados representados em sua noção de patriotismo e o seu empenho para assegurar ao país um lugar de líder na América do Sul.

II : PROCESSO DA GUIANA INGLESA

Sustento a hipótese de que a atuação de Nabuco no processo da Guiana Inglesa, de 1899 a 1904, no que concerne à preservação do interesse nacional e da integridade do território brasileiro, bem como o desfecho desfavorável ao Brasil, gerou uma inflexão em seu pensamento, conduzindo-o a arquitetar a sua política pan-americanista em Washington.

Seria oportuno entender a reação de Joaquim Nabuco ao laudo arbitral de Vitor Emanuel III, a partir da sua compreensão do conteúdo jurídico daquela decisão. Ressalte-se que Nabuco não seria vencido pelo sentimentalismo que grassou no país, após a leitura do laudo de Vitor Emanuel III. No Brasil, registrou-se uma campanha de descrédito e de ataques ao rei da Itália, tido por muitos como parcial e submisso aos interesses da Inglaterra. As críticas foram contundentes, embora algumas evitassem ataques à atuação de Joaquim Nabuco.[7]

Nabuco, o então advogado do Brasil naquela questão de limites de fronteiras, definiu o seu pensamento direcionando-o para uma análise das consequências relacionadas às jurisprudências do laudo arbitral de 1904. Em uma carta enviada para Lúcio de Mendonça, assim se expressou, demonstrando sua preocupação de que a corrida expansionista da fase aguda do imperialismo europeu poderia não se contentar com o domínio da quase totalidade do território africano e partes do continente asiático, mas se dirigisse para as terras desabitadas da América do Sul:

> Como lhe escrevo em confiança, direi que tudo quanto aí se tem dito sobre a parcialidade do árbitro não tem fundamento. Os árbitros são em geral parciais para as duas partes que se constituíam, isto é, têm tendência natural para dividir o

> território entre eles, e a *combinazione* está no gênio político italiano, é o feitio dele, mas dependência política e submissão à Inglaterra por parte da Itália ou interesse de aliança, é preciso afastar essa ideia. O rei é, pelo contrário, tudo o que há de mais independente. A nossa infelicidade não foi essa, mas a evolução do direito internacional europeu em matéria de ocupação de território (por causa da África) junto ao estudo imperfeito e superficial da discussão histórica entre as duas partes.
>
> Os fundamentos do laudo, ou seja, a sua jurisprudência, abalariam todos os títulos de posse existentes no nosso continente.
>
> No ano passado eu escrevia para o Rio Branco: 'o receio que tenho não é da falta de imparcialidade, é de exame superficial, ou *amateurish*, da questão, e de entrarem jurisconsultos políticos, de regras de direito *ad hoc*'. Assim foi, mas, como lhe digo, isto entre nós.[8]

Assinale-se que notáveis especialistas estrangeiros em direito internacional público criticaram o laudo do rei Vitor Emanuel III. Joaquim Nabuco, porém, defendeu a isenção do soberano italiano: compreendia que não se tratava de uma decisão de cunho pessoal, mas, pelo contrário, trazia em seu bojo algo muito mais sério, uma jurisprudência, que substanciaria as decisões das potências europeias, visando à ocupação arbitrária e ao controle de territórios em outras regiões da Terra. Assim sendo, Nabuco decidiu se aprofundar na questão, percebendo que o problema da decisão favorável aos interesses ingleses estava inserido em algo que ultrapassava as idiossincrasias pessoais ou uma acusação de tendência anglófila de Vitor Emanuel III. Evidenciava-se, no entendimento de Nabuco, a formação de um pensamento político que lastreava juridicamente uma estratégia imperialista, a mesma que havia influenciado as decisões do Congresso de Berlim, e que poderia justificar o direito das nações líderes da Europa de recolonizarem, se quisessem, territórios desabitados da América do Sul.

Joaquim Nabuco possuía uma compreensão mais profunda dos motivos que conduziram à sentença do monarca italiano, que consistia em uma mudança conceitual no tradicional pensamento jurídico do direito internacional. O que movia, então, os pensamentos de Nabuco era a situação em que se encontravam os países "fracos", diante de uma sentença que reconhecia o "direito" das nações europeias a "civilizarem" e se apossarem de regiões pertencentes a outros países na Ásia, na África e, quem sabe, na América Latina, onde os ingleses mantinham várias possessões no Caribe, na América Central e também na América do Sul: Guiana Inglesa, Ilhas Malvinas e outros territórios dispersos pelo Atlântico Sul. Para Joaquim Nabuco, o resultado do laudo arbitral mereceria uma interpretação bem mais consequente: "O desenvolvimento deste pensamento não mandei, e quanto a territórios da América é preciso aplicar a jurisprudência histórica tal qual resulta da atual repartição política dela, e não a nova jurisprudência para a partilha da África. Essa é equidade verdadeira sem o que a nação que pleiteia hoje é objeto de uma inferioridade anacrônica".[9]

Esta discussão acerca das consequências do laudo arbitral de 1904 e dos seus desdobramentos no pensamento de Joaquim Nabuco poderia estender-se muito e não caberia no âmbito deste ensaio. Portanto, apresso-me a tratar do período em que Nabuco exerceu a sua diplomacia em Washington. Enquanto, no Brasil, ainda ferviam as discussões em torno da decisão do soberano italiano, Joaquim Nabuco recebia um telegrama de Rio Branco, datado de 19 de junho de 1904, convidando-o para assumir o posto de embaixador nos Estados Unidos.

III : A CRIAÇÃO DA EMBAIXADA DO BRASIL NOS ESTADOS UNIDOS: 1905

O barão do Rio Branco, no seu empenho para dar prestígio e assegurar a liderança do Brasil na América do Sul, em 1904, já havia adiantado as negociações para a criação da embaixada em Washington, conforme se constata pelas mensagens trocadas entre ele e Joaquim Nabuco. Este, não obstante afirmar sua preferência por um posto em Londres, não recusou o convite do ministro Paranhos Júnior.[10] A dupla composta por Rio Branco e Nabuco,[11] cada um trabalhando a seu modo e em ritmos diferentes, direcionou o Brasil, do europeísmo para o americanismo, no início do século XX. O chanceler brasileiro nutria planos para estreitar os laços diplomáticos com os Estados Unidos a fim de também garantir uma "aliança não formalizada" com aquele país, o que poderia proteger o território brasileiro da ganância europeia, pois, segundo pensava o barão do Rio Branco, "se os Estados Unidos convidarem, por acaso, governos da Europa para exploração de terras da América do Sul e para impor a completa liberdade do Amazonas, dificilmente recusarão o convite".[12] Sobre este ponto, mais adiante haveriam de concordar Nabuco e Rio Branco.

A estratégia do barão do Rio Branco coincidia com os novos ditames do governo estadunidense, que se mostrava, naquele tempo, especialmente voltado para a construção de uma política externa que contemplasse os seus interesses na ampliação dos negócios com a América Latina.[13] Essa estratégia de política internacional vinha sendo engenhada pelos americanos desde a última década do século XIX. E no prosseguimento daquela ação de política estratégica o presidente Theodore Roosevelt, na sua mensagem anual de 1904, embora ressaltando que a Doutrina Monroe pregava que nenhuma potência europeia poderia alargar seu território à custa de nações americanas, exibia os pontos fundamentais do seu Corolário, que consistiam numa espécie de gerenciamento dos países que não atendessem às expectativas dos Estados Unidos, e alertava no sentido de que não garantia a nenhum país da região isentá-lo de punição, caso se "conduzisse mal", mas que esse castigo não tomaria a forma de aquisição de território por nenhuma potência.[14]

Rio Branco, ao se inteirar da linguagem agressiva do governo norte-americano em relação às nações do Caribe, não expressou preocupação, pois o chanceler brasileiro entendia que aquelas sanções não atingiriam o Brasil, considerando que o nosso país se comportava bem em relação ao pagamento de sua dívida externa, cumprindo, sem maiores delongas, seus compromissos internacionais. Estávamos, portanto, livres das ameaças contidas no corolário rooseveltiano. Rio Branco acreditava que poderíamos nos aproximar, ainda mais, dos Estados Unidos sem comprometer a nossa segurança, pois o foco da atuação ameaçadora dos norte-americanos teria lugar na região do mar do Caribe, enquanto que, na América do Sul, o Brasil teria liberdade para exercer sua influência ou até uma hegemonia que poderia vir a ser delegada pelos americanos. O barão do Rio Branco estava ciente do estado de vulnerabilidade do Brasil. No entanto, uma sub-hegemonia agradava ao chanceler porque, na verdade, não possuíamos forças armadas suficientemente preparadas para defender o nosso território, o que nos mantinha numa posição desvantajosa diante da ameaça do imperialismo europeu e das pressões da Argentina.

Os nossos vizinhos sul-americanos, exceto o Chile,[15] não se mostravam simpáticos às causas brasileiras. Com aquele país, não tínhamos fronteiras, o que era uma vantagem, quando ainda não havíamos solucionado nossos problemas de limites com a maioria das nações sul-americanas. Ao Chile, por seu lado, também interessava manter um relacionamento preferencial com o Brasil, uma vez que estava cercado por desafetos e inimigos: a Argentina, a Bolívia e o Peru. Diante desse quadro de instabilidade nas relações internacionais, e sob a possível ameaça constante do imperialismo europeu, alguns segmentos da população brasileira sustentavam que ao Brasil não havia alternativa afora a íntima aproximação com os Estados Unidos, sendo o país rodeado por vizinhos eivados de prevenções...[16] A suposta posição de cogestor estava substanciada na suposição do barão do Rio Branco de que o apoio do Brasil às ações do governo norte-americano nos concederia a autonomia para agirmos na América do Sul na qualidade de país líder, uma espécie de mandatário do pan-americanismo estadunidense. A percepção dos nossos vizinhos a esse respeito levou o jornal argentino *La Na-*

ción a suspeitar que "o Brasil exerceria a hegemonia sul-americana por delegação norte-americana"[17], o que poderia agravar as tensões na região. Eram constantes as pressões de diplomatas latino-americanos contra o Brasil. A Argentina, em via de se tornar uma potência econômica, tornara-se o nosso grande rival. A perspectiva de o Brasil ocupar o lugar de cogestor da América do Sul, sob a égide estadunidense, continuava sob suspeita e em permanente discussão nos meios influentes dos países sul-americanos.

O projeto para estabelecer a embaixada do Brasil em Washington mereceu críticas e análises em nosso país[18] e também nos Estados Unidos.[19] Alguns políticos, empresários e intelectuais brasileiros se aferravam às suas conexões britânicas. Rui Barbosa era um deles, pois em 1905, apresentado pelo senador Pinheiro Machado, conseguiu ser contratado para o cargo de advogado-chefe da poderosa empresa anglo-canadense The Light and Power Company.[20] Havia grandes interesses envolvidos e segmentos da elite brasileira desejavam ver diminuído ou detido o ritmo da aproximação com os Estados Unidos. Por exemplo, o ex-ministro da Fazenda, Joaquim Murtinho, que obtivera vitória na renegociação da dívida brasileira com banqueiros ingleses, recusou um convite para integrar a delegação brasileira à Conferência Pan-americana de 1906.[21]

Assinale-se, porém, que o estabelecimento dos laços diplomáticos no nível de embaixadas seria bem recebido por parte da imprensa dos Estados Unidos, como revela um telegrama de Joaquim Nabuco para o ministro Rio Branco: "Antes mesmo de ver Hay [secretário de Estado] o presidente me mandou dizer para o seu secretário informasse Vossa Excelência ideia circulada aqui jornais é extremamente agradável e está pronto para realizá-la imediatamente. Amanhã, verei Hay a fim de completar combinação. Entreguei minhas credenciais dia 28 de janeiro de 1905".[22]

No dia 19 de junho de 1904, portanto, apenas cinco dias após a leitura da sentença arbitral do rei da Itália que encerrou a questão da Guiana Inglesa, Nabuco recebia uma mensagem do barão do Rio Branco convidando-o para o cargo de embaixador em Washington:

"Esta manhã [19 de junho de 1905] um terremoto, o telegrama do Rio Branco oferecendo-me Washington. Vou pensar muito antes de responder".[23]

O convite assombrou Joaquim Nabuco. O barão do Rio Branco estava cogitando a indicação de Nabuco para o posto nos Estados Unidos, antes mesmo do anúncio da sentença do monarca italiano, em junho de 1904.[24] Acrescentarei, a este respeito, que poderiam estar equivocadas algumas interpretações recentes sobre a transferência de Nabuco, de Londres para o novo posto em Washington, a qual poderia ser vista como um castigo pela "derrota" de Nabuco no processo da Guiana Inglesa.[25] Pelo teor de uma correspondência do chanceler brasileiro, datada de 29 de dezembro de 1904, o ministro Paranhos Júnior, portanto, sete meses antes do anúncio da sentença arbitral de Vitor Emanuel III, deixava a critério de Joaquim Nabuco aceitar ou não as novas funções de embaixador nos Estados Unidos. Ademais, Rio Banco alimentava dúvidas quanto ao interesse de Nabuco em concordar com a sua designação para Washington e teria procurado Graça Aranha, um amigo comum, para se aconselhar.[26]

A convocação a Joaquim Nabuco para exercer o cargo de primeiro embaixador do Brasil nos Estados Unidos compreendia, possivelmente, artimanhas de Rio Branco no cenário da política interna brasileira, visando a agradar ao presidente Rodrigues Alves, que dedicava amizade e admiração a Nabuco. O gesto, afirma o diplomata João Frank da Costa, pareceu um reconhecimento pela sua atuação no processo da Guiana Inglesa: "A proposta do ministro do Exterior deve ser interpretada (...) como uma honra para Nabuco, com o espírito de confiar-lhe a direção de uma nova política americana, e não como uma consequência da necessidade de removê-lo de Londres."[27] A decisão estava evidentemente permeada pelos elementos formadores da nova diplomacia, ou seja, o conceito de estratégia internacional concernente ao imperialismo europeu e a necessidade de um deslocamento do foco da diplomacia brasileira em direção aos Estados Unidos, aspectos que eram do interesse do barão do Rio Branco, conforme se pode atestar pela sua correspondência, datada de 29 de dezembro de 1904.[28]

É verdade que alguns dos grupos mais influentes do país se colocaram a favor da decisão da criação da embaixada em Washington.[29] O editorial da *Gazeta de Notícias de* 17 de março de 1905 expressou parecer de que a iniciativa era "um programa em uma palavra" e apontava, implicitamente, para uma aliança tácita entre os "(...) dois maiores e mais populosos países do continente". A linha editorial do jornal também procurava acompanhar o projeto diplomático de Rio Branco, que trazia como objetivo "dar prestígio ao país",[30] para fortalecê-lo diante dos nossos desafetos sul-americanos. Este era um objetivo muito caro ao barão do Rio Branco. Note-se que Joaquim Nabuco, sem pestanejar, levou a sério a instrução do chanceler, que enfatizava: "dar prestígio ao Brasil". Em agosto de 1905, Nabuco remeteu para a Chancelaria, no Rio de Janeiro, uma nota fiscal referente a despesas que tivera no Hotel Waldorf Astoria com o pagamento de um jantar oferecido a membros do governo americano e a convidados da sociedade de Nova York. O ágape foi elegantíssimo, os pratos refinados, regados a vinhos de excelentes cepas. A soma alcançou a alta cifra de US$ 827,75 (oitocentos e vinte e sete dólares e setenta e cinco centavos). Um montante que, se corrigido para a data atual, atingiria um valor estratosférico.

Retornando ao assunto, vejamos o que expressava a *Gazeta de Notícias* a respeito da abertura da embaixada: "A embaixada em Washington 'é um programa em uma palavra', na frase do eminente diplomata brasileiro.(...) Ela vai lembrar à Europa que o Brasil e os Estados Unidos, os maiores e os mais populosos países do continente, procuram concorrer para a estabilidade da paz, para a boa harmonia dos povos da América e também para o equilíbrio universal que representa grandes interesses comuns.[31]

O *Jornal do Commercio*, edição de 16 de março de 1905, acompanhava a linha editorial da *Gazeta de Notícias* e se referia à influência que os Estados Unidos exerciam no Brasil. Em editorial intitulado "A Embaixada", mostrou-se favorável à decisão, dando ênfase à escolha dos Estados Unidos para sediar no Brasil sua primeira embaixada na América do Sul: "Pela primeira vez uma grande potência dá à sua representação no Brasil um caráter excepcionalmente elevado (...). A América do Norte exerce sobre nós uma grande fascinação.[32] *O Paíz*, outro jornal de prestígio na época, teceu o seguinte comentário a propósito da entrega de credenciais pelo embaixador norte-americano David Thompson: "O que se fazia era efetivamente uma aproximação mais estreita entre as duas maiores nações do continente, que assim queriam significar ao mundo o propósito recíproco de cimentar a sua amizade antiga de modo mais íntimo e formal".[33]

IV : DÚVIDAS EM WASHINGTON

A repercussão da criação da embaixada resultou em dividendos políticos para o governo. Mas, como veremos, parece que não havia sido elaborado um projeto estratégico que substanciasse aquela decisão. Na ocasião de sua chegada a Washington, Joaquim Nabuco criticou a ausência de instruções de parte do chanceler Rio Branco.[34] Afirmou, surpreendentemente, que ainda estava tentando interpretar as razões do ministro do Exterior: "Não sei ainda o que se quis com tal decisão em Washington".[35] Somente no decorrer dos meses seguintes começaram a aparecer os primeiros sinais da compreensão do papel que ele tentaria desempenhar nos Estados Unidos e das possíveis aproximações que haveria de fazer para apreender as formulações da política exterior estadunidense, ideário de Theodore Roosevelt e do seu projeto pan-americanista.

Depois de pouco tempo e sem oferecer maiores explicações, Nabuco já estava empunhando a bandeira do pan-americanismo. Na edição do *Jornal do Commercio* de 23 de setembro de 1905[36] encontra-se a tradução de um artigo sobre as intenções pan-americanistas de Joaquim Nabuco: "Acerca da aplicação futura da Doutrina Monroe e as ideias do nosso embaixador nos Estados Unidos a respeito dessa doutrina."[37] A referida nota do *Jornal do Commercio* informava que "o artigo foi escrito em Washington pelo correspondente do *Chicago Tribune* naquela cidade, depois de sua entrevista com o Sr. Joaquim

Nabuco".[38] Mas uma análise detalhada do texto causaria surpresa e estranhamento. Ao se referir à atuação de Theodore Roosevelt, o articulista curiosamente dava a entender que o governo americano não colocava a questão da América Latina como prioritária, pois no texto afirmava que o presidente estaria muito ocupado com as questões da guerra russo-japonesa e com os problemas europeus e esperava se livrar dos assuntos latino-americanos:

> [O presidente] tem estado a trocar ideias com os Estados sul-americanos em relação aos meios a se empregar, no futuro, para fazer valer a Doutrina Monroe.[...] Quer o presidente tornar a América do Sul responsável pela execução dessa doutrina e deixar os Estados Unidos livres dos cuidados que ela impõe. Se se puder conseguir que as nações do continente meridional possam defender a integridade do seu território, esse país ver-se-á aliviado não somente da necessidade de proteger o território sul-americano de agressões europeias, como também entrará em uma fase de relações mais estreitas com estas repúblicas após o desaparecimento das invejas e suspeitas ora existentes.[39]

É de se notar que no texto estejam inseridas duas das concepções mais caras a Joaquim Nabuco. A primeira, a questão da defesa do território nacional em face das agressões europeias, e a segunda, o que soava mais grato ao barão do Rio Branco, a posição de cogestor da política pan-americanista na América do Sul. Mas, ao contrário do que se poderia esperar, o jornalista informa que o governo norte-americano não teria interesse em se envolver na defesa dos países sul-americanos, que deveriam, eles próprios, cuidar da preservação do seu território frente a agressões externas. O jornalista informa ainda que Roosevelt pensava em atribuir aos governos sul-americanos a tarefa de administrarem a adoção daquela política. Se assim era, como estaria Nabuco convencido de que poderia o Brasil contar com os Estados Unidos para defender o seu território contra a ganância europeia? Mais espantoso é que no artigo daquele jornal verificam-se referências à posição de Joaquim Nabuco como interlocutor do presidente Theodore Roosevelt.[40] Compreende-se, portanto, que Nabuco havia discutido com o presidente Roosevelt a conjuntura internacional daquele tempo. No decurso da entrevista concedida por Nabuco ao *Chicago Tribune*, ele ressaltaria que "a razão é esta: Washington representa as ideias de independência e de liberdade política, de cuja combinação nasceram, uma após outra, todas as nações do novo mundo".[41] Ele enfatizava que a disposição dos Estados Unidos, por meio da aplicação da Doutrina Monroe, seria garantir a integridade e a independência das nações americanas. Em seguida, o embaixador do Brasil demonstrava sua opinião de que havia um processo de internacionalização, ao qual os norte-americanos pareciam querer resistir em seu isolamento histórico: "A política, como sabeis, está se tornando em toda parte cada vez mais internacional. O problema principal de todos os países do mundo, exceto o vosso, é o problema estrangeiro."[42] Poderíamos indagar a que problema Nabuco estaria se referindo: ao imperialismo europeu? Parece que sim, dado que se expressou nestes termos: "Embora isso fosse sempre assim, todavia, a gente do décimo nono século sentia-se mais garantida por trás das ficções do direito internacional que qualquer outra geração da história".[43] Joaquim Nabuco, ao acentuar "as ficções do direito internacional", estava se referindo à jurisprudência da Conferência de Berlim de 1885, em voga nos foros internacionais. Nos primeiros tempos em Washington, Nabuco se mostrava confuso: "Não vejo nada claro quanto à minha permanência aqui [...]. Estou com medo de ter feito uma grande tolice aceitando este posto, uma grandíssima tolice da qual me custará muito tirar-me com vantagem".[44] Os textos do seu diário atestam que ele não possuía um plano de ação diplomática e, possivelmente, não tinha sido informado pela chancelaria brasileira de detalhes a respeito do projeto pan-americanista de Rio Branco. Premido por problemas de foro íntimo, quando de sua chegada à capital dos Estados Unidos, Nabuco não conseguiu pensar de modo produtivo sobre assuntos de Estado. Porém, ao se passarem os primeiros meses, ele iniciaria, com evidente disposição, o projeto diplomático, com o qual encerraria sua vida pública.

Contudo, devemos ainda salientar que a situação pessoal de Nabuco em Washington, no decorrer dos primeiros meses de sua estada na capital americana, fora incômoda e a isto se acrescentava o aparente descaso de Rio Branco, proposital ou não, para com os seus esforços inaugurais junto ao governo estadunidense. Era evidente a insatisfação de Joaquim Nabuco em relação à vida na capital estadunidense: Meu moral é que está *hébété* [abestalhado] com a mudança, não vejo claro. Parece-me claro que com toda a boa vontade não poderei ficar senão pouco tempo (...). Não quero blasfemar, mas nunca, nunca na minha vida, passei um tempo igual, isto é, vi-me por tal forma fechado em uma situação da qual não sei como sair. Meu desejo, meu ardente desejo, é que me solte, me dê liberdade, me deixe viver o resto dos meus dias em uma atmosfera menos oficial e estranha do que esta (...). Suponho, portanto, que não ficarei mais do que esta administração.[45] Impacientando-se ainda mais, em 13 de junho de 1905 (menos de um mês após apresentação de credenciais ao governo estadunidense), Nabuco fazia planos para deixar Washington, dentro de pouco tempo: "Devemos contar com um ano de Washington, depois licença e a remoção, ainda que eu vá sozinho, ou só contigo e Carolina, ao Brasil para obtê-la. Não faço plano algum de demorar-me neste país(...).[46] Preços excessivos, clima intolerável, alimentação péssima e nenhuma adaptação possível (...). Não vejo nada que eu possa fazer aqui. A minha vida desde que cheguei é uma luta contínua comigo mesmo para não deixar este posto... É somente pelos filhos que o não faço".[47]

Em 22 de junho de 1905, o embaixador ainda se mostra irritado com o novo posto, reclama do custo de vida em Washington e confessa: "Se o governo me der meios, irei ficando até poder renunciar."[48] Mas, contraditoriamente, o teor do seu discurso de apresentação ao presidente Theodore Roosevelt, em 24 de maio do mesmo ano, se constituía num plano de ação estratégica, evidenciando seu súbito apreço pelo monroísmo e pela posição de liderança dos Estados Unidos nas Américas e no mundo: "Votos do Brasil são por aumento da influência moral dos Estados Unidos qual se revela pela existência pela primeira vez no mundo de uma vasta zona neutra de paz e livre competição humana".[49]

Nos meses seguintes, Joaquim Nabuco, pouco a pouco, se ambientava na capital norte-americana e iniciava um relacionamento que, mais tarde, se transformou numa sólida amizade com o chanceler estadunidense Elihu Root. Graça Aranha assinalou a mudança: "No tempo de sua missão em Washington eram Roosevelt presidente e Elihu Root secretário de Estado. Estes três homens entenderam-se e ligaram-se".[50] Nabuco chegava a afirmar que "Há sínteses de Root que deviam ser cunhadas em medalhas de ouro... A personalidade de Elihu Root, um espírito refinado, se diferenciava do tipo psicológico de Roosevelt... combatente, lutador, ousado e meio bárbaro... mas eles se completavam". Joaquim Nabuco também ficou embevecido com as atenções que o novo cargo lhe proporcionava, o que lhe concedia um contato com aqueles estadistas e... foi fascinado por ambos.[51]

Após as agruras dos primeiros meses, surgiram os sinais da compreensão do papel que ele pretendia desempenhar nos Estados Unidos e, igualmente, das possíveis aproximações que haveria de fazer, para apreender as formulações da política exterior estadunidense, do ideário de Theodore Roosevelt e do projeto pan-americanista.

Joaquim Nabuco procurava explicar que a inclinação monroísta do Brasil não representava um anti-europeísmo: "Não encaramos absolutamente a Doutrina Monroe com espírito de desconfiança ou de antagonismo para com a Europa".[52] Neste particular, ele estava em harmonia com a política executada pelo chanceler Rio Branco, que tencionava manter uma diplomacia equilibrada entre a recente aproximação com os Estados Unidos, sem abandonar a tradição de ligação do Brasil com a Europa. Procurava refletir a propósito da existência do bloco Europa, África e Ásia, que se constituía num supercontinente formado por nações colonizadoras e colonizadas, em que se incluíam os países "fracos", incapazes de se autogovernar, mas acrescentava: "para tão poderosa combinação, é bom que uma parte do globo permaneça fora dela como terreno neutral. É um imenso benefício para toda a humanidade".[53]

Mais adiante, o embaixador Nabuco, em consonância com a política adotada pelo barão do Rio Branco, assegurava que o Brasil estava infenso aos problemas de intervenções norte-americanas, como as ocorridas em alguns países do Caribe,[54] ressaltando que "isto não é, todavia, questão que preocupe muito o Brasil. Havemo-nos sempre de acordo com a responsabilidade inerente a uma nação livre e submetemo-nos às consequências da nossa conduta, como faz toda ação livre. Toda e aquela outra concepção seria fatal ao sentimento de responsabilidade e, portanto, ao caráter nacional".[55]

No que concerne a essa matéria, chamamos a atenção para o cuidado de Joaquim Nabuco no sentido de não se confundir a adesão ao monroísmo com uma forma de submeter a independência e a autonomia do Brasil, ou das demais nações latino-americanas, aos desígnios e à controvertida política exterior do presidente Theodore Roosevelt. O que Nabuco sustentava como alternativa era a formação de um bloco independente da Europa, sob a liderança dos Estados Unidos; paralelamente, propugnava por um projeto de estratégia diplomática mútuo-defensiva que afastasse quaisquer ações de recolonização: "Para nós a escolha está entre o monroísmo e a recolonização europeia. O equilíbrio dos dois mundos não permite mais a existência de nações isoladas dele e tirando benefícios dele. Hoje a proteção impõe deveres às nações que a recebem, e a única proteção da América é o *sea-power* que só os Estados Unidos tem nela. Monroísmo é assim a afirmação da independência e integridade nacional pelo único sistema que as pode garantir".[56]

V : CERTEZAS EM WASHINGTON

Em 30 de julho de 1905, Nabuco já expressava um claro distanciamento das dúvidas expressadas nas suas primeiras semanas em Washington e evidenciava as expectativas que tinha quanto aos desdobramentos das relações Brasil–Estados Unidos: "Trabalharemos para juntos tentar aproximar nossos dois países o máximo possível, no verdadeiro espírito da unidade americana".[57] Alguns meses depois, numa carta dirigida ao secretário Elihu Root, referindo-se a uma entrevista que concedera a um jornal norte-americano, o embaixador do Brasil enfatizava sua fé monroísta: "Permita-me enviar-lhe a entrevista que tive com ele e que o meu governo enviou agora para todas as nossas legações, bem como para esta Embaixada. Ela conduz à doutrina monroísta. Uma coisa ela mostra bem, a cordialidade dos nossos sentimentos com relação aos Estados Unidos, nossa consciência e gratidão para com ele, pois eles são a única defesa visível do vosso sistema Americano Independente".[58]

Aqui caberia acrescentar que a perplexidade inicial de Joaquim Nabuco com os novos desafios e perspectivas em Washington, face ao seu desconhecimento do projeto estratégico brasileiro, se é que havia, de fato, um projeto claro do barão do Rio Branco, não depõe em seu desfavor. Antes, a sua surpreendente capacidade de traduzir a realidade, de perceber uma chance política e, por que não dizer, existencial, bem como de permanecer aberto ao novo, de reinventar-se para atender aos estímulos do seu tempo e das circunstâncias, não provam inconsistência, desarmonia, mas sim, domínio, acuidade, refinada percepção dos movimentos da História. Do mesmo modo foram os seus momentos decisórios, a entrada na vida política, em 1878, a campanha abolicionista, o compromisso com o governo republicano em 1899. Portanto, da sua experiência no processo de litígio da Guiana Inglesa, Nabuco retirou lições e compreensões novas que utilizaria na formulação de sua última "grande causa", a diplomacia americanista.

Apesar do mal-estar que ainda lhe despertava a capital americana, e ressabiado diante das transformações pelas quais passaram os Estados Unidos nas últimas três décadas, Nabuco anotaria em seu diário, em junho de 1905: "Como mudou esse país! Como é diverso do que era! Todos mudaram, é certo, mas não com tanta fúria e de modo tão completo. Por ora, só vejo aqui um Noé, o presidente; no mais o dilúvio dos trustes, isto é, do dinheiro".[59] Ainda que esta nota contenha uma crítica à sociedade de competição nos Estados Unidos, também demonstra que se tratava deveras de um outro país, diverso daquele que Joaquim Nabuco conhecera na década de 1870. O seu encontro com uma sociedade americana transformada pela rápida industrialização também haveria de influenciar a formulação do seu pensamento americanista. Graça Aranha, que o conhecia intimamente, afirma:

> O homem de ação despertou em Joaquim Nabuco. A melancolia, a tristeza, a nostalgia mesmo foram calcadas ao fundo da alma, e o que fulgurou desde logo foi um brilho ascendente de todo o ser, um movimento em que a harmonia essencial do espírito obedeceu à influência do acelerado ritmo americano. Nabuco multiplica-se. Todo ele parecia querer absorver a força do novo mundo e transformá-la em luz intelectual vinda do inconsciente latino. É um pensador político que descortina no horizonte a tragédia das nações que dez anos depois encheu de pavor o mundo.[60]

O seu encontro com o secretário de Estado, Elihu Root, parece ter influenciado a construção de suas propostas diplomáticas. Em correspondências datadas dos princípios da sua ação diplomática em Washington, Nabuco analisava, com satisfação, a personalidade do secretário Root. Entusiasmava-se com os artigos que lhe eram favoráveis, veiculados na imprensa norte-americana, e escreveu, agradecido, ao autor de um deles:

> Acabo de ler o seu artigo ao meu respeito, assinado pelo senhor, é para mim um magnífico testemunho para no futuro considerar, quando tiver que lembrar a minha permanência aqui. A nossa entrevista, pelos vistos, agradou tanto ao governo que foi enviada como circular a todas as nossas legações. Sim, o Sr. Root é um homem encantador e cativante e nenhum presságio poderia ser tão bem-vindo para mim quanto este seu de que ele iniciou uma amizade comigo (ou fui eu com ele?).[61]

O embaixador, enquanto procurava compreender o seu papel de "líder" diplomático nos Estados Unidos, tratava do problema do distanciamento dos Estados Unidos em relação à América Latina, esquadrinhando um novo significado para o que ele entendia ser a sua missão diplomática em Washington: "Nada foi feito até agora para interessar este País na América Latina, nem a América Latina a este País, como gente destinada a um patrimônio comum (direito de progenitura) da civilização, a uma mesma Lei Pública Internacional".[62] Nos primeiros meses do ano de 1906, Joaquim Nabuco movimentava-se com indiscutível liberdade e tentava oferecer uma colaboração mais substancial para a organização da III Conferência Pan-americana no Rio de Janeiro. Numa carta a Elihu Root, o embaixador reitera o seu conceito de pan-americanismo, fundado, segundo suas palavras, na posição de liderança dos Estados Unidos dentre os países americanos, que poderiam regar a planta latino-americana e esta cresceria à sombra do pan-americanismo.

O embaixador brasileiro entendia o pan-americanismo como um projeto inteiramente norte-americano, e que as nações sul-americanas deveriam aderir àquela política para auferirem da "prodigiosa ascendência dos Estados Unidos". Tratava-se de uma sugestão de dependência política. Nesse texto, essencial para uma compreensão da inflexão do pensamento de Joaquim Nabuco, poucos meses após ter assumido o seu posto em Washington, também se constata a demonstração da confiança do embaixador no que se subentende ser seu desejo mais acentuado: uma aliança tática com os Estados Unidos, o que poderia, a seu ver, proporcionar a necessária segurança ao Brasil e às demais nações latino-americanas:

> A América latina não tem nada a temer da América anglo-saxônica. Os Estados Unidos são uma nação de origem inglesa, que herdou os princípios ingleses favoráveis à civilização de outros países. Em nada, absolutamente nada, a política dos Estados Unidos poderá ocasionar inquietação ao sentimento nacional dos outros países americanos, longe disso, eles apenas têm encontrado na preponderância da primeira nação do continente esteio para os seus motivos e aspirações (...).[63]

VI : O INCIDENTE COM A CANHONEIRA *PANTHER*, 1905

A permanência de Joaquim Nabuco em Washington foi marcada também por dificuldades de comunicação com o chanceler Rio Branco. Um acontecimento que abalou as relações Brasil–Alemanha poderia ser emblemático para entendermos os métodos e as ações do barão do Rio Branco: a questão *Panther*, que teve início com a notícia de que um desertor alemão, residente no Brasil, havia sido sequestrado por marinheiros alemães no porto de Itajaí, em Santa Catarina, o que resultou num sério incidente entre os dois países. No Brasil, o governo e a imprensa, por ocasião da crise com a Alemanha, consideravam que a estratégia de política externa do kaiser Guilherme II tinha os olhos voltados para as terras da nossa região Sul[64], e que territórios brasileiros já constariam de mapas oficiais, como parte do Império alemão.[65] Alguns jornais brasileiros, na ocasião, também estamparam editoriais sobre o "perigo alemão".[66] Muitos temiam que colonos alemães se unissem para desencadear um movimento separatista na região Sul do Brasil. O pan-germanismo tinha adeptos fortes na diáspora alemã. O caso da canhoneira *Panther*[67] provocou manifestações públicas nas grandes cidades brasileiras e uma violenta campanha da imprensa. O desembarque de soldados alemães no porto de Itajaí reacenderia as preocupações do governo e inquietou o ministro Rio Branco e os nacionalistas brasileiros. Porém, esse episódio mereceria alguns estudos e análises, objetivando um maior esclarecimento dos fatos, muito graves, que conduziram a uma reação excessiva do ministro do Exterior do Brasil.

O barão do Rio Branco frequentemente procurava se promover e teria visto, no episódio, uma chance para aparecer como o salvador da pátria. A ação deliberada do chanceler brasileiro poderia ter provocado, se não uma guerra, algumas batalhas fatais para o Brasil, um país periférico e com forças militares despreparadas e sem equipamentos. Se o Brasil tivesse prosseguido seu confronto com uma nação hegemônica, a Alemanha, a principal potência militar do globo naquele tempo, o resultado poderia ter sido catastrófico para os brasileiros.

O chanceler Paranhos Júnior sabia, já em 10 de dezembro de 1905, que o marinheiro "Steinoffer não fora preso, nem estivera a bordo da Panther"[68], no entanto viu ali uma oportunidade de provocar o nacionalismo brasileiro e se promover: levado pela pressão popular, exigiu um ato espontâneo de explicação do governo alemão, ameaçando com um rompimento das relações diplomáticas. Não tendo obtido resposta, desencadeou uma operação de guerra, enviando, para perseguirem a canhoneira *Panther*, os cruzadores *Barroso*, *Benjamin Constant* e *Tamandaré* e, mais tarde, o *Floriano*. As condições dessas naves eram lamentáveis. O *Barroso* teve que regressar por falta de combustível.[69] Nenhuma teria condições de pôr a pique o *Panther*. A situação quase saiu do controle do governo brasileiro. A pressão interna havia se elevado e "praticamente todos os barcos úteis da Marinha brasileira [estavam] no encalço da Panther".[70]

O embaixador Nabuco apressou-se num esforço diplomático,[71] em princípio mal compreendido, objetivando obter apoio dos norte-americanos. E igualmente procurou obter uma satisfação por parte dos alemães. É possível que tenha se precipitado. A sua atitude de informar o caso ao sub-secretário de Estado dos Estados Unidos gerou irritação no barão do Rio Branco, pois este exigira que Nabuco provocasse simpatia pela causa brasileira na imprensa e no governo americano, mas não o autorizava a solicitar o apoio oficial do Departamento de Estado dos Estados Unidos. Os jornais dos Estados Unidos, porém, noticiaram que Nabuco havia pedido ajuda ao governo estadunidense. A notícia repercutiu mal no Brasil, e o embaixador foi obrigado a esclarecer a questão, defendendo-se em seguida das críticas de Rio Branco, asseverando que apenas tinha informado o secretário de Estado a respeito do incidente. Insatisfeito com as pesadas críticas que lhe eram dirigidas, Nabuco passou a exigir uma atitude de Rio Branco, visando ao esclarecimento definitivo de sua atuação no caso, e escreveu: "Você telegrafou que desmentira aí que me tivesse encarregado de ir ao Departamento de Estado e estou sem atinar a razão desse desmentido: (...) De certo não fui lá da sua parte, mas que pode ter havido tão desagradável na falsa notícia para você esmagar publicamente e dar-me aviso de que o fizera?"[72] Rio Branco, no entanto, prosseguiria pressionando Joaquim Nabuco, que se viu obrigado, então, a enviar um ofício para o secretário Elihu Root, explicando a sua atitude: "O objetivo da minha visita foi apenas proporcionar ao Departamento a informação mais segura sobre o incidente".[73]

Constata-se, pelos textos pesquisados, que todo o incidente foi mal interpretado. Inicialmente, o nome do marinheiro alemão (na verdade um militante socialista) constante do texto do telegrama está equivocado. Não é Steinoffer, porém, Steinhauf. O caso estava repleto de "exagerações e invenções"[74].

O que se apurou finalmente foi que um grupo de oficiais alemães à paisana, acompanhado de marinheiros, cercou o Hotel do Comércio, exigindo que o seu proprietário informasse onde se encontrava Steinoffer que, supostamente, teria informações sobre o paradeiro do desertor Hassmann, para que ele indicasse o local onde o vira. Igualmente, cercaram a casa de Zimmerman para obrigarem o seu filho a acompanhá-los. Conclui-se enfim que Steinoffer/Steinhauf não foi levado para bordo da canhoneira.[75] Segundo consta do texto do anexo 2 da circular de 31 de dezembro de 1905, acima mencionada, "Quanto ao desertor, ou antes, retardatário Hasmann, esse voltou voluntariamente para bordo, acompanhado pelo brasileiro João Gärsner, quase às 2 horas da tarde de 27 de novembro, quando a Panther levantava ferro."[76]

Uma análise a respeito daquele incidente poderá demonstrar que houve, intencionalmente ou não, uma precipitação do chanceler Rio Branco ao enviar um telegrama em termos contundentes ao embaixador Nabuco, no qual exigia providências urgentes. Joaquim Nabuco, no exercício das funções de embaixador em Washington, desempenharia um papel no qual haveria de receber críticas na solução do assunto.[77] Ademais, o incidente exibia uma condução da política externa sujeita a grandes riscos. Ao mesmo tempo, demonstrava que o nosso território estava desprotegido, que as nossas forças armadas se encontravam totalmente desaparelhadas e os nossos soldados sem treinamento para enfrentarem uma guerra contra a maior potência militar de então. O barão do Rio Branco, ao invés de estudar a questão com o cuidado requerido, se arriscou muito, se exaltou indevidamente a desencadear uma operação de guerra, sabendo que o motivo não era suficiente para tal; mais ainda, tendo consciência de que, ao afundar a nave alemã, o Brasil não poderia sequer imaginar que pudesse sustentar uma guerra contra a Alemanha numa eventual hostilidade para com o império do kaiser. Os fatos demonstraram o sentimento de insegurança interna, e mesmo de pânico, em face dos perigos a que estava sujeito o nosso território.

VII : AS DESINTELIGÊNCIAS NA CONFERÊNCIA DA HAIA E O "TRIÂNGULO" ABC

Após os acontecimentos que geraram desinteligências entre as delegações do Brasil e dos Estados Unidos na Conferência da Haia, Rio Branco manteve a clarividência para entender que havia um hiato entre os interesses de uma potência do porte dos Estados Unidos, aliados às grandes, e um país periférico como o Brasil daquela época. Em uma instrução enviada para Rui Barbosa, o barão foi categórico: "Os países da América Latina foram tratados em geral com evidente injustiça. Agora não mais podemos ocultar a nossa divergência, cumpre-nos tomar aí francamente a defesa do nosso direito e do das demais nações americanas... atraindo para o nosso país as simpatias dos povos fracos e o respeito dos fortes".[78]

O pan-americanismo de Joaquim Nabuco parecia, naquele momento, estar em descompasso com as novas concepções da política externa americanista de Rio Branco, que havia dado suporte à mensagem de Theodore Roosevelt de 6 de dezembro de 1904[79] e não desaprovara, em 1902, o bloqueio da Venezuela, nem a divisão do território colombiano quando da independência do Panamá, promovida pelos norte-americanos, com o fito de construírem naquele território um canal interoceânico. Mas a percepção das arestas entre os interesses brasileiros e norte-americanos, expostas na Conferência da Haia, mudara os projetos do barão, que passou a procurar harmonizar o entendimento entre o Brasil, as nações latino-americanas e os Estados Unidos.

Assinalamos que a política de aproximação Argentina–Brasil–Chile, denominada projeto ABC, a que Joaquim Nabuco se opôs, ensejaria toda uma análise das relações do Brasil com os Estados Unidos, empreendida pelo embaixador brasileiro.[80] A posição do embaixador Nabuco ficaria fragilizada diante do governo americano, caso o Brasil promovesse uma aliança com o Chile e com a Argentina, visando ao propósito de excluir os Estados Unidos. Nabuco inquietou-se e se mobilizou para pressionar o chanceler Rio Branco a não prosseguir com os seus planos. Alertava quanto à escassa credibilidade de que desfrutava a política da Argentina. Argumentava, com razão, que a formação daquele bloco poderia desestabilizar as relações do Brasil com os demais países da América Latina, que se sentiriam excluídos do bloco e, portanto, ameaçados por uma suposta hegemonia do ABC. Ademais, Nabuco ressaltava que foi designado para Washington com o objetivo de realizar um projeto diplomático americanista, e ameaçava deixar o posto:

> Se o povo americano se convencesse de que lhe desejamos mal, nossa integridade não valeria muito. Como poderíamos defender Fernando de Noronha melhor do que Colômbia o Panamá? Decerto preferia perder o meu lugar a ficar calado diante do presidente e de Mr. Root, a respeito de uma aliança sul-americana, a não poder dizer que ela em nada modifica a nossa atitude para com este país; que em caso algum faríamos causa comum com outras nações, contra esta, e que nos achamos tão livres para qualquer acordo particular com ela como antes, não tendo nenhum compromisso de dar conta a ninguém de modo que se possa passar entre nós e os Estados Unidos, nem mesmo que fosse uma outra aliança.
>
> Quanto à outra parte do pesadelo, não descansarei tranquilo enquanto não saber (sic) que abortava a fantasia de Ze-

> ballos. Aqui me disse o ministro chileno que V. propusera, quando primeiro lhe falara disso, que se chamasse também o México. Que resposta digna de nossas grandes tradições! Como assim se mostrara o absurdo da liga projetada. O México, porém, prefere aliar-se com os Estados Unidos. Bem aceita pelo governo americano, a nossa tríplice aliança daria forças aos desejos dos alemães aqui de que a América do Sul seja excluída da proteção da Doutrina Monroe. (...) Mal aceita, ela seria cair em desconfiança e atritos impediriam toda intimidade entre os dois governos brasileiro e americano e o resultado mais certo dela seria que os países ribeirinhos superiores do Amazonas proclamariam colocar-se sob uma espécie de protetorado americano.[81]

Os argumentos levantados por Joaquim Nabuco nesta correspondência estão de acordo com as suas preocupações estratégicas de promover um alinhamento irrestrito, a fim de garantir a proteção do território brasileiro. Inicialmente, ele expressava seu mal-estar com uma mudança de rumo da diplomacia brasileira, afastando-se da "aliança não formalizada" com os norte-americanos para se aproximar de um contrato com a Argentina e o Chile. O embaixador cita duas razões para se preocupar. A primeira, a situação indefesa do nosso território diante da expansão alemã.[82] A segunda, o mal-estar gerado de parte dos Estados Unidos, em face de uma aliança sul-americana, fazendo perigar a política de aproximação com Washington. Mais adiante, Nabuco advertia Rio Branco de que essa aliança não se inseria na tradicional política externa brasileira, pois haveria de causar desconfianças entre os países do norte da América do Sul, que poderiam procurar se colocar sob proteção americana em caso de surgir uma aliança entre os três países mais ricos – o Brasil, a Argentina e o Chile. As informações sobre a formação da aliança ABC, que se espalhavam pelos gabinetes diplomáticos em Washington, trouxeram preocupações para Joaquim Nabuco: "Falou-me Root de um projeto de aliança entre o Brasil, a Argentina e o Chile. Nada puder dizer-lhe, mas se passamos o nosso eixo de segurança, por causa do Choate, dos Estados Unidos para o Rio de Prata, estamos bem garantidos".[83]

VIII : O TELEGRAMA Nº 9

No decorrer dos esforços para a formação do bloco, a aliança que estava sendo forjada por Rio Branco sofreria um grande golpe, pois, enquanto o barão trabalhava para aproximar as partes, Estanislao Zeballos, chanceler argentino, procurava dificultar o projeto de liderança geopolítica do Brasil na América do Sul. Em visita ao Brasil, o diplomata chileno Puga Borne apresentou ao chanceler Rio Branco um esboço de projeto de acordo e, na ocasião, também recebeu a concordância do chanceler. Este lhe entregou a minuta *de* "um tratado de cordial inteligência", o que despertou a ira e as atenções de Zeballos, que estava convencido de que o Brasil se preparava para atacar a Argentina, engenhando um plano afrontoso. Para provocar o Brasil, Zeballos fez exigências inaceitáveis, como a de que o país cedesse à Argentina um dos encouraçados que fora encomendado para a Marinha brasileira.

O episódio, o do telegrama cifrado de 19 de junho de 1908 do governo brasileiro à chancelaria do Brasil no Chile, desmontou, definitivamente, os projetos de Rio Branco para a criação da um bloco sul-americano em face do poderio norte-americano e fez brotar desconfianças em Washington.

A suposta decodificação do telegrama nº 9, em cujo texto haveria a intenção de prejudicar a Argentina, provocou uma imediata reação do chanceler Rio Branco. Estragou o processo de formação do bloco ABC e exibiu a fragilidade dos processos de codificação. Paranhos, então, foi obrigado a tornar pública a codificação utilizada pela chancelaria brasileira. Amaral Gurgel, referindo-se ao episódio vexatório, expõe a suposta insegurança daquele código,[84] relatando um episódio pitoresco. Diz Amaral que um certo senhor Von Puppen, um austríaco, "após o barão ter tornado pública nossa cifra (...), apareceu no Ministério (...). Nos deixou boquiabertos, ao demonstrar-nos a simplicidade primitiva daquilo que a Casa conservava como um dos seus maiores segredos, chave das suas recomendações para nossos agentes no estrangeiro".[85]

Os diplomatas, após ouvirem as "habilidades apavorantes do homem", conduziram-no ao gabinete de Rio Branco que, vencendo a desconfiança e percebendo a capacidade do decifrador, ainda quando complicavam as cifras com inversões, finalmente deu-se por vencido. Mas, contrariado, recorreu à picardia e, à saída do senhor Von Puppen, o barão disse em tom de mofa: "Também um sujeito com um nome destes!"[86] O código seria imediatamente modificado, embora o estrago tivesse sido feito.

A atitude da Argentina destruiu a já frágil confiança do governo brasileiro e quase levava ao rompimento das relações diplomáticas. Joaquim Nabuco, que antes tivera que ouvir os questionamentos do secretário Root, se via na obrigação de transmitir o teor do telegrama que explicitava o desgaste a que chegaram as relações Brasil–Argentina. Em instruções enviadas a Nabuco, Rio Branco diz: "No caso de uma possível retirada da nossa legação de Buenos Aires, procure muito confidencialmente saber se o governo poderá encarregar-se dos nossos arquivos e defender os interesses do Brasil. Espero apaziguar o incidente aqui com o ministro argentino, mas precisamos estar preparados para o pior".[87]

IX : CONCLUSÃO

Estas palavras talvez possam acrescentar um pouco mais de luminosidade à personalidade histórica e diplomática de Nabuco. A respeito dele e de sua atitude ao se enfronhar num empreendimento diplomático novo, desafiante e com sua bifrontalidade de erros e acertos, não se diga que não tenha pelejado com afinco. Nabuco não foi um "ingênuo" em diplomacia, mas também não foi um diplomata de astúcias. Antes, foi um realista, possuía a compreensão dos seus limites, sabendo, entretanto, o significado dos seus muitos acertos. Era uma consciência segura de si mesma. E não se afirme que ele não possuía capacidades de um estrategista. Por mais exuberante que tenha sido a sua trajetória de político e de abolicionista, o seu serviço diplomático aos interesses nacionais o alçou também aos patamares mais altos que um homem de Estado poderia almejar. A um século de sua morte, ocorrida em 17 de janeiro de 1910, a sua contribuição interessa aos estudiosos, anima os que conhecem o seu pensamento e fascina os que encontram nele um ideário atual capaz de prenunciar futuros.

Joaquim Nabuco, em meio às suas incertezas e dificuldades pessoais, se entregou a um projeto de diplomacia no epílogo de sua vida pública e atuou como se transfigurasse aquela oportunidade em um outro "13 de Maio" que desse o fecho de sua vida pública.

A louvável iniciativa da Universidade do Wisconsin ao realizar um simpósio para ensejar debates acerca da atualidade do pensamento e do ideário de Joaquim Nabuco, com certeza aproximará as duas grandes nações, o Brasil e os Estados Unidos. Para concluir, reporto-me a um pensamento emblemático de Joaquim Nabuco: "Eu não trouxe para este país a minha imaginação histórica. Aqui não busco o passado, contemplo o futuro".

NOTAS

1 Miné, Elza. "Batalha Reis e Graça Aranha: captações de um diálogo amigo". Revista *Via Atlântica*, São Paulo, nº 1 (1997), 78–86.

2 Idem.

3 Idem.

4 Idem.

5 Nabuco, Joaquim. *Diários*. Vol. II, 1889–1910, 396. Rio de Janeiro/Recife: Bem-Te-Vi/Massangana, 2005.

6 Idem, 402.

7 "Essa lição consiste em reconhecermos que o arbitramento não é sempre eficaz. Pode a causa ser magnífica, o advogado inigualável, e, como é o caso, ter-se uma sentença desfavorável.(...) Só devemos recorrer a ela [a arbitragem] quando for de todo impossível chegarmos a um acordo direto com a parte adversa. Transigiremos, então, tendo em vista o interesse comum, mas não veremos possíveis interesses estranhos a nós, desconhecendo o nosso direito e até os princípios do direito internacional". Barão do Rio Branco em artigo não assinado, por ocasião do laudo do rei da Itália acerca da Guiana Inglesa. Apud José Theodoro Menck, "Brasil versus Inglaterra nos Trópicos Amazônicos: A Questão do Rio Pirara (1829-1904)". Tese de doutorado em História, p. 219. Universidade de Brasília - Departamento de História, 2001.

8 Arquivo Joaquim Nabuco, Fundaj. Correspondência ativa, pasta 25. Doc. 493: Cap. 24/493.

9 No borrão de sua carta, que se encontra arquivado no Itamaraty. Apud José Theodor Menck, op. cit., 222.

10 "Continue tranquilamente ultimando trabalhos Missão para o que pode dispor alguns meses. Como sabe posto mais importante para nós é Washington precisamos ali homem valor se o puder aceitar diga-me urgência para que regule por ali movimento projetado (...) [criação da embaixada] se tem preferência Londres retiro esta consulta". Carta de Rio Branco a Joaquim Nabuco, data 18/06/1904. Arquivo de Joaquim Nabuco. Fundaj, Cehibra. 25. Doc. 489: Cap. 24/493.
"Perplexo assunto tal modo vital ignorando condições e propósitos mudança respondo fazendo-o meu procurador. Se você tem plano para cuja realização me supõe o mais próprio não leve em conta preferência que circunstâncias ordinárias eu teria Londres. Dado realce notório novo posto remoção a ninguém pareceria desfavor". Carta de Joaquim Nabuco a Rio Banco, 21/6/1904. Arquivo Joaquim Nabuco. Fundaj. N° 3375. CA p. 97, Doc. 78.

11 "Os Estados Unidos são das primeiras, senão a primeira nação do mundo. A sua boa disposição para conosco é por si só um grande objetivo para nós; não devemos exigir que eles nos demonstrem a nosso modo". Carta de Joaquim Nabuco ao barão do Rio Branco, 15 de abril de 1905. Fundaj, Cehibra [259/451] N. acesso 4534. CA p. 31, Doc. 61.

12 Bueno, Clodoaldo. "Política exterior de Rio Branco", in revista *Anais de História*, do Instituto de Letras, História e Psicologia de Assis, Ano IX, 1977, 1260.

13 Malatian, Teresa. *Oliveira Lima e a construção da nacionalidade*. Bauru (SP): Editora da Universidade do Sagrado Coração, 2001, 115.

14 Satas, Hugo Raúl. *Una política exterior argentina*. Buenos Aires: Hyspanámerica Ediciones Argentina S. A., 1987, 172.

15 Burns, Bradford, *The Unwritten Alliance – Rio Branco and Brazilian American Relations*. Nova York/Londres: Columbia University Press, 1966, 394.

16 Bueno, Clodoaldo. Op. cit., 108.

17 Idem, 110.

18 *Gazeta de Notícias*. Sexta-feira, 17/3/1905. Notas e Notícias. Embaixadas. In *Cadernos do CHDD*. Ano IV, nº 7, 2º semestre 2005, 209.

19 "All South America expects the USA to pay an attempt to play an important role in policing turbulent republics. Brazil has no fear on this score, as it is an enlightened and progressive government, but serious complications affecting all South America may develop at any time as a result of the Monroe Doctrine and Brazil desires to be in a position of prestige at Washington." *Herald Tribune*, 12/1/1905. N. 35. Telegrama notícia, 26/12/1904.

20 Azevedo, Maria Helena Castro. *Um senhor modernista*. Rio de Janeiro: Academia Brasileira de Letras, 2002, 120.

21 Idem, 120.

22 Telegrama de Gomes Ferreira para o barão do Rio Branco. Arquivo Histórico do Itamaraty. Maço 235.2.14. nº 1432.

23 Nabuco, Joaquim. *Diários*, vol. II, 1889–1910. Rio de Janeiro/Recife: Bem-Te-Vi/Massangana, 2005, 324.

24 Pereira, Paulo dos Reis. *A política externa da primeira República*. São Paulo: Hucitec/FAPESP, 2006, 20.

25 Correspondência do barão do Rio Branco para a legação do Brasil em Washington. Data 29/12/1904: "Desejamos nomear para aí Nabuco. Presidente elevaria a embaixada a nossa legação se esse governo quisesse elevar na mesma ocasião a sua aqui". Arquivo Histórico do Itamaraty, nº 1432.

26 Azevedo. Op. cit., 118.

27 Costa, João Frank da. *Joaquim Nabuco e a política exterior do Brasil*. Rio de Janeiro: Record, 1968, 52.

28 "Nesse nosso desejo verá o governo americano querermos se estreitem cada vez mais as relações de amizade entre as duas maiores repúblicas do continente, quase iguais na extensão, embora desiguais no poder". Correspondência do barão do Rio Branco para a legação do Brasil em Washington, 29/12/1904. Arquivo Histórico do Itamaraty, nº 1432.

29 Telegrama nº 37, de Rio Branco para a legação em Washington, 8/1/1905. Arquivo Histórico do Itamaraty.

30 Despacho da embaixada do Brasil para a Chancelaria, 16/8/1905. Arquivo Histórico do Itamaraty.

31 In *Cadernos do CHDD*. Ano IV, nº 7, 2º semestre de 2005, 210.

32 *Jornal do Commercio*, "A embaixada americana", in *Cadernos do CHDD*, Ano IV, nº 7, 2º semestre de 2005, 203.

33 *Gazeta de Notícias*, sexta-feira, 17/3/1905, 209. *O Paíz*, "A solenidade de ontem", in *Cadernos do CHDD*. Ano IV, nº 7, 2º semestre de 2005, 207.

34 Carta de Joaquim Nabuco. Arquivo Joaquim Nabuco. Fundação Joaquim Nabuco. Cehibra. Cap. 35, doc. 688.

35 Nabuco, Joaquim. *Cartas a Amigos*. Vol. II. São Paulo: Instituto Progresso Editorial, 1949, 202.

36 "O Sr. Joaquim Nabuco e a Doutrina Monroe", in *Cadernos do CHDD*, Ano IV, nº 7, 2º semestre de 2005, 263, 3–4.

37 Idem, 262.

38 Ibidem, 263.

39 Ibidem, 263.

40 Nabuco, Joaquim. *Diários*. Vol. II, 358.

41 "O Sr. Joaquim Nabuco e a Doutrina Monroe", in *Cadernos do CHDD*, Ano IV, nº 7, 2º semestre de 2005, 263.

42 Ibid.

43 Ibidem.

44 Nabuco, Joaquim. *Diários*. Vol. II, 351.

45 Idem, 352.

46 Idem, 354.

47 Ibidem.

48 Idem, 332.

49 Idem, 329.

50 Aranha, José Pereira da Graca. *Obras Completas: Machado de Assis e Joaquim Nabuco*. Rio de Janeiro: Instituto Nacional do Livro, 1969, 698.

51 Aranha, Graça. Op. cit., 699.

52 Nabuco, Joaquim. *Diários*. Vol II, 263.

53 Ibid., 264.

54 "Não vejo motivos para que as três principais nações da América do Sul, o Brasil, o Chile e a Argentina, se molestem com a linguagem do presidente Roosevelt (...). Ninguém poderá dizer com justiça que elas estão no número das nações desgovernadas ou turbulentas que não sabem fazer "bom uso da sua independência"(...) As outras Repúblicas latino-americanas que se sentirem ameaçadas pela 'política internacional' dos

Estados Unidos têm o remédio em suas mãos: é tratar de escolher governos honestos e previdentes e, pela paz e energia no trabalho, progredirem em riqueza e força". Pereira, Paulo, op. cit., 122.

55 Nabuco, Joaquim. *Diários*. Vol. II, 265.

56 Ibid., 333-334.

57 Ibid., 333-334.

58 Carta de Joaquim Nabuco para o Secretário Elihu Root. Cehibra-Fundaj, Arquivo Joaquim Nabuco. N° acesso 4884. Cap. 34, doc. 671.

59 Nabuco, Joaquim. *Diários*. Vol. II, 354.

60 Aranha, José Pereira da Graca. *Obras Completas: Machado de Assis e Joaquim Nabuco*. Rio de Janeiro: Instituto Nacional do Livro, 1969, 723.

61 Carta de Joaquim Nabuco para o sr. O'Laughlin. Arquivo de Joaquim Nabuco. Fundação Joaquim Nabuco. Cehibra. Cap. 34, doc. 672.

62 Carta de Joaquim Nabuco ao sr. Shannon. Arquivo de Joaquim Nabuco. Fundação Joaquim Nabuco. Cehibra. Cap. 34, doc. 678.

63 Carta de Joaquim Nabuco para Elihu Root. Arquivo de Joaquim Nabuco. Fundação Joaquim Nabuco. Cehibra. Cap. 35, doc. 702.

64 Álvaro Lins, no seu livro *Rio-Branco: Biografia* (São Paulo: 1995, 328) escreveu que havia a suspeita de que grupos de origem germânica, estabelecidos no território brasileiro, algum dia levantassem a bandeira do separatismo.

65 "Por longo tempo a situação internacional do Brasil, a nossa integridade territorial e portanto nossa independência política estiveram ameaçadas. Eduardo Prado viu o perigo americano que passou, viu o perigo inglês, que Nabuco desviou naquele momento, e viu também o perigo alemão. 'Quanto à Alemanha, diz precisamente, em 8 de abril de 1899, o escritor patriota, é por demais sugestivo o aspecto da costa do Brasil no célebre Atlas de Stieler. Para o sul há dezesseis pontos sublinhados de amarelo. Segundo as convenções daquele repertório

cartográfico, que é o de mais autoridade na ciência da geografia, a cor amarela quer dizer domínio, ou pelo menos, zona de influência da Alemanha'". Aranha, José Pereira da Graça. *Obras completas. Machado de Assis e Joaquim Nabuco.* Rio de Janeiro: Instituto Nacional do Livro, 1969, 698.

66 *Cadernos do CHDD*. Ano IV, nº 7, 2º semestre de 2005, 294–296.

67 Telegrama de Rio Branco a Nabuco, 9/12/1905: "Marinheiros canhoneira alemã *Panther*, dirigidos por oficiais [à] paisana, madrugada 27 de novembro, desembarcaram Itajaí, obrigaram dono Hotel Comércio entregar-lhes jovem alemão Steinoffer, refratário serviço militar, [e] levaram-no preso para bordo. É o que resulta do inquérito. *Panther* entrou ontem no Rio Grande onde estará dias. Trate de provocar artigos enérgicos [dos] monroístas (...)". Nabuco, Joaquim. *Diários*, 1876 – 1910, 233.

68 Peixoto, Amado Renato. "As influências recíprocas entre a política interna e a política externa: o caso Panther", in Renata César de Oliveira (org.), *Lições de relações internacionais.* Rio de Janeiro: UniverCidade Editora, 2004, 101–119.

69 Idem.

70 Ibidem.

71 Correspondência de Joaquim Nabuco para o secretário de Estado dos EUA, datada de 11/12/1905. Elihu Root: nº acesso 4930. Cap. 174, doc. 3604. Arquivo Joaquim Nabuco. Cehibra. Fundação Joaquim Nabuco.

72 Carta de Joaquim Nabuco a Rio Branco, 19/12/1905. *Cartas a Amigos.* Vol. II, 236–237.

73 Carta de Joaquim Nabuco a Elihu Root, 14/12/1905. Arquivo Joaquim Nabuco. Cehibra. Fundação Joaquim Nabuco.

74 Anexo 2 da circular de 31 de dezembro de 1905.

75 Idem, 286.

76 Ibidem.

77 Ver Carta de Joaquim Nabuco para Rodrigues Alves, datada de 18/12/1905. Arquivo Joaquim Nabuco. Cehibra. Fundação Joaquim Nabuco. Cap. 35, doc. 687 a 4g2.

78 Despacho para Washington – Rio Branco a Rui Barbosa, 18/8/1907. Apud Lins, 1995, 360.

79 Costa, João Frank da. Op. cit., 133.

80 Carta de Joaquim Nabuco ao presidente da República, Rodrigues Alves. 19/1/1908. Cap. 50, doc. 999 a 4 g.3. Arquivo Joaquim Nabuco. Cehibra. Fundação Joaquim Nabuco.

81 Carta de Joaquim Nabuco ao barão do Rio Branco, 18/1/1908. Maço 235. 2.17. nº 1487. Arquivo Histórico do Itamaraty.

82 É curioso notar que Joaquim Nabuco alertava Rio Branco quanto aos grupos de pressão de origem alemã, que se posicionavam contra a proteção dos Estados Unidos à América do Sul: "Sei o efeito que a menor reticência ou reserva da nossa parte havia de causar. Bem aceita pelo governo americano, ela daria força à opinião, aqui em minoria, mas geral entre os americanos de origem alemã, de que a América do Sul deve ser excluída das obrigações que a Doutrina Monroe impõe ao país. Mal aceita, toda confiança em nós desapareceria, nasceria a má vontade, a terrível má vontade americana, a que nenhum governo poderia resistir, e o resultado mais certo dela seria a intimidade com os países ribeirinhos superiores do Amazonas e seus afluentes, como Peru e a Columbia (sic)". Arquivo Joaquim Nabuco. Cehibra. Fundação Joaquim Nabuco. Cap. 50, doc. 999 a 4 g.3NN.

83 Carta de Joaquim Nabuco a Rodrigues Alves, 16/7/1908. (Fundaj). Apud Pereira, Paulo dos Reis. Op. cit., 189.

84 Amaral Gurgel, Luís do. *O meu velho Itamaraty*. Brasília: Fundação Alexandre de Gusmão, 2008, 227–228.

85 Idem, 226.

86 Idem, 227.

87 Ibidem.

BIBLIOGRAFIA

AMARAL GURGEL, Luís do. *O meu velho Itamaraty*. Brasília: Fundação Alexandre de Gusmão, 2008.

ARANHA, José Pereira da Graca. *Obras completas. Machado de Assis e Joaquim Nabuco*. Rio de Janeiro: Instituto Nacional do Livro, 1969.

AZEVEDO, Maria Helena Castro. *Um senhor modernista*. Rio de Janeiro: Academia Brasileira de Letras, 2002.

BUENO, Clodoaldo. "Política exterior de Rio Branco", in revista *Anais de História*, do Instituto de Letras, História e Psicologia de Assis. Ano IX, 1977, 1260.

BURNS, Bradford, *The Unwritten Alliance – Rio Branco and Brazilian American Relations*. Nova York/Londres: Columbia University Press, 1966.

MENK, José Theodoro. "Brasil versus Inglaterra nos Trópicos Amazônicos: A Questão do Rio Pirara (1829–1904)". Tese de doutorado em História. Universidade de Brasília – Departamento de História, 2001.

MALATIAN, Teresa. *Oliveira Lima e a construção da nacionalidade*. Bauru (SP): Editora da Universidade do Sagrado Coração, 2001.

MINÉ, Elza. "Batalha Reis e Graça Aranha: captações de um diálogo amigo". Revista *Via Atlântica*, São Paulo, nº 1 (1997).

NABUCO, Joaquim. *Diários*. Vol. II, 1889–1910. Rio de Janeiro/Recife: Bem-Te-Vi/ Massangana, 2005.

PEREIRA, Paulo dos Reis. *A política externa da primeira República*. São Paulo: Hucitec/FAPESP, 2006.

SATAS, Hugo Raúl. *Una política exterior argentina*. Buenos Aires: Hyspanámerica Ediciones Argentina S.A., 1987.

Fontes primárias

Arquivo Histórico do Itamaray: Arquivo Diplomático de Joaquim Nabuco
Fundação Joaquim Nabuco – Cehibra: Arquivo Joaquim Nabuco

LEMBRANDO E ESQUECENDO: JOAQUIM NABUCO, SALVADOR DE MENDONÇA E A AMIZADE BRASIL–ESTADOS UNIDOS DURANTE A PRIMEIRA REPÚBLICA

Steven Topik

O COLÓQUIO EM MADISON, Wisconsin, para comemorar o centenário da famosa conferência de Joaquim Nabuco, "The Share of America in Civilization", reflete claramente a posição elevada de que desfruta nos Estados Unidos o primeiro embaixador do Brasil em Washington, ele que em seu país sempre recebeu também grandes homenagens. O Google Brasil lista 220 mil entradas para Joaquim Nabuco, que já deu nome a muitas ruas, escolas, um instituto, uma fundação e uma cidade.

A fama de Nabuco proveio das três principais áreas de atuação em que se fez conhecido, como diplomata, como intelectual monarquista e como abolicionista.[1] Na conferência que ele escreveu para Madison refletem-se as três facetas de sua obra, mas a mais proeminente – uma vez que a escreveu nos Estados Unidos sobre relações interamericanas – é a diplomacia. Nessa área ele é celebrado por ter sido o primeiro embaixador de seu país em Washington e por criar, junto com o ministro do Exterior, o barão do Rio Branco, o que o historiador E. Bradford Burns chamou de "aliança implícita" entre os dois países. Burns sustenta que, sob a liderança de Nabuco, a embaixada brasileira deu início a "uma fase de relações mais estreitas com os Estados Unidos e acabou com a antiga ênfase diplomática na Europa, [o que] indicou uma importante mudança na diplomacia brasileira".[2] Tal fato é amplamente admirado. Foi um ponto central na celebração pelo Itamaraty do centenário da posse do barão do Rio Branco no Ministério do Exterior.[3]

Com o papel de Nabuco já muito discutido, sua fama está garantida. As bibliotecas da Universidade da Califórnia têm 203 livros sobre ele e 531 registros de seu nome. Mas este ensaio visa menos recordá-lo do que tentar responder a esta pergunta: por que Nabuco é lembrado de determinada maneira, ao passo que seu antecessor como representante do Brasil em Washington, o igualmente importante Salvador de Mendonça (Salvador de Menezes Drummond Furtado de Mendonça, 1841–1913), se tornou esquecido?

Dois filmes recentes fizeram-me pensar sobre ausências, lacunas: *Sunshine Cleaners*, de Christine Jeff, é uma comédia comovente, se bem que meio sinistra, sobre uma firma de limpeza cujo trabalho é remover corpos mortos e todos os vestígios da existência dos mesmos. O segundo é *Cartoneros*, de Ernesto Livron-Grosman, sobre os catadores de lixo de Buenos Aires, que saem pela noite para remover e reciclar os detritos da existência humana. O que não foi memorizado, nos dois casos, se apaga.

Um estudo recente na historiografia da revolução mexicana, *La Revolución*, de Thomas Benjamin, enfatiza que o esquecimento intencional pode ser politicamente tão poderoso quanto a recordação.[4] E isso nos deixa com uma pergunta importante mas raramente colocada: por que alguns atores e eventos históricos, significativos e que interessaram a fundo aos contemporâneos, são ignorados ou intencionalmente excluídos mais tarde, enquanto outros se celebram?

Devo confessar que não foi a fama de Joaquim Nabuco que por primeiro me fez pensar sobre esquecimento e lembrança. Comecei a ficar intrigado com essa dualidade ao escrever um estudo das relações entre o Brasil e os Estados Unidos, no fim da Monarquia e começo da República, num livro recentemente traduzido em português.[5] Examinei, em particular, o "esquadrão de dinamite", ou o que chamei a "frota de Flint", que não só deu manchetes no Brasil e por todos os Estados Unidos, mas também foi atentamente observada pela Europa como a frota mercenária que desempenhou papel importante para derrotar a Revolta da Armada de 1893-94 e manter o marechal Floriano Peixoto como líder do Brasil.[6] Sem demora, no entanto, ela foi esquecida e relegada ao lixo da história porque todas as partes envolvidas julgavam que seu desaparecimento lhes era vantajoso. Os partidários nacionalistas de Floriano Peixoto (1839-1895) não queriam admitir que os Estados Unidos tinham tido papel de peso para vencer o bloqueio naval do Rio e também para derrotar os rebeldes federalistas de Florianópolis e garantir um sucessor civil para Floriano. Os que se opunham ao marechal Floriano certamente não estavam propensos a dar crédito aos ianques por impedir a derrubada do governo brasileiro e desse modo consolidar a República. A Marinha do Brasil não queria admitir que seus líderes, muitos dos quais tomaram parte na rebelião, foram derrotados por mercenários americanos e uma esquadra improvisada com barcos de passageiros e iates convertidos. Como um dos almirantes brasileiros mais estimados e amados, Luis Filipe de Saldanha da Gama (1846-1895), foi derrotado e enfim morto lutando ao lado dos rebeldes, e como alguns desses rebeldes retornaram posteriormente a posições poderosas (o almirante Eduardo Wandenkolk, 1838-1902, por exemplo, foi posto no comando da Marinha em 1898 e, mais importante, o almirante Alexandrino de Alencar, 1848-1926, chefiou a Marinha sob cinco sucessivos presidentes até 1926), os historiadores militares preferiram esquecer o episódio ou zombar da frota mercenária americana como "esquadrão de papelão".[7] O então presidente dos Estados Unidos, Grover Cleveland, democrata, concorrera com uma plafatorma de neutralidade em assuntos externos e por isso fingiu que o governo americano não tinha dado ajuda estratégica a Floriano durante a revolta naval. Quando os republicanos derrotaram Cleveland e retornaram à presidência com William McKinley em 1898, não quiseram dar aos democratas o crédito de manter um aliado no poder.

E o que isso tem a ver com Joaquim Nabuco? Em 1893, Nabuco, um dos supostos arquitetos das relações estreitas entre o

Brasil e os Estados Unidos, opôs-se veementemente ao presidente marechal Floriano Peixoto e seus partidários jacobinos, aos quais se referiu como "uma ditadura que decretava o terror como medida de guerra e fazia justiça por suas próprias mãos".[8] Nabuco denunciou-os comparando-os ao reino do terror na França: "com o 89 repete-se a imagem girondina, o caso da Revolução Francesa, de Saturno devorando os seus próprios filhos".[9] Como demonstrava o título de seu polêmico texto antiflorianista, Nabuco fez objeção ao apoio dado pelos Estados Unidos ao governo legal do Brasil, apoio que a seu ver foi um dos principais elementos da vitória de Floriano.[10] Nabuco escreveu que aquele era um mau precedente que haveria de levar o Brasil a depender no futuro de potências estrangeiras. E atribuiu a intervenção a ações de Mendonça, quando se referiu numa carta aos "detalhes da entrada no Rio dos navios do Salvador e Flint".[11] De modo claro, na mesma época e em forte contraste, Mendonça estava assumindo uma posição extremamente favorável aos Estados Unidos; suas negociações foram vitais para manter o apoio dos Estados Unidos ao governo Peixoto e à formação da frota de Flint.

Sob essas circunstâncias históricas, por que Nabuco é celebrado por dar início a relações estreitas entre o Brasil e os Estados Unidos, enquanto seu antecessor é esquecido? Mendonça tinha pleno direito de estabelecer com os Estados Unidos relações amistosas. Foi cônsul-geral do Brasil em Nova York, de 1876 a 1889, e ministro plenipotenciário em Washington por quase uma década, de 1890 a 1898. Mas tem sido ignorado ou menosprezado por histórias da diplomacia da Primeira República. Não pretendo negar nem reduzir as realizações de Nabuco. Gostaria, contudo, de investigar alguns silêncios no registro histórico. Ausências podem ser tão significativas como monumentos, embora sejam, é claro, mais difíceis de ver.

São bem conhecidas as realizações de Nabuco, como militante abolicionista, jornalista e famoso autor de obras canônicas como *O Abolicionismo*, *Minha formação* e *Um estadista do Império*. Este integrante da "geração de 70" tornou-se "imortal" como membro fundador da

Academia Brasileira de Letras. Como já mencionado, foi mais conhecido, no exterior, por ter sido o primeiro embaixador do Brasil em Washington, de 1905 até sua morte em 1910, época durante a qual fortaleceu os vínculos com os Estados Unidos como firme adepto do pan-americanismo e da Doutrina Monroe. Nabuco personificava o tipo de imagem que presidentes da República como Campos Sales (Manuel Ferraz de Campos Sales, 1841–1913) e Rodrigues Alves (Francisco de Paula Rodrigues Alves, 1848–1919) queriam projetar no exterior: de pele clara, sabidamente imponente e bonito, era um linguista charmoso e foi um bom companheiro de jantares do secretário de Estado dos Estados Unidos, Elihu Root (1845–1937). Talvez a solução de nosso enigma seja simplesmente esta: Nabuco é mais celebrado porque fez mais para ser lembrado do que Mendonça.

A resposta, todavia, é suspeita. Mendonça, como ator histórico, tinha credenciais de peso. Estudou, como Nabuco, na Faculdade de Direito de São Paulo. Mas, quando esteve lá, aliou-se a opositores da Monarquia. Republicano histórico, ajudou a redigir o Manifesto Republicano de 1870, editou o jornal do grupo, *O Ipiranga*, foi um dos primeiros membros do Partido Republicano Paulista e editor de seu porta-voz no Rio, *A República*. Estava assim muito mais próximo da classe política dominante nos primórdios da República do que Nabuco, que permaneceu monarquista por uma década após 1889, se não é que o foi, de coração, pelo restante da vida, como diz Gilberto Freyre.[12] Mendonça era um republicano tão fervoroso que declarou pouco depois da proclamação da República:

> A transformação do Império Brasileiro nos Estados Unidos do Brasil não é um mero acidente na vida dos partidos políticos, o resultado imprevisto de um pronunciamento: é o resultado lógico do progresso e da evolução histórica do meu país, no caminho ascendente da liberdade e da civilização.[13]

Era também um intelectual, embora seus escritos não tenham tido tão boa recepção como os de Nabuco. Foi jornalista e também membro fundador da Academia Brasileira de Letras, criada por seu irmão Lúcio de Mendonça junto com Nabuco e Machado de Assis. Salvador, portanto, ou pelo menos sua reputação, deveria ter sido imortal.

Mais pertinente a esta análise da posição de Nabuco como diplomata, a carreira de Mendonça foi muito mais extensa que a dele: ao todo, Mendonça serviu mais do que o dobro de Nabuco em funções diplomáticas e passou mais de três vezes mais tempo nos Estados Unidos. Mas não se trata, apenas, de uma questão de tempo de serviço. O que importa é saber quais foram as realizações de Mendonça. Ele afinal fez alguma coisa pela qual mereça ser lembrado?

De fato, desempenhou papel fundamental para conquistar o apoio dos Estados Unidos à nascente República do Brasil. Suas relações com o secretário de Estado James G. Blaine foram tão próximas quanto as de Nabuco com Elihu Root, se não mais íntimas. Na I Conferência Pan-americana de 1889, onde era o principal representante do Brasil, como ministro plenipotenciário, serviu como tradutor e mediador dos Estados Unidos para com os participantes da América espanhola. Naquele encontro formador, foi o aliado mais fiel de Blaine, tentando justapor o Brasil e os Estados Unidos como os dois únicos participantes de língua não espanhola. Mendonça continuou a ser firme adepto do pan-americanismo na década de 1890, época em que Nabuco se opunha veementemente à política exterior dos Estados Unidos, como mostrou em *A Revolta da Armada*.[14] Mendonça via os Estados Unidos como a alternativa "anti-imperialista" para impedir que os britânicos restaurassem a Monarquia, enquanto Nabuco permaneceu resolutamente anglófilo.

Mendonça teve êxito em costurar uma aliança não oficial com os Estados Unidos e assumiu papel destacado para garantir que Washington reconhecesse a República, apesar de a opinião popular, nos Estados Unidos, ser extremamente favorável a dom Pedro II. De fato, muitos norte-americanos temiam que o nascimento da República provocasse guerras civis e um despertar de beligerantes caudilhos hispano-americanos, opinião compartilhada por Nabuco. Essa preocupação retardou o apoio oficial à República, mas Mendonça acabou convencendo as autoridades americanas de que o rápido reconhecimento daria aos Estados Unidos uma boa posição no Brasil e uma vantagem sobre as potências europeias. Daí decorreu que a primeira grande potência a reconhecer a República foi os Estados Unidos, ato que abriu caminho para os Estados europeus seguirem. Mendonça tinha todo o direito de considerar-se um dos pais fundadores da República.[15]

O ministro plenipotenciário do Brasil trabalhou imaginativa e agressivamente para conseguir o primeiro tratado comercial entre o Brasil e os Estados Unidos, o tratado Blaine-Mendonça de 1891. Ponto central na nova política republicana para reduzir a dependência econômica da Europa e, em particular, da Grã-Bretanha, foi o primeiro tratado comercial assinado pelo Brasil, em quase meio século, com uma grande potência. Era o começo da reorientação diplomática do Brasil para as Américas.

Mendonça tirou partido de suas amizades em Washington durante a revolta naval de 1893-94. Além de conseguir que os Estados Unidos deixassem de reconhecer os rebeldes como beligerantes, estimulou a Marinha americana a pôr na baía de Guanabara seu maior contingente de navios de guerra a participar até então de manobras na América Latina, o que manteve os navios rebeldes à distância e impediu os europeus de lhes dar ajuda material. Mais diretamente, o representante do Brasil em Washington organizou uma esquadra mercenária bem-armada, a frota de Flint, que foi fundamental para terminar com a insurgência. Muitos países europeus estariam dispostos a reconhecer a legalidade da revolta naval, o que afetaria tremendamente a posição e crédito internacional do governo de Floriano, se os Estados Unidos não tivessem se colocado a seu lado. Ao cônsul-geral do Brasil coube atuação essencial pelo entendimento entre seu país e os Estados Unidos. Anos mais tarde, remoendo sua queda de cargo e contrapondo-se a Nabuco, Mendonça observou acerbamente:

> Quando, pois, o barão do Rio Branco mandou o sr. Joaquim Nabuco descobrir a América do Norte, ela já estava descoberta, medida e marcada... O barão do Rio Branco teve sempre a sina... de andar arrombando portas abertas.[16]

Nabuco, na época, era muito mais afeiçoado aos ingleses do que aos americanos. De fato, o futuro embaixador brasileiro nos Estados Unidos considerava-se virtualmente inglês. Num texto que seria publicado em livro em 1900, com uma década de República e a apenas seis anos de se tornar embaixador em Washington, ele escreveu:

> Com efeito, quando entro para a Câmara, estou tão inteiramente sob a influência do liberalismo inglês, como se militasse às ordens de Gladstone; esse é em substância o resultado de minha educação política, sou um liberal inglês... no Parlamento brasileiro; esse modo de definir-me será exato até o fim, porque o liberalismo inglês gladstoniano, macaulayiano, perdurará sempre, será a vassalagem irresgatável de meu temperamento ou sensibilidade política.[17]

Essa "vassalagem" levou o historiador Richard Graham a rotulá-lo de "sipaio", ou "agente do imperialismo britânico", o que o próprio Nabuco bem que admitiu.[18]

Ao mesmo tempo, Nabuco olhava com desprezo para os Estados Unidos, onde tinha vivido por dois anos, quando jovem. Embora visse um grande potencial no gigante do Norte na década de 1890, ele achava que sua grandeza ainda teria de esperar algum tempo:

> Não houve nada que me desse na América do Norte ideia da superioridade de suas instituições sobre as inglesas. A atmosfera moral em roda da política era seguramente muito mais viciada, a classe dos homens a quem a política atraía, inferior, isto é, não era a melhor classe da sociedade, como na Inglaterra.[19]

Nabuco preferiria o liberalismo aristocrático, ao que parece, à democracia popular. Após citar a previsão de Herbert Spencer de que os Estados Unidos teriam a mais magnífica civilização jamais vista no mundo, muito menos entusiasmo sobre o futuro americano foi denotado por ele:

> Até hoje ainda nenhum galho americano de tronco europeu mostrou poder dar a mesma flor de civilização que a velha estirpe. É possível que a civilização americana venha um dia a ser mais grandiosa do que qualquer que o mundo conheceu, mas eu consideraria perigoso, por enquanto, renunciar a Europa nos Estados-Unidos a tarefa de levar a cabo a obra da humanidade... Tudo isto sugere grandes inovações futuras, mas não existe ainda o menor sinal de que a elaboração do destino humano tenha um dia que passar para os Estados Unidos. A sua missão na história é ainda a mais absoluta incógnita.[20]

Em 1897, assim, não estava nada claro que Nabuco viria a ser o preferido da história como o grande representante do Brasil nos Estados Unidos. Se o caso fosse para contar naquele ano, com efeito, Mendonça é que seria o gigante, e Nabuco, cuja ira pela derrubada da Monarquia ainda não tinha cessado, seria um célebre abolicionista e historiador do Império. Afinal, Mendonça parecia estar do lado da história como um republicano de primeira hora que foi extremamente popular nos Estados Unidos.

Mudanças na República e em sua historiografia nos trariam a Madison, contudo, um século depois, em reconhecimento do papel de Nabuco. Mas por que o republicano histórico Salvador de Mendonça caiu em desfavor no regime republicano, enquanto o monarquista Joaquim Nabuco foi designado para o posto por tanto tempo ocupado por Mendonça? E por que Nabuco se tornou avidamente pró-americano, enquanto Mendonça se aliou a alguns antiamericanos radicais?

Primeiro temos de compreender a mudança de maré que ocorreu no Brasil no final da década de 1890. Ao que tudo indica, Prudente de Morais chegou à presidência numa manobra orquestrada pelos americanos, talvez com a ajuda de Mendonça. Em troca do apoio americano durante a revolta naval, Floriano, ao que parece, concordou em deixar a presidência quando seu mandato expirasse e realizar eleições. Parece também que a eleição de Prudente de Morais decorreu de um acordo prévio.[21] Com isso Mendonça se manteve por algum tempo em Washington, mas os acontecimentos no Brasil iriam minar sua posição.

Àquela altura o país ainda estava em desordem, por causa da guerra civil no Sul, tumulto ao qual se acrescia a sensível ameaça de Canudos no interior da Bahia. Partidários radicais de Floriano, tanto os jacobinos como outros florianistas enfureciam-se por temer uma restauração monárquica que suspeitavam ser apoiada pelos ingleses. Os mesmos grupos se opuseram ao governo de Prudente de Morais, que esteve em desavença com as tendências militaristas, nacionalistas, centralizadoras e autoritárias dos florianistas. Mendonça, que tanto tinha feito para amparar o governo de Floriano, de início continuou em seu posto como ministro plenipotenciário em Washington, porque Prudente necessitou de sua influência junto ao governo americano. Mas pouco a pouco isso mudou. Em julho de 1895 Floriano morreu. Na época, seus seguidores ainda estavam mobilizados e furiosos com a guerra de Canudos. A morte do coronel Moreira César, um dos mais ardorosos discípulos de Floriano, foi um golpe para eles. Conhecido como "o corta-cabeças", pela derrota impiedosa que impôs aos federalistas em Desterro, rebatizada Florianópolis, e por suas ações como governador militar de Santa Catarina, Moreira César fora um símbolo das intervenções militares jacobinas, em virtude de sua atuação na Bahia e de sua defesa do governo legítimo durante a revolta naval. Foi morto em Canudos antes de a resistência de Antônio Conselheiro ser vencida.

A popularidade de Prudente aumentou com a vitória em Canudos, mas conspiradores militares ainda tentaram tirá-lo do poder. Um mês após a rendição de Canudos, um soldado florianista, retornando da campanha, tentou assassinar Prudente no Rio, mas em vez dele matou o ministro da Guerra. O presidente tirou proveito do fato, reprovado por congressistas e pela opinião popular, para obter do Congresso uma declaração de estado de sítio. Depois, usou a autoridade que lhe deram para atacar alguns dos mais fortes partidários de Floriano, como Pinheiro Machado, Francisco Glicério e Barbosa Lima, e fechou o Clube Militar.[22]

Mendonça foi uma perda, nesta súbita e extremada mudança na arena política, apesar de não ser, por inclinação, um jacobino. Destituíram-no, oficialmente, por causa de problemas na vista; extraoficialmente, por pretensa corrupção. Ele escreveu uma série de artigos de jornal, que de nada adiantaram, negando ter agido mal.[23] O homem que havia construído uma vitoriosa carreira diplomática sob os gabinetes liberal e conservador durante o Império; que havia permanecido em seu cargo após a queda da Monarquia; que continuou depois de Deodoro da Fonseca transferir o poder a Floriano; e que até fez a transição para o governo civil, sob Prudente, numa época tumultuada, quando os ministros do gabinete, no Rio, eram trocados às dúzias, finalmente encontrou um líder a quem não pôde convencer, seu companheiro republicano histórico, Prudente de Morais. O diplomata deveria ser transferido para Portugal, posto menor, porém honroso. Entretanto o Senado, contido no calor das lutas internas, recusou-lhe a transferência e assim encerrou sua carreira diplomática.

Que a carreira de Mendonça terminou por causa das lutas internas no Brasil, e não por seus serviços prestados nos Estados Unidos, está provado pelo tratamento que a imprensa americana lhe deu. Em 1895 o *New York Times* elogiou seu trabalho:

> O Brasil foi representado nos Estados Unidos, desde o estabelecimento da República, por um enviado extraordinário e ministro plenipotenciário que ao mesmo tempo é jornalista, advogado, homem de negócios, estadista e diplomata. É singularmente auspicioso que a nova República tenha sido capaz de recorrer aos serviços de um republicano de primeira hora

que é também homem profundamente versado nos negócios dos Estados Unidos. Nenhum outro representante de país estrangeiro tem gozado em maior grau que o dr. Mendonça da confiança do Departamento de Estado, nas administrações tanto republicana quanto democrata, e é testemunho de mais de um secretário de Estado que... ele sempre teve lugar destacado na estima e consideração daqueles com os quais travou relações oficiais.[24]

Quando Mendonça esteve para ser transferido para Lisboa, em 1898, o *Washington Post* enalteceu a contribuição que ele dera para as relações amistosas entre os dois países: "A grande obra realizada pelo Sr. Mendonça, deixando estabelecidas relações cordiais entre o Brasil e os Estados Unidos... [é] obra que já produziu excelentes frutos na situação difícil que este país está agora atravessando".[25] O *Evening Star* de Washington acrescentou: "O Sr. Mendonça veio, ficou e conquistou e foi conquistado. Deixa-nos, depois de quase vinte e cinco anos, com louvores nos lábios, e deixa atrás de si setenta milhões de amigos".[26]

Três anos após a remoção de Mendonça, Joaquim Nabuco voltou ao serviço diplomático como embaixador na Grã-Bretanha. Tinha se recusado a participar da República, depois do 15 de novembro de 1889. Mas a situação já se alterara a tal ponto que ele reconsiderou sua antipatia inicial pela República. Já em 1898 um republicano paulista, Manoel Ferraz de Campos Sales, se empenhara em reduzir as violentas lutas de facções que irromperam na primeira década republicana. Após a derrota dos jacobinos e a desmobilização dos militares, ele instituiu no Rio o "presidencialismo", que deu ao presidente um grande poder sobre o Congresso, e a "política dos governadores", pela qual uma extrema autonomia estadual foi dada aos governantes civis que exerciam o mando em alianças com os coronéis locais.[27] As linhas nacionalistas e agressivamente desenvolvimentistas da política federal entraram em acentuado declínio sob o reajuste estrutural do ministro da Fazenda, Joaquim

Murtinho, que tentou aplacar os credores estrangeiros (em especial os britânicos) com o fundo de empréstimos de 1898 e reduziu a moeda em circulação. A curto prazo, isso foi doloroso, embora tenha preparado o caminho, pelo que se sustenta, para o fluxo de capital estrangeiro na década seguinte.[28]

Em 1902 o modo de ver do governo republicano e do Itamaraty mudou o suficiente para que eles quisessem ser representados no exterior por um monarquista. Ex-monarquista e conservador, o conselheiro Francisco Rodrigues Alves se tornou presidente (sendo seguido por outro político que fez mais carreira no Império do que na República, o conselheiro Afonso Pena). Rodrigues Alves, apesar de paulista, desdobrou-se em atenções com a cidade do Rio de Janeiro, cujos habitantes tinham desafiado o governo federal: um observador referiu-se ao "estado permanente de revolta da capital contra a nação".[29] A importância central do Rio é reconhecida por José Murilo de Carvalho, que analisa a "situação privilegiada em que se achava a cidade". Em decorrência disso, e a despeito dos desejos republicanos de descentralização, "por quase uma década o Rio seria a arena em que os destinos nacionais se decidiriam".[30] Com vastas reformas urbanas que geraram modernização e revolta, a capital foi transformada numa vitrine, com a bela Avenida Central, mais tarde nomeada "avenida Rio Branco", e, em elegante estilo parisiense à moda de Haussman, a Biblioteca Nacional, o Museu e Escola Nacional de Belas Artes e o Teatro Municipal, não somente "para inglês ver", mas também para que todos os capitalistas estrangeiros contemplassem.

Como seu antecessor, Rodrigues Alves preferiu manter o valor da moeda brasileira e seu crédito externo a subsidiar os plantadores de café a cuja classe pertencia. Negou ajuda federal, de fato, ao tratado de Taubaté.[31] O objetivo de tais iniciativas era despolitizar as massas urbanas e atrair capital, comércio e imigrantes estrangeiros.

Afonso Pena foi o presidente seguinte (de 1906 a 1908). Também ex-monarquista, como mineiro interessou-se mais do que seus antecessores paulistas em desenvolver e proteger a indústria nacional, embora tenha dado mais ajuda federal ao setor cafeeiro do que os prévios presidentes. Herdando uma moeda estável, e com crédito firme em meio ao *boom* da borracha, com o mercado cafeeiro em equilíbrio e níveis recordes de investimentos estrangeiros, Pena tentou expandir o meio circulante ao mesmo tempo em que tendia para o padrão ouro, um ideal quase nunca atingido pelo Brasil. Embora o interior do país se povoasse, com agricultores instalados no Oeste de São Paulo, com a colonização do Amazonas, os olhos da elite estavam claramente voltados para os mercados estrangeiros e a afirmação da posição internacional do Brasil.

Um símbolo dessa orientação externa da elite foi a Exposição Nacional de 1908, que comemorou no Rio de Janeiro o "Centenário da abertura dos portos às nações amigas". O livre-comércio, mais do que a nacionalidade, é que ensejava a celebração. Na rebuscada cidade de pavilhões e palácios construídos na Praia Vermelha, à beira da baía de Guanabara, os 11 mil expositores fizeram dessa a maior feira até então montada no Brasil, se não em toda a América Latina. Quase um milhão de visitantes maravilhou-se com os diversos estilos arquitetônicos, produtos e tecnologias em exibição por quase um ano. Visando exaltar a prosperidade e modernidade do Brasil, especialmente do Distrito Federal, a exposição foi uma afirmativa de que o Brasil também era capaz de erguer uma marcante feira internacional ("uma vitrine do capitalismo", nas palavras de Paulo Roberto de Almeida), assim como a França, a Grã-Bretanha e os Estados Unidos.[32]

Esse impulso à frente, de autoconfiança, refletiu-se na nomeação, por Rodrigues Alves, do monarquista barão do Rio Branco, que passara fora do país os 35 anos prévios, para chefiar as relações exteriores. Rio Branco, por sua vez, escolheu Joaquim Nabuco para representar o Brasil em Londres, primeiramente, e depois nos Estados Unidos. Assim, no ponto em que Maria de Lourdes Janotti vê o fim do movimento monarquista, já sob a República, em 1902, encontram-se na realidade pessoas cujas carreiras foram feitas no Império, que ainda eram simpáticas à Monarquia e que agora estavam no comando do sistema político brasileiro e da diplomacia.[33] Tais pessoas se reconciliaram com a República ao derrotarem os impulsos democráticos e igualitários mais radicais de alguns republicanos históricos e dos florianistas mais fervorosos. Com efeito, o modo como a sociedade via dom Pedro II e a Monarquia tinha mudado. Como escreveu Lilia Moritz Schwarcz, "morre o homem e nasce o mito".[34] O imperador foi se tornando, cada vez mais, uma figura popular. Em 1922, no centenário da Independência do Brasil, retornaria simbolicamente à sua terra natal, onde "dominava senhorialmente a imaginação da população".[35] Nesse ambiente, que no raiar do século XX já se estruturava, Nabuco se encaixou muito bem. Não teve de mudar suas ideias em relação ao governo, porque o governo é que tinha mudado.

Isto explica por que Nabuco concordou em retornar à carreira diplomática, particularmente por seu primeiro novo posto ser sua amada Londres, onde tinha muitos amigos e conhecidos no mundo dos negócios. Mas por que concordou ele com a transferência para os Estados Unidos e por que veio a tornar-se, ao que parece, tão decididamente a favor desse país, a ponto de Rio Branco julgá-lo *muito* americanófilo? Estaria Nabuco simplesmente fazendo seu trabalho e tentando manter relações cordiais?

Devemos reconhecer, antes de tudo, que o primeiro embaixador do Brasil não se tomou de amores por Washington. Demonstrava ainda parte da reserva que havia tido uma década antes. Ainda era eurocentrista e partilhava da cautela com que o Velho Mundo encarava a sociedade e a cultura norte-americanas. Nabuco, em sua conferência escrita para a Universidade de Wisconsin, foi dúbio quanto às cinco grandes contribuições à civilização atribuídas aos Estados Unidos pelo presidente de Harvard, Eliot: "Não creio que todos os pontos reivindicados pelo presidente Eliot venham a ter na história a marca 'feito na América'". O embaixador do Brasil fez um alerta contra exageros do chauvinismo americano: "Devemos ter cuidado para não escrever a história da civilização sem levar em conta o resto da humanidade, tal como para não a escrever sem a América".[36]

Deixando claro que não se limitava a uma questão de semântica, Nabuco afirmou abruptamente: "É bem provável que o destino da humanidade fosse afinal o mesmo, se a América nunca tivesse surgido sobre as águas".[37] Não só ele negava o papel providencial dos Estados Unidos no desdobramento da história mundial, como acentuava seu próprio eurocentrismo. Argumentava que a importância dos Estados Unidos não era inerente à sua flora, fauna e povos nativos. Somente o efeito sobre a Europa é que tornava a América importante; somente ao surgir "sobre as águas" para marinheiros europeus ela causava impacto na história do mundo.

Além de questionar o papel internacional dos Estados Unidos, Nabuco também julgava que seu lugar no Novo Mundo devia ser repensado. De fato, ao falar na Conferência Pan-americana no Rio de Janeiro, três anos antes, sentiu-se pouco à vontade para usar "América" como sinônimo de Estados Unidos:

> Não estou empregando a palavra "América" em sentido continental. Esta explicação parece necessária hoje em dia, sobretudo quando se fala para o povo dos Estados Unidos. Por aí se vê que gigantescas descobertas o seu país há de ter feito para absorver na linguagem corrente o nome do nosso continente. Como a América original, a do raiar do século XVI, era o Brasil, espero que venhamos, em uns séculos mais, a nos pôr de acordo sobre esse ponto.[38]

Embora ele viesse a empregar "América", ao querer dizer Estados Unidos, na conferência de Madison, ainda nutria algumas dúvidas e ressentimentos.

Para o embaixador do Brasil, todas as contribuições dadas pelos Estados Unidos à civilização mundial foram importadas da Europa, a princípio dos britânicos e depois de outras nacionalidades ou, pelo termo que usou, "raças". Ele louvou a imigração europeia, mas não deu crédito às populações indígenas nem aos imigrantes africanos forçados.

Contudo, Nabuco não era simplesmente um imperialista cultural anglófilo, como tinha parecido ser uma década antes. Era um pan-americanista, na medida em que acreditava que a geografia, o clima e a história do Novo Mundo faziam-no fundamentalmente diferente da Europa e também do resto do mundo. Mas não lhe parecia que essa diferença tornasse as Américas mais cheias de vitalidade e inocência, como filósofos europeus como Montaigne e Rousseau tinham pensado, nem ele pensava que as Américas estivessem condenadas ao atraso, como muitos europeus chauvinistas. Acreditava ainda, como 15 anos antes, "não haver sinal de que a hegemonia intelectual esteja passando da Europa à América".[39] Já não mais pensava, porém, que "A sua missão na história é ainda a mais absoluta incógnita". Em lugar disso, em 1909 postulou que "Por muitos séculos a Europa e a América hão de liderar juntas".[40]

Era parte do papel dos Estados Unidos ser o "mantenedor da paz" no mundo, aplicando a Doutrina Monroe para impedir a recolonização da América Latina por europeus. Nabuco se aproximara pois da opinião de Mendonça, de que os Estados Unidos eram a alternativa anti-imperialista para o Brasil, *contra* a qual tinha protestado energicamente, durante a revolta naval. Por que seu modo de ver mudou?

Os Estados Unidos mostraram-se intervencionistas em sua guerra com a Espanha, embora lutassem contra tropas coloniais. E o Brasil foi o único país da América Latina a apoiar publicamente a posição de Washington.[41] Malgrado o controle americano, depois da guerra, sobre Cuba, Porto Rico e Filipinas, o fato de esses países não serem colônias formais dos Estados Unidos parece ter tranquilizado Rio Branco e Nabuco.

Entretanto, convém assinalar que essas áreas, mesmo não sendo transformadas em colônias formais, eram protetorados. A emenda Platt de 1901 dera aos Estados Unidos o comando da política exterior de Cuba; Porto Rico se tornou território americano; e sob autoridade americana as Filipinas passaram a viver quatro décadas. Em nenhum desses casos os revolucionários que iniciaram movimentos de independência local tiveram permissão para gerir seus próprios governos. Pacificamente foram postos de lado os líderes, em Cuba e Porto Rico. Nas Filipinas, o movimento nacional de independência só foi vencido por tropas americanas depois de uma guerra de três anos (ou de 14, se contadas as ações persistentes da guerrilha), com dezenas de milhares de mortos e centenas de milhares de baixas. Aparentemente isto significava manutenção da paz para o embaixador brasileiro nos Estados Unidos, já que os americanos tinham derrotado uma potência colonial e os filipinos não estavam prontos para governar a si mesmos. Situação semelhante existia no Havaí, onde a rainha foi derrubada por fuzileiros e fazendeiros americanos em 1893, sendo seu território anexado ao dos Estados Unidos. Paz não era simplesmente a ausência de guerra, mas um estado mais alto de "civilização": tanto se podia conquistar quanto impor.

Tal atitude se refletiu nas Américas, assim como no Pacífico. Afinal, Nabuco, como Mendonça antes dele, tinha tentado distanciar o Brasil das ex-colônias americanas da Espanha. Ele ainda olhava com desprezo para a maioria dos Estados hispano-americanos. Em 1895, havia escrito:

> A manutenção de um vasto continente em estado permanente de desgoverno, de anarquia, é um fato que dentro de certo tempo há de atrair forçosamente a atenção do mundo, como afinal a atraiu o desaproveitamento da África. Como se fará a redenção dos países centro e sul-americanos? Onde acharão eles amparo contra os seus governos extortores? Como se fará nascer e crescer em cada um deles a consciência do Direito, da Liberdade e da Lei, que neles não existem, porque não podem ter sanção alguma?[42]

Embora a Ásia e a África, na época, estivessem sendo colonizadas pelas potências europeias, Nabuco não pensava que esta viesse a ser a sina da América Latina, tendo em vista o "monroísmo", sob o qual "Os Estados Unidos já assumiram a proteção do continente, desde que se comprometeram a defendê-lo contra as invasões da Europa..."[43] Os Estados Unidos não iriam criar um protetorado, nem absorver como colônias os países da América Latina, porque os norte-americanos se opunham à ideia de colonização e temiam "um profundo desequilíbrio em seu sistema de governo e uma incalculável deterioração de sua raça".[44] Não era pois a generosidade americana ou a sede de liberdade, mas sim, antes, o seu racismo, que garantia a soberania latino-americana.

O racismo, decerto, não diminuiu com a virada do século. Era o ponto alto, com efeito, da supremacia branca, da segregação legal, dos linchamentos e das leis discriminatórias contra os negros. Nabuco não se ateve a essa injustiça, crendo ao contrário que a imigração de europeus branquearia suficientemente os Estados Unidos para afinal suprimir de vez a questão racial e social. Para o diplomata brasileiro, outros aspectos dos Estados Unidos eram mais estimulantes.

Em 1905, Nabuco encontrou uma relativa mudança nos Estados Unidos, com o progressista Theodore Roosevelt na presidência. Reformista preocupado com a corrupção no governo e o poder das grandes empresas, Roosevelt agradava a Nabuco, quer com sua governança, quer com a política externa.

O embaixador brasileiro estipulou que o grande papel dos Estados Unidos para o avanço da civilização mundial, além dos que lhe cabiam em imigração e educação, era o de "mantenedor da paz". Se isso é estranho, é também compreensível. O embaixador estava sendo diplomático, pois reconhecia o papel do presidente Roosevelt nas negociações de paz para acabar com a guerra entre o Japão e a Rússia, pelo que se tornou o primeiro presidente americano a ganhar, em 1906, o Prêmio Nobel da Paz.

É uma posição estranha, contudo, quando se leva em conta que em 1902 Roosevelt afirmara com orgulho ter tomado o Panamá. Fuzileiros americanos deram apoio a um grupo associado à Panama Canal Company que lutou para torná-lo independente da Colômbia e depois concedeu aos Estados Unidos a rota para o canal. Na Venezuela e na República Dominicana ele começou a pôr em prática sua "diplomacia da canhoneira". A decisão política de Roosevelt era seu Corolário de que, por não aspirarem a conquistas territoriais, os Estados Unidos se tornavam "a polícia do Caribe":

> Não é verdade que os Estados Unidos tenham fome de terra... em relação a outras nações do hemisfério ocidental, a não ser as que sejam para o seu bem-estar. Tudo o que este país deseja é ver estáveis, ordeiros e prósperos os países vizinhos. Qualquer país cujo povo se conduza bem pode contar com nossa cordial amizade. Se uma nação mostra que sabe como agir com sensata eficiência e decência em questões políticas e sociais, se mantém a ordem e paga suas obrigações em dia, não precisa temer interferência dos Estados Unidos. [Mas] os maus procedimentos crônicos, ou a impotência que resulta num afrouxamento geral dos laços da sociedade civilizada, pode em última instância requerer, quer na América, quer alhures, a intervenção de alguma nação civilizada, e no hemisfério ocidental a adesão dos Estados Unidos à Doutrina Monroe pode forçar os Estados Unidos, ainda que relutantemente, em flagrantes casos de mau procedimento ou de impotência, a exercer um poder internacional de polícia... Enquanto [nossos vizinhos do Sul] obedecerem às leis primárias da sociedade civilizada, podem ficar certos de que serão tratados por nós num espírito de cordial e prestimosa simpatia... É um mero truísmo dizer que cada nação, na América ou em qualquer outra parte, que deseja manter sua liberdade, sua independência, deve enfim se dar conta de que o direito a tal independência não pode ser separado da responsabilidade de fazer bom uso dela.[45]

"Manutenção da paz" não significava não intervenção nem respeito pela soberania dos países latino-americanos. Roosevelt expressou um sentimento bem semelhante ao de Nabuco, para quem os Estados Unidos eram o país que "fará nascer e crescer em cada um deles a consciência do Direito, da Liberdade, e da Lei, que neles não existem".[46] Ao mandar os fuzileiros navais ao Panamá ou referir-se aos líderes da República Dominicana como crianças, Roosevelt estava meramente afirmando o direito de os países "civilizados" induzirem seus vizinhos a serem pacíficos e amadurecerem. As Américas eram uma área peculiarmente "neutra", o "Continente da Paz", por causa das ações dos Estados Unidos.[47] Nabuco (ironicamente?) observou: "Vocês levam atualmente a cabo, graças à confiança em seu caráter neutro, bem como ao seu prestígio, uma obra que, como assunto de um país, enfrentaria resistência das demais potências marítimas, se fosse empreendida por qualquer outra nação".[48] Mesmo assim, mostrou-se preocupado com "a grande sombra que os Estados Unidos lançam sobre o resto do continente" e procurou certificar-se de seu "desinteresse" por aquisições territoriais.[49]

O governo brasileiro achou essa posição, na época, compatível com a sua. O Brasil se negara a endossar a Doutrina Drago, da Argentina, que teria proibido intervenções para garantir o pagamento de empréstimos. À Doutrina Drago, Rio Branco preferiu o Corolário Roosevelt, crendo que dívidas tinham de ser pagas e chegando a ponto de dizer a um jornalista que, se os governos da América Central "não souberem governar a si mesmos, nem têm direito de existir".[50]

Ele podia assumir essa posição porque o Brasil se parecia mais com os Estados Unidos do que com os países hispano-americanos. Era imenso, estava atraindo enormes levas de imigrantes europeus; tinha uma das melhores classificações de crédito do Terceiro Mundo, melhor até que a de alguns países da Europa; e investidores ingleses, franceses, belgas, alemães e americanos lhe injetavam dinheiro, diversificando a dependência do país. O Brasil, além disso, se expandia para oeste e, por negociações com seus vizinhos coloniais europeus, ao norte, conquistando o Acre, que antes pertencera à Bolívia, e avançando contra seus próprios povos indígenas na Amazônia. Os Estados Unidos, por sua vez, tinham colaborado com a expansão do Brasil a sudoeste, quando o presidente Grover Cleveland decidiu em favor do Brasil na disputa pelas Missões com a Argentina.

Foi uma sorte, para Nabuco, ter o progressista Elihu Root como secretário de Estado de 1905 a 1909, os anos gloriosos da diplomacia de Rio Branco no mundo. Root foi fundamental para a escolha do Rio de Janeiro para a Conferência Pan-americana de 1906. Em retribuição, Rio Branco deu o nome de Palácio Monroe ao prédio no qual eles se reuniram, antes o pavilhão do Brasil na feira de Saint Louis, e brindou com Root: "O tempo não fez senão aumentar, nos corações e mentes de sucessivas gerações de brasileiros, a simpatia e admiração que os fundadores de nossa nacionalidade sentiram pelos Estados Unidos da América".[51]

Nabuco e Rio Branco tinham se aproximado da posição dos republicanos radicais e jacobinos, que por muito tempo apoiaram a Doutrina Monroe pela suposta proteção que ela daria às Américas contra invasões e pressões da Grã-Bretanha ou da França. Ainda no Império, Salvador de Mendonça já ajudara a fundar o movimento pan-americano e acreditava piamente que os Estados Unidos, como república que resultou da primeira guerra de libertação nacional do mundo, eram uma potência fortemente anticolonialista.

Em 1910, contudo, a Doutrina Monroe e o Corolário Roosevelt tornaram-se suspeitos para Mendonça, aliado agora a outros nacionalistas, como Alberto Torres, Nicanor Nascimento e Maurício Lacerda, que começavam a olhar para os Estados Unidos como potência imperialista. Alarmavam-se eles, em particular, com os vultosos negócios vinculados ao capitalista norte-americano Percival Faquahar: a Brazil Railroad, a maior estrada de ferro do país, a Brazilian Light and Traction, incumbida de serviços públicos no Rio e em São Paulo, a estrada de ferro Madeira-Mamoré, para ligar o Amazonas à produção de borracha em Rondônia, e o porto do Pará. Enquanto Nabuco anunciava que "a nova tendência da humanidade, em todas as direções, é a 'fusão', [que] em teoria... parece garantir melhor serviço a tantos milhões de pessoas",[52] Mendonça se tornava um demolidor de cartéis. Não se tornou, porém, antiamericano, se bem temesse o movimento das fusões. Discordando de Nabuco quanto à "diplomacia do dólar" de Roosevelt, Mendonça acreditava que o Partido Democrata era amante da paz e respeitava a soberania da América Latina.

Nabuco estava no auge da popularidade e ainda servia como embaixador quando morreu nos Estados Unidos em 1910. Sua morte causou luto generalizado e vistosos tributos nos jornais, nos Estados Unidos, e seu corpo foi levado para o Brasil com grandes pompas. Já Mendonça cometeu o erro tático de viver ainda muito, depois de finda sua carreira diplomática. Somente pequenas notas em jornais noticiaram seu falecimento.

Desde então, como sabemos, ele foi em grande parte esquecido, enquanto a fama de Nabuco cresceu, particularmente por seu papel como abolicionista e historiador, mas também pelos serviços que prestou como diplomata. Salvador de Mendonça foi desprezado pela história, ao que parece, assim como Joaquim Nabuco foi celebrado. A memória histórica é um agente estranho e imprevisível.

NOTAS

1 Alonso, Angela. *Joaquim Nabuco: os salões e as ruas (1849–1910)*. São Paulo: Companhia das Letras, 2007.

2 Burns, E. Bradford. *The Unwritten Alliance: Rio Branco and Brazilian-American Relations*. Nova York: Columbia University Press, 1966, 102. Trad. Leonardo Fróes.

3 Cardim, Carlos Henrique, e Almino, João (orgs.). *Rio Branco, a América do Sul e a modernização do Brasil*. Brasília: EMC, 2002.

4 Benjamin, Thomas. *La Revolución, Mexico's Great Revolution as Memory, Myth, and History*. Austin: University of Texas Press, 2000.

5 Topik, Steven C. *Comércio e canhoneiras. Brasil e os Estados Unidos na era dos Impérios*, trad. Angela Pessoa. São Paulo: Companhia das Letras, 2009.

6 Oficialmente Floriano permaneceu "vice-presidente", mas na prática tornou-se o presidente após a renúncia de Deodoro da Fonseca em 1891.

7 Mesmo hoje, ao falar de Saldanha da Gama, o almirante e historiador Max Justo Guedes o chama de "o mais brilhante oficial da Marinha de sua geração", in "O barão do Rio Branco e a modernização da Defesa", in *Rio Branco, a América do Sul e a modernização do Brasil*, 328.

8 Nabuco, Joaquim. *A intervenção estrangeira durante a revolta, a intervenção das potências, o controle naval da Bahia do Rio, a acção do almirante Benham, o asylo a bordo das corvetas*. Rio de Janeiro: Leuzinger, 1896, 253.

9 Idem, 261.

10 Ibid., 149.

11 Joaquim Nabuco a Hilário de Gouveia, 20 de março de 1894, in Nabuco, *Cartas aos amigos*. São Paulo: Instituto Progresso Editorial, 1949.

12 Freyre, Gilberto. *Ordem e Progresso*. Rio de Janeiro: Livraria José Olympio Editora, 1936.

13 Spanish American Commercial Union "Banquet in Honor of Delegates of the International American Conference". Nova York: Press of El Avisador, 1890, 43.

14 Nabuco, Joaquim. *A intervenção estrangeira durante a revolta*. Rio de Janeiro: Leuzinger, 1896.

15 Dois estudos recentes reconhecem a importância da contribuição de Mendonça para as relações entre Brasil e Estados Unidos: Paulo Roberto de Almeida, *Formação da diplomacia econômica do Brasil*. São Paulo: Editora Senac, 2001, 438–439; e Clodoaldo Bueno, *A República e sua política exterior, 1889–1902*. São Paulo/Brasília: Editora da Unesp/Funag, 1995, 22–27. Ver também Joseph Smith, *Unequal Giants. Diplomatic Relations Between the United States and Brazil, 1889–1930*. Pittsburgh: University of Pittsburgh Press, 1991, 12–20.

16 Mendonça, Salvador de. *Situação internacional do Brasil*. Rio e Paris: Livraria Garnier, 1913, 247–248. Burns mais tarde concordaria em parte com ele, notando in *The Unwritten Alliance*, 62, que Mendonça foi "o precursor das relações amistosas entre Brasil e Estados Unidos".

17 Nabuco, Joaquim. *Minha formação*. Rio e Paris: Garnier, 1900, 208–209.

18 Graham, Richard. "Sepoys and Imperialists: Techniques of British Power in Nineteenth-Century Brazil", *Inter-American Economic Affairs*, 23:2 (1969), 31.

19 Nabuco, *Minha formação*, 162.

20 Idem, 182–183.

21 Topik, Steven C. *Comércio e canhoneiras*. São Paulo: Companhia das Letras, 2009, 270–271.

22 Para uma análise do papel dos militares no governo de Floriano e suas consequências imediatas, ver: John Schulz, *Exército na política. Origens da intervenção militar, 1850–1894*. São Paulo: Edusp, 1994, e José Maria Bello, *A History of Modern Brazil, 1889–1964*, trad. James L. Taylor. Stanford: Stanford University Press, 1966, 156–157.

23 Mendonça, Salvador de. *Ajuste de contas*. Rio de Janeiro: Typ. do Jornal do Commercio, 1899–1904.

24 *New York Times*, 3 de fevereiro de 1895. Trad. Leonardo Fróes.

25 *Washington Post*, editorial, 19 de maio de 1898; citado in Mendonça, *Ajuste de contas*, 239.

26 *Evening Star*, maio de 1898; citado in Mendonça, *Ajuste de contas*, 242.

27 Carvalho, José Murilo de. *Os bestializados. O Rio de Janeiro e a República que não foi*. São Paulo: Companhia das Letras, 1987, 21.

28 Schulz, *A crise financeira*, 121–136.

29 Citado in Carvalho, *Os bestializados*, 74.

30 Carvalho, *Os bestializados*, 22.

31 Para uma discussão mais ampla, ver Steven C. Topik, *A presença do Estado na economia política do Brasil de 1889 a 1930*. Rio: Record, 1989.

32 Almeida, *Formação da diplomacia econômica do Brasil*, 231.

33 Janotti, Maria de Lourdes Mônaco. *Os subversivos da República.* São Paulo: Brasiliense, 1986.

34 Schwarcz, Lilia Moritz. *As barbas do imperador. D. Pedro II, um monarca nos trópicos.* São Paulo: Companhia das Letras, 1999, 493.

35 Schwarcz, op. cit., 504–505.

36 Nabuco, Joaquim. "The Share of America in Civilization", *The American Historical Review*, vol. 15, nº 1 (out. 1909), 55. Trad. Leonardo Fróes.

37 Ibid., 55. Trad. Leonardo Fróes.

38 Nabuco, Joaquim. "The American Conscience and Public Opinion", in *The Pan American Conferences and their Significance. The Annals of the American Academy of Political and Social Science.* Maio, 1906, nº 17. Nova York: Kraus Reprint Co.: 1970, 14. Trad. Leonardo Fróes.

39 Nabuco, "The Share of America in Civilization", 64. Tradução Leonardo Fróes.

40 Ibid. Trad. Leonardo Fróes.

41 Smith, Joseph, op. cit., 27.

42 Nabuco, Joaquim. *Balmaceda.* Rio de Janeiro: Leuzinger, 1895, 183.

43 Ibid., 184.

44 Ibid., 185.

45 Citado in Peter H. Smith, *Talons of the Eagle. Dynamics of U.S.-Latin American Relations*. Nova York: Oxford University Press, 1996, 38. Trad. Leonardo Fróes.

46 Nabuco, *Balmaceda*, 183.

47 Nabuco, "The Share of America in Civilization", 56. Trad. Leonardo Fróes.

48 Ibid. Trad. Leonardo Fróes.

49 Nabuco, Joaquim. "The American Conscience and Public Opinion", in *The Pan American Conferences and their Significance. The Annals of the American Academy of Political and Social Science*. Maio, 1906, nº 17. Nova York: Kraus Reprint Co.: 1970, 15.

50 Smith, Joseph. *Unequal Giants. Diplomatic Relations Between the United States and Brazil, 1889–1930*. Pittsburgh: University of Pittsburgh Press, 1991, 60.

51 Discurso do barão do Rio Branco in *Speeches Incident to the Visit of Secretary Root to South America, July 4 to September 30, 1906* (Washington: Government Printing Office, 1906), 20, e Rio Branco in *Latin America and the United States: Adresses by Elihu Root* (Cambridge: Harvard University Press, 1917), 14.

52 Nabuco, "The Share of America in Civilization", 62. Trad. Leonardo Fróes.

BIBLIOGRAFIA

ALMEIDA, Paulo Roberto de. *Formação da diplomacia econômica do Brasil*. São Paulo: Editora Senac, 2001.

ALONSO, Angela. *O perfil de Joaquim Nabuco (1849–1910)*. São Paulo: Companhia das Letras, 2008.

BELLO, José Maria. *A History of Modern Brazil, 1889–1964*, trad. James L. Taylor Stanford: Stanford University Press, 1966.

BENJAMIN, Thomas. *La Revolución, Mexico's Great Revolution as Memory, Myth, and History*. Austin: University of Texas Press, 2000.

BUENO, Clodoaldo. *A República e sua política exterior, 1889–1902*. São Paulo/Brasília: Editora da Unesp/Funag, 1995.

BURNS, E. Bradford. *The Unwritten Alliance; Rio-Branco and Brazilian-American Relations*. Nova York: Columbia University Press, 1966.

CARDIM, Carlos Henrique e Almino, João (orgs.). *Rio Branco, a América do Sul e a modernização do Brasil*. Brasília: EMC, 2002.

CARVALHO, José Murilo de. *Os Bestializados. O Rio de Janeiro e a República que não foi*. São Paulo: Companhia das Letras, 1987.

FREYRE, Gilberto. *Order and Progress*, trad. Rod Horton. Nova York: Knopf, 1970.

GRAHAM, Richard. "Sepoys and Imperialists: Techniques of British Power in Nineteenth-Century Brazil". *Inter-American Economic Affairs* 23:2 (1969), 23–37.

GUEDES, Max Justo. "O barão do Rio Branco e a modernização da defesa", in *Rio Branco, a América do Sul e a modernização do Brasil*. Cardim e Almino (orgs.).

JANOTTI, Maria de Lourdes Mônaco. *Os subversivos da República*. São Paulo: Brasiliense, 1986.

MENDONÇA, Salvador de. *Situação internacional do Brasil*. Rio e Paris: Livraria Garnier, 1913.

_____. *Ajuste de contas*. Rio de Janeiro: Typ. do Jornal do Commercio, 1899–1904.

NABUCO, Joaquim. *A Intervenção estrangeira durante a revolta, a intervenção das potências, o controle naval da Bahia do Rio, a acção do almirante Benham, o asylo a bordo das corvetas*. Rio de Janeiro: Leuzinger, 1896.

_____. *Balmaceda*. Rio de Janeiro: Leuzinger, 1895.

_____. *Minha formação*. Rio e Paris: Garnier, 1900.

_____. *Cartas aos amigos*. São Paulo: Instituto Progresso Editorial, 1949.

_____. "The Share of America in Civilization" *The American Historical Review* 15.1 (1909).

_____. "The American Conscience and Public Opinion", in *The Pan American Conferences and their Significance. The Annals of the American Academy of Political and Social Science*. Maio, 1906, nº 17. Nova York: Kraus Reprint Co.: 1970.

New York Times, 1888–1910.

RIO BRANCO, barão do. *Speeches Incident to the Visit of Secretary Root to South America, July 4 to September 30, 1906*. Washington: Government Printing Office, 1906.

_____. *Latin America and the United States: Addresses by Elihu Root*. Cambridge: Harvard University Press, 1917.

SCHULZ, John. *Exército na política, Origens da intervenção militar, 1850–1894*. São Paulo: Edusp, 1994.

_____. *A crise financeira da Abolição*. São Paulo: Edusp, 1996.

SCHWARCZ, Lilia Moritz. *As barbas do imperador. D. Pedro II, um monarca nos trópicos*. São Paulo: Companhia das Letras, 1999.

SMITH, Joseph. *Unequal Giants. Diplomatic Relations Between the United States and Brazil, 1889–1930*. Pittsburgh: University of Pittsburgh Press, 1991.

SMITH, Peter H. *Talons of the Eagle. Dynamics of U.S.-Latin American Relations*. Nova York: Oxford University Press, 1996.

SPANISH AMERICAN COMMERCIAL UNION. "Banquet in Honor of Delegates of the International American Conference". Nova York: Press of El Avisador, 1890.

TOPIK, Steven C. *Comércio e canhoneiras. O Brasil e os Estados Unidos na era dos impérios*, trad. Angela Pessoa. São Paulo: Companhia das Letras, 2009.

_____. *A presença do Estado na economia política do Brasil de 1889 a 1930*. Rio: Record, 1989.

DIPLOMATAS E ESCRITORES: NABUCO, MACHADO E A FUNDAÇÃO DA ACADEMIA BRASILEIRA DE LETRAS

Joshua Alma Enslen

A ACADEMIA BRASILEIRA DE LETRAS (ABL) foi fundada em 1897 no Rio de Janeiro por Machado de Assis, Joaquim Nabuco e outros intelectuais, com a missão de defender a língua da nação e simultaneamente promover a sua literatura. Em princípio, a ABL se viu como uma instituição capaz de classificar os parâmetros pelos quais a literatura e a língua pudessem acompanhar o desenvolvimento sócio-político do país. De acordo com a sugestão de José Veríssimo, um dos primeiros atos oficiais de Machado, o primeiro presidente da Academia, foi criar uma comissão que padronizasse a ortografia do nome da nação. Enquanto Veríssimo preferia o nome Brazil com *z* e Capistrano de Abreu preferia Brasil com *s* (Bechara xviii), outros como João Ribeiro sugeriam que a Academia descartasse o nome por completo em favor do indígena Ibirapitanga (Henriques 227). Nas palavras do visconde de Taunay, o Brasil era na época "a única nação civilizada que não sab[ia] escrever o próprio nome" (Henriques 226). Este episódio é apenas um exemplo anedótico do empenho dos membros da Academia para reunir linguística e literariamente o vasto território brasileiro. Deste modo, a padronização do nome da nação corresponde ao esforço para consolidar a identidade nacional.

Nabuco e Machado faziam parte de um seleto grupo de intelectuais reunido em torno da *Revista Brasileira* entre 1895 e 1899.

Desse grupo, Lúcio de Mendonça foi quem teve a ideia para a criação da Academia. E, com a ajuda de José Veríssimo e outros, a sessão inaugural foi convocada para o dia 20 de julho de 1897. Ainda que os primeiros membros da ABL não pudessem prever os transtornos políticos que caracterizariam o Brasil no século vindouro, já tinham imaginado, em contraponto à política instável da Primeira República, a importância de uma firme instituição literária. Em concordância com essa visão, Machado de Assis sugeriu no seu discurso inaugural que o papel da ABL fosse "conservar, no meio da federação política, a unidade literária" (926). De modo similar, Joaquim Nabuco, na mesma sessão, propôs que "A formação da Academia de Letras é a afirmação de que literária, como politicamente, somos uma nação que tem o seu destino, seu caráter distinto" (14). Em Paris, logo após a sessão inaugural, o poeta e diplomata Carlos Magalhães de Azeredo, "o mais jovem do grupo de intelectuais reunidos por Lúcio de Mendonça" (Virgillo 7), obteve uma cópia dos discursos inaugurais de Machado e Nabuco recém-publicados na *Revista Brasileira*. No dia 7 de setembro de 1897, em reação à leitura desses discursos e com saudade da terra natal ao comemorar a Independência, Magalhães de Azeredo dirige a Machado de Assis uma carta cheia de esperança e fervor nacionais: "Oh! Quanto bem podia fazer a Academia, se vencer as dificuldades do começo e conservar sempre intato seu alto caráter de intelectualidade! Que instrumento de pacificação, de mútua tolerância, de disciplina mental e de gosto artístico" (Machado de Assis *Correspondência* 126).[1] Estas palavras de Magalhães de Azeredo encapsulam o otimismo de uma geração de escritores que procurava efetuar, pela fundação da Academia, a plena inserção do Brasil no palco mundial das letras. Portanto, a ABL foi no final do século XIX e no começo do século XX uma instituição onde a literatura e a política externa se entrecruzavam no objetivo comum de imaginar a nação brasileira e seu papel no mundo. Ao considerar esse objetivo da Academia, os discursos inaugurais de Machado e Nabuco, bem como os de vários outros membros entre os anos 1897 e 1919, que serão analisados neste artigo, concretizaram uma retórica da identidade nacional nascida durante o Romantismo e baseada num diálogo diplomático-cultural entre o Brasil e o mundo.[2]

Segundo sua biógrafa Carolina Nabuco, Joaquim Nabuco dividia as fases da sua vida pelos anos que terminavam em nove. A partir do seu nascimento, em 1849, esse motivo cronológico sempre marcou novas etapas de vida para Nabuco. Em 1879, trinta anos depois do seu nascimento, Nabuco estreou no Parlamento. Em 1889, um ano depois da abolição da escravidão, o estabelecimento da Primeira República marcou outra fase. Em 1897, passados os anos turbulentos do Parlamento, a fundação da Academia representou o ápice de um decênio voltado para a produção intelectual. Dois anos mais tarde, em 1899, Nabuco começou a verdadeira carreira diplomática, para a qual ele tinha se preparado em parte, nos anos setenta, como adido de primeira classe servindo em Londres e Washington (1876–1879). Durante a última fase da sua vida, Nabuco foi designado o primeiro embaixador brasileiro nos Estados Unidos (1905–1910). Nesta época, a missão diplomática de Nabuco incluiu palestras nas universidades de Cornell, Yale e Harvard. A palestra em Madison foi escrita um ano antes da sua morte e é provável que o texto de 1909, ao qual se dedica este volume, não tenha sido o ponto final desse percurso vital.

No que se refere ao seu discurso inaugural na Academia, o momento histórico abriu caminho para a consolidação de um relacionamento entre a literatura e a diplomacia que evolui até hoje no Brasil. Desde a sua fundação, a Academia tem contado com vários diplomatas entre os seus membros. Aliás, onze dos quarenta membros fundadores da Academia eram diplomatas, tendo contribuído para a historiografia e a literatura brasileiras enquanto oficialmente serviam ao país no estrangeiro. Estes onze são, em ordem alfabética: Carlos Magalhães de Azeredo (1872–1963), Aluízio de Azevedo (1857–1913), Rui Barbosa (1849–1923), Raimundo Correia (1859–1911), Domício da Gama (1862–1925), Graça Aranha (1868–1931), Luís Caetano Guimarães Júnior (1847–1898), Manuel de Oliveira Lima (1867–1928), Salvador de Mendonça (1841–1913), Joaquim Nabuco (1849–1910) e Eduardo Prado (1860–1901).[3]

Da mesma maneira, não menos de nove dos quarenta patronos da ABL – escritores falecidos escolhidos pelos fundadores para zelar simbolicamente por suas respectivas cadeiras – eram escritores-diplomatas. Magalhães de Azeredo, fundador da cadeira 9, escolheu como patrono o escritor-diplomata, e instigador do Romantismo brasileiro, Domingos José Gonçalves de Magalhães (1811–1882). Taunay, fundador da cadeira 13, escolheu Francisco Otaviano (1826–1884). Alcindo Guanabara e Olavo Bilac escolheram para as cadeiras 15 e 19 os diplomatas Antônio Gonçalves Dias (1823–1864) e Joaquim Caetano da Silva (1810–1873). Igualmente, Joaquim Nabuco, Artur Azevedo, Carlos de Laet, Oliveira Lima e Eduardo Prado escolheram os diplomatas Maciel Monteiro (1804–1868), Martins Pena (1815–1848), Araújo Porto-Alegre (1806–1879), Francisco Adolfo de Varnhagem (1816–1878) e o visconde do Rio Branco (1819–1880) para as cadeiras 27, 29, 32, 39 e 40, respectivamente.[4]

Ainda mais importante, do ponto de vista deste artigo, é que a Academia Brasileira de Letras não só abrigava e abriga muitos diplomatas, como também tem compartilhado desde a fundação um foco semelhante ao da diplomacia – o da representação nacional. Ou seja, durante o século XIX, a literatura era a parceira cultural da diplomacia, facilitando ambas a manutenção de laços político-culturais com as nações da Europa, ao mesmo tempo que articulavam uma diferença entre o Brasil e essas nações. Nas palavras de Celso Lafer, ex-ministro das Relações Exteriores e membro atual da Academia, a diplomacia tradicional sempre serviu a semelhante propósito: "[A] diplomacia, como uma política pública, se alimenta numa dialética de mútua implicação e polaridade, tanto da História do 'eu,' quanto da História do 'outro'" (*A identidade* 19).

Nos mais de sessenta e cinco discursos proferidos na ABL entre 1897 e 1919, a palavra *diplomata*, ou um dos seus derivados, aparece não menos de cento e vinte e duas vezes. E mesmo quando o vocábulo não é proferido, o seu fantasma permanece nos discursos pelo eco das palavras "distância," pelo "amor da pátria" e pelas visões cultas da Europa. Em 1917, ao receber o diplomata Luis Guimarães Filho, João do Rio observou que:

> No Brasil quase todos os diplomatas querem ser escritores, e quase todos os escritores almejam a carreira da diplomacia política e comercial. É possível que os diplomatas, apesar da complacência com os amadores, não venham a ser escritores. Arte não pode estar ao alcance de qualquer, mesmo ministro plenipotenciário. Em compensação, não há um só escritor que não tenha sido um excelente diplomata. (Barreto 819)

Em 1898, vinte e um anos antes do discurso de João do Rio, José Veríssimo homenageou o pai de Guimarães Filho, o diplomata Luis Guimarães Júnior. No discurso, Veríssimo propôs que o lado poético de Guimarães Júnior completasse o que lhe faltava de diplomata. Notando os muitos outros escritores-diplomatas que ele chama de "antecessores ilustres", como Magalhães, Porto-Alegre e José Maria do Amaral, Veríssimo observou o seguinte sobre Guimarães Júnior: "A sua vida diplomática não foi, certo, muito fecunda em notas, mas os seus versos sobram-nos como compensação" (42). Em 1903, no discurso de posse, Manuel de Oliveira Lima elogiou o historiador e diplomata Francisco Adolfo de Varnhagen, o patrono da sua cadeira. Ecoando o sentimento de Veríssimo, Oliveira Lima comunicou: "Com efeito, não podemos esquecer que, se [Varnhagen] foi principalmente, essencialmente um homem de letras, ele foi oficialmente um diplomata" (114). João do Rio e José Veríssimo não eram diplomatas, mas, como vemos, nem por isso deixaram de falar da diplomacia.

Por coincidência, foi também por causa de controvérsias entre diplomatas nas eleições, particularmente aquelas surgidas entre Oliveira Lima e o barão do Rio Branco, que por fim Veríssimo se afastou da Academia. Teresa Malatian, num artigo sobre a correspondência entre Machado de Assis e Oliveira Lima, arquivada na

Oliveira Lima Library da Catholic University of America em Washington, caraterizou este episódio na Academia: "A indignação de Veríssimo com a eleição de Lauro Müller, que considerava ilegítima, resultou em sua renúncia à secretaria da ABL... aquele caso sobrepunha o cargo do ministro aos ausentes méritos literários" (17). Evocando a palavra trinta e cinco vezes em apenas dois discursos, Oliveira Lima foi quem mais falou de diplomacia. E quem sabe não o fez em referência às polêmicas das eleições, quando perguntou retoricamente ao receber Artur Orlando em 1907: "Diplomacia... não temos nós todos de empregar cada dia nas relações de sociedade, no conflito de interesses que de todos os tempos foi a vida?" (417).

Joaquim Nabuco, no seu discurso inaugural, utilizou a palavra "diplomata" somente uma vez, referindo-se ao seu patrono Maciel Monteiro. Num comentário sobre a seleção dos patronos da Academia, Nabuco observou: "Não tendo antiguidade, tivemos que imitá-la, e escolhemos os nossos antepassados... Nesse misto de médico poeta, de orador diplomata, de dandy que vem a morrer de amor, elegi o pernambucano" (9). Mas, apesar da escassez da palavra no seu discurso, Nabuco manifestou-se também sobre o fundamento ideológico da tradição de escritores-diplomatas no Brasil. Segundo ele, foi tão impossível aos fundadores da Academia imaginar uma nação que não tivesse os seus próprios escritores quanto imaginar escritor que não tivesse a sua própria nação para escrever. Nas palavras de Nabuco: "Nós não pretendemos matar no literato, no artista, o patriota, porque sem a pátria, sem a nação, não há escritor" (11). Magalhães de Azeredo, na sua carta a Machado citada acima, reconhece o poder de observação que Nabuco expôs no discurso inaugural: "O discurso é admirável, e, como diz, realmente primoroso; discurso condensado, cheio de ideias, digno de um pensador como é com tanta elevação de vistas o nosso Amigo" (Machado de Assis *Correspondência* 125).

No século XIX, a diplomacia e as letras andavam de mãos dadas por várias razões. A atração dos escritores brasileiros pela diplomacia iniciou-se junto com a Independência. Logo após o Grito do Ipiranga, o poeta-diplomata Domingos Borges de Barros foi, de acordo com Antonio Candido, quem "primeiro exprimiu em poesia o tema da saudade da pátria, que experimentou em longa estada na Europa, onde fora, segundo diz, aparelhar-se das luzes para servi-la" (*Formação* 289). Foi Borges de Barros que escreveu: "De luzes sua pátria carecia,/ Ir procurá-las seu dever lhe ordena"(citado in Candido, *Formação* 289). Considerado por Afrânio Peixoto um precursor do Romantismo brasileiro (Garcia 144), a importância de Borges de Barros foi antes reconhecida pelo diplomata Francisco Adolfo de Varnhagen, o qual dedicou ao poeta baiano uma seção do terceiro e último tomo da sua antologia *Florilégio da poesia brasileira* (1850–1853).

A busca heroica pelas luzes da Europa, retratada nos pequenos versos de Borges de Barros, codifica uma economia intelectual dependente do olhar europeu e tipificada corporalmente pelas viagens dos diplomatas brasileiros. João do Rio exprimiu ideia semelhante quando afirmou no seu discurso acadêmico que Luis Guimarães Filho era "mais patriota quanto mais ausente" (Barreto 815). Do mesmo modo, Mário de Alencar, recebendo Alberto Faria em 1919, declarou da tribuna da Academia que "a distância é como um telescópio que faz ver o valor verdadeiro" (1104). Consciente não só das visões eurocêntricas dos seus compatriotas, mas também de certo modo proponente delas, Nabuco fez uma hipótese jocosa ao dizer no seu discurso inaugural:

> Houve, talvez, tempo em que Magalhães, Gonçalves Dias, Porto-Alegre, Odorico Mendes, João Francisco Lisboa, Sales Torres-Homem, Maciel Monteiro, Gomes de Sousa, Varnhagen, Joaquim Caetano, Pereira da Silva, podiam ter formado uma Academia Brasileira em Paris. (7)

Esta lista impressionante de escritores e diplomatas faz lembrar que, na época, o francês não era apenas a língua culta dos literatos brasileiros. Era também a língua franca da diplomacia e, naturalmente, a língua da Academia Francesa na qual a brasileira se inspirou. A viagem à França, facilitada muitas vezes durante o Império pela carreira diplomática, era um rito de passagem necessário para qualquer escritor brasileiro da época.

A razão de haver tantos diplomatas na Academia talvez pudesse explicar-se facilmente tão-só pelo fato de o Rio de Janeiro, como centro político e cultural, propiciar a união dos dois campos. A alta ocorrência de escritores-diplomatas na Academia também podia ser explicada em parte porque as duas profissões eram controladas por famílias da elite que incentivavam seus filhos, diplomados em direito em Recife ou São Paulo, a conhecer o mundo. Ou talvez o fenômeno se explique pelo que alguns críticos sugerem: Que a diplomacia na época simplesmente oferecia tempo livre para escrever, tornando-se assim atraente aos poetas, dramaturgos, romancistas, historiadores. Pelo menos, para isso é que aponta a opinião aventada por Ubiratan Machado no livro *A vida literária no Brasil durante o Romantismo*: "Tão atraente quanto a política só a diplomacia... Além de permitir longas viagens mundo afora, oferecia largos ócios para a atividade literária" (175). Decerto, estas três explicações – a convivência da cultura e política nacionais no Rio de Janeiro, os fortes laços familiares da elite com a Europa e a oportunidade para os diplomatas se dedicarem à escrita – fazem parte da charada, mas elidem outras razões mais profundas baseadas nos ideais do Romantismo.

Nas palavras de Alfredo Bosi, "o Romantismo dinamizou grandes mitos: a nação e o herói" (95). E Celso Lafer, comentando a importância do barão do Rio Branco, propôs: "[É] raro ver na história dos países um diplomata ser consagrado como herói nacional" (46). No Brasil, os escritores-diplomatas não só são símbolos da nação que representam, como também constituem, por causa da interligação com a história do país, uma classe de heróis no imaginário local. Defensores da tríade sagrada da modernidade – homem, obra, nação –, os escritores-diplomatas se encontram no limiar de três mundos românticos: os da autonomia individual e artística, que se sobrepõem em parte ao da autonomia nacional. Simbolizando estas três categorias simultaneamente – homem, obra, nação – o escritor-diplomata incorpora literalmente os ideais de um protagonista cultural iluminado que busca no estrangeiro as "verdades" que trariam "glória" à nação. Em 1967, três dias antes da sua morte e setenta anos depois da fundação da Academia, o diplomata João Guimarães Rosa, ao citar Arthur da Silva Bernardes, declarou no seu discurso de posse: "O fim do homem é Deus, para o qual devemos, preferentemente, viver. Eu, porém, vivi mais para a Pátria, esquecendo-me d'Ele" (83). E Joaquim Nabuco aludiu a essa mesma missão heroica da Academia Brasileira quando setenta anos antes, na sessão inaugural, vaticinou:

> As Academias, como tantas outras coisas, precisam de antiguidade. Uma Academia nova é como uma religião sem mistérios: falta-lhe solenidade. A nossa principal função não poderá ser preenchida senão muito tempo depois de nós, na terceira ou quarta dinastia dos nossos sucessores. (9)

Quando os escritores-diplomatas ultrapassam fisicamente os limites das fronteiras do país, eles também atravessam, em teoria, o limiar da consciência nacional. De acordo com Alberto da Costa e Silva, poeta, diplomata e membro atual da ABL, este ato de viajar confere aos escritores-diplomatas poderes e conhecimentos que supostamente são benéficos à coletividade que eles representam. Os intelectuais voltavam ao país preparados para "renovar... as visões e os entendimentos do mundo de seus contemporâneos" (Costa e Silva 26). O escritor-diplomata regressa com visões heroicas decorrente das suas experiências em terras estrangeiras, visões que, de acordo com Costa e Silva, devem ser compartilhadas com a nação. Sob esta perspectiva romântica, os escritores-diplomatas conduzem pelas viagens entre culturas os símbolos que posicionam as nações dentro do espectro da igualdade retórica.

Na sua coletânea de ensaios *El laberinto de la soledad*, o diplomata mexicano Octavio Paz contempla o significado das suas experiências nos Estados Unidos. Em "El pachuco y otros extremos", Paz explica como seu primeiro posto diplomático em Los Angeles influenciou suas ideias sobre a identidade mexicana: "Recuerdo que cada vez que me inclinaba sobre la vida norteamericana, deseoso de encontrarle sentido, me encontraba con mi imagen interrogante". A "imagen interrogante" do México, "destacada sobre el fondo reluciente de los Estados Unidos", revela-se como uma fotografia num banho químico (12). Tanto as viagens dos diplomatas quanto as trajetórias dos seus protagonistas ficcionais são baseadas nas imagens recíprocas das nações. Nas palavras de Ana, a protagonista do romance *As cinco estações do amor*, do atual cônsul geral do Brasil em Chicago, João Almino: "O Plano Piloto não era bem uma cidade. Era uma ideia... Brasília era um ponto livre no espaço vazio, com direito de voar e crescer para qualquer lado" (17).

Se a literatura brasileira tem mudado com o passar dos séculos, a tradição escritor-diplomata, exemplificada pelo ingresso de muitos diplomatas na Academia Brasileira de Letras, ainda permanece no Brasil, e isso apesar de uma identidade nacional que cada vez mais se reconhece na literatura como não autônoma, não coesiva, pluralística e sobretudo anti-heroica. No século XIX, enquanto a consolidação (e não a relativização) da identidade era ainda o principal objetivo, a concretização da tradição do escritor-diplomata a partir da fundação da Academia ajudou a formular as especificidades de uma identidade local por meio de um diálogo político-cultural com outras nações.

NOTAS

1 Atualizei a ortografia da citação.

2 Alguns trechos curtos deste ensaio apareceram primeiro em inglês no meu artigo "The Hour and Turn of João Guimarães Rosa: Symbolic Discourse and Death in the Academia Brasileira de Letras." *Mester* XXXVI (2007), 72–85.

3 Informação referente a todos os escritores-diplomatas aqui mencionados e também alguma informação sobre a história da *Revista Brasileira* se encontram no site oficial da ABL: www.academia.org.br

4 Além destes fundadores e patronos, outros escritores-diplomatas têm sido membros da Academia. No espaço que me cabe aqui é impossível anotar todos, mas as primeiras decádas testemunharam a entrada do barão do Rio Branco, Afonso Arinos, João Carneiro de Sousa Bandeira, Lauro Müller, Hélio Lobo e João Neves da Fontoura, entre outros. No decorrer do século XX, a tradição escritor-diplomata foi-se fortalecendo com o ingresso na Academia de Ribeiro Couto, Afonso Arinos de Melo Franco, João Cabral de Melo Neto, João Guimarães Rosa, Otto Lara Resende e José Guilherme Merquior. Podemos ainda configurar dentro deste mesmo panorama intelectuais como Celso Lafer, Sérgio Paulo Rouanet e Alberto da Costa e Silva – organizador da coletânea *O Itamaraty na cultura brasileira*, publicada em 2002 pelo Instituto Rio Branco.
Também é mister notar de passagem que mesmo com tantos diplomatas consagrados pela Academia, o fenômeno de escritor-diplomata brasileiro não se limita a esta ilustre sociedade. Muitos há que, por várias razões, não pertenceram à ABL. Esta lista inclui, mas não se limita a eles, o adido comercial e contista Monteiro Lobato, o embaixador e modernista Raul Bopp e o diplomata-resistente Vinicius de Moraes. Monteiro Lobato, que serviu em Nova York entre 1927 e 1931, foi eleito para a ABL, mas recusou o convite. De acordo com Paulo Dantas, Lobato costumava dizer que "nada mais parecido com galhões de caixão de defunto do que o uniforme da nossa Academia Brasileira de Letras" (49).

BIBLIOGRAFIA

ALENCAR, Mário de. "Resposta do Sr. Mário de Alencar." *Discursos acadêmicos: Tomo I, Volumes I, II, III, IV, 1897–1919*. Rio de Janeiro: Academia Brasileira de Letras, 2005, 1091–1105.

ALMINO, João. *As cinco estações do amor*. Rio de Janeiro/São Paulo: Record, 2001.

BARRETO, Paulo [João do Rio]. "Resposta do Sr. Paulo Barreto." *Discursos acadêmicos: Tomo I, Volumes I, II, III, IV, 1897–1919*. Rio de Janeiro: Academia Brasileira de Letras, 2005, 813–825.

BECHARA, Evanildo. "Apresentação." *Atas da Academia Brasileira de Letras: Presidência de Machado de Assis (1896–1908)*. Cláudio Cezar Henriques (org.). Rio de Janeiro: Academia Brasileira de Letras, 2001, XVII-XIX.

BOSI, Alfredo. *História concisa da literatura brasileira*. São Paulo: Cultrix, 1994.

CANDIDO, Antonio. *Formação da literatura brasileira: Momentos decisivos (1750–1836)*. São Paulo: Martins, 1971.

COSTA E SILVA, Alberto da. "Diplomacia e cultura." *O Itamaraty na cultura brasileira*. Alberto da Costa e Silva (org.). Rio de Janeiro: Francisco Alves, 2002, 9–20.

DANTAS, Paulo. *Sagarana emotiva: Cartas de J. Guimarães Rosa*. São Paulo: Duas Cidades, 1975.

GARCIA, Rodolfo. "Nota de Rodolfo Garcia." *Florilégio da poesia brasileira*, vol. 3. Rio de Janeiro: Academia Brasileira de Letras, 1987, 143–144.

GUIMARÃES ROSA, João. "O verbo & o logos: discurso de posse." *Em memória de João Guimarães Rosa*. Rio de Janeiro: José Olympio, 1968, 55–88.

HENRIQUES, Cláudio Cezar. "Intervenções metalinguísticas." *Atas da Academia Brasileira de Letras: Presidência de Machado de Assis (1896–1908)*. Cláudio Cezar Henriques (org.). Rio de Janeiro: Academia Brasileira de Letras, 2001, 223–37.

LAFER, Celso. *A identidade internacional do Brasil e a política externa brasileira*. São Paulo: Perspectiva, 2004.

MACHADO DE ASSIS, Joaquim Maria. *Correspondência de Machado de Assis com Magalhães de Azeredo*. Carmelo Virgillo (org.). Rio de Janeiro: Instituto Nacional do Livro, 1969.

_____. "Na Academia Brasileira: discurso inaugural." *Obra completa*, vol. 3. Afrânio Coutinho (org.). Rio de Janeiro: Editora José Aguilar Ltda., 1962, 926.

MACHADO, Ubiratan. *A vida literária no Brasil durante o Romantismo*. Rio de Janeiro: Editora da Universidade do Estado do Rio de Janeiro, 2001.

MALATIAN, Teresa. "Diplomacia e Letras na correspondência acadêmica: Machado de Assis e Oliveira Lima." *Estudos Históricos* 13.24 (1999), 1–18. 5 November 2005. http://www.cpdoc.fgv.br/revista/arq/275.pdf

NABUCO, Carolina. *A vida de Joaquim Nabuco*. São Paulo: Companhia Editora Nacional, 1928.

NABUCO, Joaquim. "Discurso do Sr. Joaquim Nabuco." *Discursos acadêmicos: Tomo I, Volumes I, II, III, IV, 1897–1919*. Rio de Janeiro: Academia Brasileira de Letras, 2005, 5–14.

OLIVEIRA LIMA, Manuel de. "Resposta do Sr. Oliveira Lima." *Discursos acadêmicos: Tomo I, Volumes I, II, III, IV, 1897–1919*. Rio de Janeiro: Academia Brasileira de Letras, 2005, 409–418.

PAZ, Octavio. *El laberinto de la soledad*. Cidade do México: Fondo de Cultura Económica, S.A., 1959.

VARNHAGEN, Francisco Adolfo de. *Florilégio da poesia brasileira*. 3 vols. Rio de Janeiro: Academia Brasileira de Letras, 1987.

VERÍSSIMO, José. "Resposta do Sr. José Veríssimo." *Discursos acadêmicos: Tomo I, Volumes I, II, III, IV, 1897–1919*. Rio de Janeiro: Academia Brasileira de Letras, 2005, 37–45.

VIRGILLO, Carmelo. "Introdução." *Correspondência de Machado de Assis com Magalhães de Azeredo*. Carmelo Virgillo (org.). Rio de Janeiro: Instituto Nacional do Livro, 1969, 7–14.

POR DENTRO DO CÍRCULO MÁGICO: PROGRESSO E MELANCOLIA NO DISCURSO DE MADISON, DE JOAQUIM NABUCO

Pedro Meira Monteiro

NÃO É NOVIDADE ALGUMA que o pensamento de Joaquim Nabuco deixa um rastro importante na imaginação sobre o Brasil, desde o século XIX. Nabuco é um daqueles autores que se pode conhecer através de outros autores: a admiração por ele muitas vezes vai de par à admiração de seus leitores ilustres, como são, por exemplo, Gilberto Freyre e Sérgio Buarque de Holanda.

Se a presença de Nabuco se faz sentir em *Do Império à República* (1972), é entretanto em momentos bastante anteriores que se pode flagrar o interesse de Sérgio Buarque de Holanda pelo diplomata e escritor pernambucano.[1] Num artigo publicado em abril de 1950 no *Diário de Notícias* do Rio de Janeiro, o historiador paulista evoca Joaquim Nabuco no momento exato em que procura compreender a natureza do romance moderno, considerando-o uma forma "impura" e por vezes "prosaica"; uma forma menos livre que a poesia, em suma.[2]

Tal ideia sugere que, ao contrário da poesia, o romance seria uma forma a que não é facultado, por assim dizer, subir aos céus. Ou então, ainda quando a prosa se eleva e busca o sublime, algo todavia a prende ao solo, como se umas raízes incômodas e remanescentes se enovelassem à pena do escritor, lembrando-o que seu chão é ainda o da história. O romance viveria portanto, desde a perspectiva de Sérgio Buarque, do balanço entre a vontade de deixar que as ideias voem livres e a necessidade de atar-se ao solo histórico. Desde meados do século XIX até pelo menos o início do século XX, na Europa ocidental ou ainda no caso formidável da Rússia, o romance se manifestara com uma pujança extraordinária, exatamente porque, nessas partes do mundo, tradições fortes e antiquíssimas entraram em conflito com um novo modo de vida, burguês e capitalista. A matéria do romance, assevera Sérgio Buarque de Holanda, é precisamente esse conflito.

Mas e na América? Vejamos o que diz o historiador e crítico literário:

> Em nossa América as transformações profundas que pela mesma época chegavam a padecer estas sociedades meio aluviais também ofereciam, sem dúvida, sua feição problemática ou trágica. Apenas os protagonistas do drama encontravam modelos já prontos, e os gestos copiados a longa distância, no espaço e um pouco no tempo, não assumiam aqui o cunho natural e inevitável que deviam ter tido no cenário de origem. Em outras palavras, éramos um mundo periférico: o verdadeiro centro ficava em Paris ou em Londres. Um dos nossos estadistas, do Império e da República, exprimiu isso mesmo de maneira lapidar: em nós, dizia ele, o sentimento é brasileiro, a imaginação é europeia.[3]

Sérgio Buarque vai todavia mais longe em seu argumento e aproxima Joaquim Nabuco de um daqueles personagens de Henry James que decidem deixar a América e "retornar", por assim dizer, à Europa. Vejamos o que se lê, na tradução do próprio historiador:

> Somos os deserdados da Arte! Somos condenados a ser superficiais! Estamos excluídos do círculo mágico! O solo da percepção americana é um pequeno depósito, triste, estéril, artificial. Não há dúvida que entre nós a imperfeição é congênita.

> Um americano, para sair-se bem, há de aprender dez vezes mais do que um europeu. Pobres aspirantes, temos de viver em perpétuo desterro.[4]

Além do conhecido tópos do desterro (um desterro "em nossa própria terra", nunca é demais relembrar a fórmula inicial de *Raízes do Brasil*), há aí, na estilização desse personagem da literatura norte-americana – que Sérgio Buarque lembra logo após evocar Joaquim Nabuco – algo como uma "imperfeição congênita" ("*we are wedded to imperfection*", no original).

A imperfeição, evidentemente, conduz à ideia de um anelado aperfeiçoamento, que seria exatamente a corrida em direção à Europa, que Henry James sintetiza em seu personagem. (Lembrando, é claro, que o próprio James é mais um na fila dos literatos que amam a Inglaterra, e que são sempre gêmeos espirituais daquele posterior *American in Paris*, de tão presente e musical memória para todos nós.[5])

No entanto, tal aperfeiçoamento, isto é, a tentativa de aproximar-se da Europa, não é a entrega despudorada ao velho conquistador, ou ao velho colonizador. Antes, o desejo de aperfeiçoamento tem a ver com a consciência trágica de que, nos termos de Nabuco, o sentimento é americano, mas a imaginação é europeia.[6] Como toda tragédia, não se trata de um percalço no caminho, que se possa bater à vontade. Trata-se antes de uma condição, um exílio em sua própria casa, um mal-estar profundo que, no largo quadrante das Américas, significa o voltar-se com insaciável curiosidade para o continente europeu, compondo uma saga identitária – a história americana – a partir de uma estranha mescla de desejo, admiração e, em alguns casos, repulsa pela matriz europeia.[7] Todos sentimentos legítimos e poderosos, que juntos compõem os quadros sempre incompletos da América.

Talvez a ideia desses quadros incompletos da América pareça grandiosa demais. Minha intenção com ela é no entanto modesta: pretendo apenas tomá-la como guia e percorrer a palestra que Joaquim Nabuco preparou e de fato jamais proferiu na Universidade de Wisconsin em Madison há cem anos, intitulada "The Share of America in Civilization".[8] Através de tal percurso, tento alinhavar algumas hipóteses sobre a imaginação do espaço americano em Nabuco, flagrando em seu discurso o que parece ser um balanço entre uma crença fundamental no progresso e um tom ligeiramente melancólico. Lembrando sempre que, se a imaginação poética leva muitas vezes ao sublime, a imaginação histórica – aquela que se preocupa com as raízes – aponta para o solo, para o espaço terreno que caberia então imaginar, em suas diferenças, mas sobretudo naquelas constâncias que encerram afinal o discurso identitário. Nesse sentido, aliás, parece impossível imaginar que Joaquim Nabuco fuja ao espectro do século XIX e se distancie demasiado da matriz romântica que busca o gênio das nações. Entretanto, é verdade que a prosa de Nabuco é temperada por um senso de observação cuja origem talvez esteja naquela literatura de viagens de que ele é também herdeiro, como viajante e como diplomata. Mas, sobretudo, como leitor.[9]

Basta que se pense em seus diários, já há alguns anos disponíveis na bela edição de Evaldo Cabral de Mello, para perceber que a literatura é um elemento congênito na imaginação de Joaquim Nabuco, mais um personagem, aliás, na tradição longeva de escritores-diplomatas brasileiros.[10] Ou que se pense em sua correspondência e na proximidade com a melancolia de Machado de Assis.[11] Ou então – matéria ainda a exigir estudo dos críticos machadianos – suas máximas publicadas em Paris, os *Pensées détachées et souvenirs*.[12] Afinal, o espírito religioso que guia as máximas de Nabuco talvez tenha muito a explicar sobre o mundo do *Deus absconditus* que é o de Machado de Assis: aquilo que um recusa, o outro oferece.

SIGO ENTRETANTO COM O DISCURSO de Joaquim Nabuco em Madison – discurso que ele teria proferido na formatura da turma de 1908, não fosse sua doença e também a morte de Afonso Pena, que o prenderam a sua casa de campo em New Hampshire.[13]

O discurso se abre com uma velha questão: compreender a novidade da América, saber o que ela trouxe de útil à Europa, além do tabaco...[14] A anedota inicial é um belo artefato retórico: o que, além da matéria-prima para a diversão ou para o vício europeu, se carrega nos navios que atravessam o Atlântico desde o século XV? A ideia recorrente de que afinal no berço do universalismo democrático europeu estaria o selvagem americano (lembrando o título do livro de Afonso Arinos, *O índio brasileiro e a Revolução Francesa*, de 1937, mas lembrando também as blagues oswaldianas que inverteriam os papéis do colonizador e do colonizado), e de que a felicidade europeia, ou mesmo universal, seria anunciada pelo surgimento da América, é algo que lá está, como introdução provocadora à grande questão que atravessa o discurso de Nabuco, isto é, encontrar o "quinhão" americano no processo civilizador em que ele acredita tão profundamente.

A questão do universalismo democrático retornará mais tarde no discurso e se fará finalmente explícita, com a lembrança da impressão que o Novo Mundo causara a Rousseau e a Montaigne, naquilo que seriam as traves de um pensamento humanístico e logo mais ilustrado sobre a pureza humana, perdida na sanha civilizatória europeia:

> Nothing more strongly influenced Jean-Jacques Rousseau than the impression of the New World. The French utopists of the eighteenth century did not take much from the discovery of India, China, and Japan; but the discovery of America was a creative impression for them, as during three centuries it was for their predecessors. No less a mind than Montaigne, for instance, will say of the American natives, writing in the sixteenth century: "I regret that Lycurgus and Plato did not know them, as it seems to me that what we see by experience among those nations not only surpasses all the pictures with which poetry has embellished the Golden Age, and all its inventions in imagining a happy condition of men, but also

> the conception and even the wish of Philosophy... How distant from this perfection would Plato find his Republic!" (*Liv.* I, ch.XXXI) The whole *Social Contract* of Rousseau is implicit in this chapter of the *Essays*, two centuries older.[15]

Trata-se enfim do diálogo continuado e firme com a utopia do Novo Mundo, que jamais deixaria de tentar a Europa. Como sugere Nabuco, a imaginação é, ainda e sempre, europeia.

O raciocínio de Joaquim Nabuco é bastante sofisticado, algo tortuoso por vezes. De início, o elogio do encontro das raças na América se tempera com a observação de que afinal a invenção do sufrágio universal (leia-se, dos homens) é um produto originalmente inglês, ou porventura francês, mas não norte-americano. E exatamente essa observação balanceada abre espaço, na fala de Nabuco, para aquele que seria o primeiro fruto norte-americano oferecido ao mundo. Na precisa marcação pronominal do diplomata: "one of *your* mightiest contributions to civilization".[16]

Noto, de passagem, como a marcação pronominal, tratada com esmero pelo grande estilista que é Nabuco, mapeia todo um território americano que, à medida que o discurso avança, se complexifica, emprestando à América seus tons diversos. Isto sem que em momento algum se enfraqueça o ponto de enunciação, que é um "I" que fala desde essa mesma América; uma América do Norte que é também e afinal o desterro da América Latina. Tais questões nos levariam entretanto a um plano vasto – o espelho das duas Américas –, que desviaria o rumo que pretendo aqui seguir.[17] Lembro apenas que uma análise sintática do discurso de Nabuco em Madison esclareceria muito de uma relação complexa com esses vizinhos que, sendo também americanos, são ainda outros.

De toda maneira, a primeira contribuição norte-americana ao mundo se daria na continuada manutenção da paz. Trata-se de um tópico espinhoso, doloroso e atual para nós. E aqui encontramos a primeira armadilha do discurso, de que não logra escapar o diplomata, ou antes, uma armadilha em cujas malhas ele próprio, que sempre se disse um "monroísta", parece regozijar-se.[18] De fato, a Doutrina Monroe é, para Joaquim Nabuco, uma espécie de forma neutra a manter a estabilidade no continente americano:

> President Eliot, in summing up his address, refers to that contribution in other words, as *peace keeping*. Expressed in that form, I have no doubt it has been one of your mightiest contributions to civilization, because the peace pressure from America on Europe is the greatest pressure weighing on the world to keep down war. America, thanks to the Monroe Doctrine, is the Continent of Peace, and this colossal peace unit, interesting deeply other regions of the earth – the whole Pacific, one might say – forms a neutral hemisphere and balances the other hemisphere, which we might call the belligerent hemisphere.[19]

Não há, no discurso de Joaquim Nabuco, nem sombra da guerra no Caribe em 1898, ou da anexação do território mexicano por vias mais ou menos diplomáticas, muito antes.[20] Tudo se passa como se a manutenção da paz fosse uma tarefa neutra. Mas Nabuco não é um ingênuo, é claro. Vejamos o grão de sal que ele derrama quando se refere à liderança dos Estados Unidos no cenário internacional, que ele já vê tão claramente no horizonte:

> You are carrying out now, thanks to the confidence in your neutral character as well to your prestige, a work that would be resisted, as one nation's concern, by the other sea-powers, if undertaken by any other nation. With your prodigious growth, your peace sentiment will have to be tested, when your national aggrandizement meets with the first serious obstacle. The question is if you then would not proclaim the holy national war. As yet no one could say that peace is a permanent article of faith with you, such as are democracy and religious toleration, for instance.[21]

Os "obstáculos" não parariam de brotar e se estenderiam até nossos dias, como bem se sabe. E é difícil crer que este "you" a que se dirige Nabuco tenha passado no teste do tempo. Mas o tempo traz também nuances, surpresas e mudanças, como hoje nós também sabemos.

A defesa aberta do pan-americanismo leva Joaquim Nabuco à segunda grande contribuição americana à civilização: a *imigração*. Para nós, neste nosso começo de século XXI, haverá algo de irônico em suas palavras, já que, no quesito imigração, a condição imperial seguiria erguendo, século adentro, obstáculos ferozes à "universalização do humano".[22] A imigração é hoje a questão que exatamente expõe os limites de qualquer veleidade pan-americana, como o provam os muros que nos cercam.

Enquanto isso, no plano discursivo, novamente se monta a armadilha que engole o diplomata: basta ler o discurso de Madison, e se há de notar mais um silêncio inquietante. É que a questão racial, para Nabuco, praticamente passa ao largo da questão negra, e não creio que seja injusto sugerir que algo se adoça, se edulcora, na ideia de uma fusão das raças, ou aquilo a que ele chamaria, no caso norte-americano, "this ever-changing ethnical composition that keeps up your individuality".[23] É aí, precisamente, que a sombra benigna de Tocqueville começa a aparecer: aquele sedimento de orgulho nacional que engessa as velhas nações não existiria no laboratório novo e promissor que é a América. Não havia aristocracia na América, o que logicamente leva à promessa do encontro de todos com todos.

No discurso precioso de Nabuco, a sombra tocquevilliana se mescla à sombra da decadência romana: é Caracala que estende a cidadania a todos os habitantes do Império, no momento exato em que ele começa a se desfazer.[24]

Entretanto, como a decadência ainda não significou para nós, no nosso presente, a abertura completa das fronteiras, sigamos lendo, buscando o sal que tempera a prosa de Nabuco.

Para um leitor brasileiro, é notável que a herança nefasta da escravidão – aquilo que levara o abolicionista Joaquim Nabuco, em carta ao secretário da British and Foreign Anti-Slavery Society, a imaginar que Cuba e Brasil fossem ainda, em 1880, "dark spots in American land"[25] – não seja quase lembrada. E não é, evidentemente, que ela não fosse percebida pelo arguto observador que é Nabuco.

Nas páginas célebres de *O Abolicionismo* (1883) se encontrava já a observação de que o negro americano, depois da guerra civil, ganhara ao mesmo tempo a alforria e o voto.[26] Já nos seus "diários", apenas alguns dias após a leitura do discurso de Madison pelo presidente Van Hise, Nabuco notava, em 6 de agosto de 1909, que

> O maior dos jogos nacionais aqui [nos Estados Unidos] é amontoar *dollars* (para os homens) e gastá-los (para as mulheres). *Dollar-heaping* e *dollar squandering*, posso chamá-los. Depois o dar nos negros. Ainda ontem um ministro branco escapou de ser atacado pela *mob* por ter apertado a mão de um colega preto. Um senador, que deu um bofetão num criado de cor, dizia ao juiz: "*I did not strike a man, but a negro*". Designam uma mulher de cor num documento de justiça: "*A female of the genus africanus* (sic)". Haverá verdadeiras convulsões até o organismo expelir o preto, *the nigger*, do seu seio, isto é, como cidadão, mas o há de expelir. Este sentimento torna-se cada vez mais decidido e mais geral.[27]

Impressionante a força da anotação privada, sobretudo quando contrastada ao relativo silêncio do discurso público. Aí, creio, ganhamos em densidade, quando se trata da tarefa crítica. Explorar o silêncio do que se publica é encontrar o que o sujeito sente e diz, no plano privado. Daí a importância de sobrepor os diários ao discurso inaugural.

Sigamos porém com o bem-tecido discurso público.

Como um galho natural da imigração surge a outra contribuição americana ao mundo: a *democracia*. E aqui o lance retórico é igualmente empolgante. A democracia, sugere Joaquim Nabuco, é uma forma europeia, originalmente inglesa, com seus toques greco-latinos, e no entanto é exatamente o experimento democrático republicano dos Estados Unidos que ensinaria à Europa. O filho ensina ao pai, pela frescura de sua própria experiência, que é a democracia acoplada, é claro, àquela idealizada imigração. E aqui o que era simples sombra tocquevilliana se torna referência explícita, daquilo exatamente que é porventura o mais ambíguo em Tocqueville: a admiração e certo temor por aquela "igualdade" fundamental.[28] Igualdade que é a viga-mestra do ideário liberal: "the general equality of conditions", dirá Joaquim Nabuco, secundando Alexis de Tocqueville.[29]

Tão mais interessante se tornam essas observações quanto saibamos a falta de entusiasmo que tantas vezes pautara os sentimentos de Joaquim Nabuco em relação à República. Uma falta de entusiasmo cujo contraponto poético pode-se localizar na idealização do Império, que está na memorialística ligada à figura paterna, mas está também nessa espécie de utopia agrária que se projeta em seu pensamento, quando se trata das propriedades rurais que funcionariam como peças sadias de um organismo maior.[30]

Ainda no plano das metáforas orgânicas, cabe lembrar que o horizonte utópico do pensamento de Joaquim Nabuco baseia-se no sentimento inequívoco da *finalidade*, isto é, de uma possível marcha do progresso, que é menos uma marcha da tecnologia, que do espírito. E é aqui que o discurso de Madison dá mais um giro fabuloso, elencando as *finalidades* que, criadas ou aperfeiçoadas no laboratório civilizacional americano, projetavam-se novamente contra a Europa, ou antes, a favor da Europa. A lição vinha da América: *imigração, democracia* e *igualdade*. Mas a elas, finalmente, soma-se a última das finalidades, aquela em que uma mente como a de Joaquim Nabuco se compraz: a beleza artística.

Aí algo interessante ocorre, no tecido do discurso. Já não há mais, nesse ponto, concessão alguma. A "imaginação europeia" é tão forte que não é possível a Nabuco afastar os olhos da medusa da arte do velho continente. Estamos, é claro, diante de alguém para quem a aventura do desrecalque localista, que estaria no modernismo brasileiro e mesmo hispano-americano, não era ainda tangível.

Eis então Joaquim Nabuco olhando para trás, quando nossa sensibilidade contemporânea talvez esperasse, anacronicamente, que ele olhasse para a frente:

> You must not look for human progress in art. In art let us be retrogrades, of the times of Phidias, of Euainetos, of Vinci, of Beethoven. And as in art, so in poetry. Poetry will never more equal mythology. There is yet more poetry in the piece of land which the last earthquake of Messina has convulsed than in all the rest of the world, present or future.[31]

É curiosa a força de um pensamento que, quando se trata da estética, é inamovível, e é retrógrado, do ponto de vista cronológico. Talvez pudéssemos ouvir, na ideia de recusar-se a buscar o progresso na arte, ecos da máxima de número 93 do segundo livro dos *Pensées détachées et souvenirs*, aquela que reza: "Pour l'art moderne, ce qu'il montre a plus d'importance que ce qu'il ne montre pas, la surface que le fond".[32]

Na figuração dramática da paisagem imaginada por Nabuco em seu discurso de Madison, o "fundo", sendo o que realmente importa, são os pedaços rotos da beleza fulgurante que um terremoto quase varreu do mapa: uma "piece of land", um fragmento que restou e que leva a imaginação a recompor mirificamente o todo, numa espécie de maravilhamento de tons benjaminianos.[33]

Poderíamos também imaginar aí, no pensamento de Joaquim Nabuco, uma sorte de consciência fenomenológica naquilo que, justamente, está além da visão e do tato, essa espécie de essência, ou de noumeno, que se esconde das vistas, e onde no entanto se revelaria o verdadeiro ser, que, mais uma vez, aponta para uma Europa idealizada e irremediavelmente intangível. Mas, de fato, a questão não é simplesmente de ordem estética. A imaginação crítica nos permite franquear a discussão sobre o belo, para perceber que também aí haverá certo senso trágico, que em Nabuco se revestiria de um conteúdo plenamente escatológico em suas máximas, mas que um ouvido atento pode perceber também no discurso de Madison.

Vejamos.

UM DISCURSO CUIDADOSO, DIPLOMÁTICO, sobre a parte que cabe à América no processo civilizador, é uma fala necessariamente progressista, nos seus aspectos lógicos e cronológicos. Há uma projeção viril, uma voz que rasga o ar em busca desse final glorioso que não se sabe bem onde ou quando está, mas que virá, como sabem os profetas, e como querem crer os políticos. E no entanto, como poderíamos ler, nesse mesmo discurso progressista, aquela afirmação de fé no valor do passado, e a sombra da decadência da arte moderna?

Joaquim Nabuco, insisto, está imerso na sensibilidade ilustrada do século XIX, e a única reação possível à quimera do progresso humano não é, para um homem que não viverá as demandas do século XX, aquilo que a arte moderna viria a propor. Em suma, o que pretendo sugerir é que um tom melancólico, de luto incompleto pela perda da aura da verdadeira arte, atravessa o discurso progressista de Nabuco. Tal melancolia é inequívoca nas suas máximas, mas isto porque as máximas são afinal um gênero quebradiço que se pratica na solidão. Talvez, contudo, a ponta insuspeitada da melancolia apareça também no discurso de Madison, que seria então uma estranha solução de crença acachapante no progresso e um não-sei-quê de regresso, uma resistência delicada e surda que pressiona a imaginação para trás.[34]

Resta lembrar que esse conteúdo melancólico está condicionado ao amadurecimento, o que recentemente permitiu a um crítico iluminar a memorialística de Nabuco com referências que vão do indivíduo *blasé* de Simmel às teses aristotélicas sobre a melancolia, passando pelo "homem das multidões" de Poe. Lembrando, entretanto, que o autor de *Minha formação* timbraria por projetar a melancolia sobre o caráter errático da juventude, que a serenidade (ou a *fleugma*, seguindo ainda a intuição de Ricardo Benzaquen) da velhice viria a atenuar.[35]

Contudo, na breve consideração do belo e da suposta feiúra do moderno, no discurso de Madison, talvez se encontre não apenas o sinal de uma mentalidade refratária àquilo que faria a glória da arte no século XX (o fragmento, a provocação, a mundanidade, o prosaico), mas também, na consideração mesma da arte, encontrar-se-ia um chamado do passado, e a sensação um tanto inefável de que afinal não vale a pena correr para a frente.

Impossível resistir a citar novamente os diários, em busca daquilo que está silenciado no discurso público. Leia-se o que escreve Nabuco, todavia doente, no dia 19 de agosto de 1909, apenas dois meses depois que sua conferência fora lida pelo presidente da universidade em Wisconsin:

> Cheguei aos sessenta anos sem fôlego e exausto da longa ascensão da vida. Agora, para a descida, tenho que usar outros músculos, não mais os do impulso, mas os da resistência. Meu organismo ressente-se da mesma fraqueza que se eu jejuasse todo o tempo. Tanto minhas forças como o meu estado de espírito variam conforme as horas da comida. Sou literalmente uma máquina que só anda, e mal, quando a fornalha está acesa. Hoje, um pequeno exercício com o *masseur* (aqui chama-se *Physical Director*, como o barbeiro se chama *Tonsorial Artist*, não sei que artista é o coveiro), fatigou-me muito.[36]

A que máquina se refere Nabuco? Que esplêndida metáfora, quase alegoria, do progresso humano, aqui concebido a partir da consciência aguda do fim.

Mais uma vez convém lembrar a correspondência entre Nabuco e Machado. Refiro-me não apenas às cartas efetivamente trocadas, relativamente poucas e mornas, mas à correspondência de alma, aquela que diz respeito à secreta ausência de um sentido no progresso. Ausência de sentido que Machado de Assis levaria a seus limites, inclusive no âmbito mais cerrado da narrativa que se pensa a si mesma como uma quase impossibilidade, mas também uma ausência de sentido para a qual o renascimento místico, o compromisso religioso de Nabuco, funcionaria como contraveneno, enquanto em Machado não há nada senão o veneno absoluto, o afastamento, irônico e logo melancólico, em relação ao discurso arrogante do progresso.

Mas em algo, ou em algum ponto, ambos se encontram: aquele que se entregou à transcendência da religião, e aquele que não fez mais que sondá-la e recusá-la. Ao fim, parece que a sombra inescapável da morte ronda mesmo o autor progressista e crente, levando-o, no plano do diário íntimo ao menos, à consciência de uma falta inexprimível, umas "saudades de si mesmo", talvez.[37]

Se aqui mesclo Machado de Assis e Joaquim Nabuco é por imaginar que vale a pena compreender o compromisso cívico, que é muito mais claro no diplomata Nabuco que no escritor Machado, como um compromisso acompanhado de perto pela desconfiança discreta em relação ao progresso, ou ao menos pela desconfiança diante da arrogância do discurso do progresso, que mostrava a sua face mais violenta no avanço impiedoso da República brasileira.

Os historiadores das ideias sabem bem que o estudo da efervescência do pensamento liberal no Império empresta densidade à história política brasileira. Efervescência e densidade que em certo sentido tendem a atenuar-se com a vitória republicana, que é o avanço a todo custo da máquina civilizadora. Um avanço que, sabemo-lo bem, e sabemo-lo pela formulação genial de Euclides da Cunha, é a progressão continuada de uma máquina que perpetra o crime.[38]

Mas Nabuco não tem a genialidade barroca, nem os arroubos simbolistas de um Euclides. Nem tampouco a alma torturada do escritor e militar. A sua é uma prosa quase sempre mais ponderada, mais lisa, onde a exaltação é uma arma retórica usada com parcimônia.

Sigamos, porém. É impossível deixar de lembrar certa curiosidade de Joaquim Nabuco em relação, sim, à arte na América. O "*clean-cut*", essa espécie de correção a toda prova, poderia bem ser um estilo a seguir:

> But with regard to art, there is no doubt that there is a distinct American trait. While the English is solid and the French graceful, yours is clean-cut. There is an American perfection, as characteristic as the Japanese, which I believe is well defined by the word "clean-cut".[39]

E o discurso avança, agora de novo intrépido, em torno à questão do progresso técnico: na nova era, o balanço entre integração tecnológica e iniciativa individual (entre globalização e individuação, diríamos hoje) aponta para as grandes conquistas da educação, de que não se exclui, para Joaquim Nabuco, a impressionante inclusão feminina, e essa velocidade que marca o tempo da marcha civilizacional. É aí que o ouvido musical do diplomata capta o *prestissimo* americano, contra o velho *adagio* europeu.[40] Dois ritmos, duas marchas, que o levam ao fim do discurso, e que nos trazem mais perto de uma conclusão.

Mobilizando novamente o imaginário orgânico que lhe é caro, e deixando-se mais uma vez seduzir pela amada matriz europeia, diz Nabuco:

> Until now no European race has given in America exactly the same intellectual fruit as in its native soil, just as the French grapevines transplanted here will never give the same exquisite wines. [...] America could not carry out the same work as Europe. There is an intellectual geography as there is a botanical or a zoological geography. The intellectual qualities of each leading race are different, and it would diminish the power of effort in this country, were it ever to feel assured that it had surpassed Europe. There is inspiration in the hope, but the victory itself would be the beginning of retrocession. Mankind must remain greater than any of its parts in all that makes the glory of civilization, and the children should not surpass the fathers in their lifetime. For many centuries Europe and America will lead together.[41]

Deixemos de lado a tentação de brincar e de responder a Nabuco, soprando-lhe angustiadamente aos ouvidos que talvez não serão tantos os séculos que verão os Estados Unidos e a Europa liderarem, e que mesmo as uvas francesas dariam bom vinho na Califórnia. Deixemos Nabuco em seu tempo, carregando as angústias de seu próprio tempo.

Deixo ainda de lado, mas não sem referi-la de passagem, a menção à América Latina e em especial ao Brasil, a referência oblíqua a Rui Barbosa e a lembrança esperta de Santos-Dumont abrindo, ele sim, a era da navegação por ar.[42] Deixo ainda de lado a promessa do Brasil eternamente pacífico, um país tão idealizadamente cordial no cenário internacional. Cordialidade que apaga da memória o genocídio no Paraguai, e silencia toda a violência interna de que o próprio Nabuco é testemunha ocular e denunciador fundamental.[43]

COMO ÚLTIMO PASSO, penso que valha a pena refletir sobre a profunda ambiguidade do americanismo de Joaquim Nabuco. Ambiguidade que não é, aliás, resultado de titubeio ou falha individual, mas tão-somente consequência do mesmo paradoxo ao qual ele se vê atado, e que aponta para o fato de que a afirmação da América é ainda o aprofundamento daquelas raízes europeias que o diplomata jamais poria em causa. Afinal, se correta a ideia de que éramos filhos de Washington e de Colombo, como se lê em seu discurso à Conferência Pan-americana de 1907[44], não menos certo é que, da perspectiva de Nabuco, continuaríamos jogados entre a tarefa de superar o modelo europeu e a proibição, ou a impossibilidade, de fazê-lo.

Já se viu que Joaquim Nabuco tem claro que os filhos não devem sobrepujar os pais, e que a Europa segue sendo a Europa. Aí reside, parece-me, o paradoxo de Nabuco, que Sérgio Buarque de Holanda levaria ao paroxismo em *Raízes do Brasil* (1936), como bem o demonstrou João Cezar de Castro Rocha.[45] De fato, quanto mais se busca superar o modelo europeu, mais fundo vão as raízes que apontam para a Europa, que fazem recordar a Europa, como se a Europa seguisse perseguindo, fantasmática, os sonhos de uma finalidade americana, armando e rearmando o "círculo mágico" a que o discurso identitário nos condena.

Penso que aí estejam o limite e o alcance do discurso identitário em Nabuco. Um discurso comprometido com o fechamento do círculo da significação, e com a finalidade da marcha histórica. Mas, ao mesmo tempo, um discurso que se deixa momentaneamente atravessar pelo fio tênue da melancolia.

Um fio um tanto incômodo, discreto em todo caso, a lembrar-nos, aos leitores de Joaquim Nabuco, que a oratória invicta do ideal civilizador não logra esconder que o que há de mais valioso para os homens talvez não se guarde em seu futuro, mas, quem sabe, esteja ainda naquilo que se perdeu para sempre.

NOTAS

1 Ver Holanda, Sérgio Buarque de. *Do Império à República*. São Paulo: Difel, 1985. É sabido que o retrato do segundo reinado, notadamente em *Um Estadista do Império* (3 volumes, 1897–1899), deixa uma forte marca na imaginação daquele período. Embora a busca dos nexos históricos que levam à substituição do regime monárquico pelo republicano não obedeça, em Sérgio Buarque, aos mesmos princípios antirrevolucionários que dão ao retrato de Nabuco certo tom apologético, é importante lembrar sua presença em clássicos da historiografia sobre o Império, como *Do Império à República*, ou ainda *O Tempo Saquarema*, de Ilmar Mattos. Cf. Mattos, Ilmar Rohloff de. *O Tempo Saquarema: a formação do Estado imperial*. São Paulo: Hucitec, 1990. Num balanço do "pensamento histórico" no Brasil, realizado em 1951, Sérgio Buarque de Holanda já ressaltava a presença de Nabuco na historiografia brasileira, sugerindo que sua tônica biográfica contrapesara o determinismo geográfico ou antropológico de Capistrano de Abreu: "...não faltaram, neste meio século, os que fizeram recair o acento tônico sobre certas fases do nosso passado, encaradas através da atividade de um indivíduo. A obra exemplar no gênero – *Um estadista do Império*, de Joaquim Nabuco –, publicada em 1898, oferece-nos um opulento painel do Segundo Reinado, onde o calor e a devoção filial não chegam a perturbar a visão nítida do historiador." Holanda, Sérgio Buarque de. "O pensamento histórico no Brasil

nos últimos cinquenta anos" in Monteiro, Pedro Meira e João Kennedy Eugênio (orgs.). *Sérgio Buarque de Holanda: perspectivas*. Campinas, Rio de Janeiro: Editora da Unicamp, EdUERJ, 2008, 608–609. A propósito ainda da sombra que as interpretações de Nabuco projetam sobre a historiografia que abarca o período em questão, consulte-se o ensaio de Cecilia Helena L. de Salles Oliveira, que é também um interessante comentário do livro recente de Izabel Marson. Cf. Oliveira, Cecilia Helena L. de Salles. "Herdeiros e vítimas da 'conciliação': política e História em Joaquim Nabuco". *Estudos Avançados*, vol.23, nº 65, jan.-abr. 2009, 231–244. Sobre a leitura "conciliatória" de Nabuco, com sua recusa da experiência jacobina, cf. Marson, Izabel. *Política, história e método em Joaquim Nabuco: tessituras da revolução e da escravidão*. Uberlândia: EdUFU, 2008. Consulte-se também Salles, Ricardo. *Joaquim Nabuco: um pensador do Império*. Rio de Janeiro: Topbooks, 2002, especialmente 215–277.

2 Holanda, Sérgio Buarque de. "Em volta do círculo mágico" in *O espírito e a letra: estudos de crítica literária* (ed. Antonio Arnoni Prado). São Paulo: Companhia das Letras, 1996, vol.2, 189–194.

3 Idem, 190.

4 Idem, 190–191. No original: " 'We are the disinherited of Art!' he cried. 'We are condemned to be superficial! We are excluded from the magic circle. The soil of American perception is a poor little barren artificial deposit. Yes! we are wedded to imperfection. An American, to excel, has just ten times as much to learn as a European. We lack the deeper sense. We have neither taste, nor tact, nor power. How should we have them? Our crude and garish climate, our silent past, our deafening present, the constant pressure about us of unlovely circumstance, are as void of all that nourishes and prompts and inspires the artist, as my sad heart is void of bitterness in saying so! We poor aspirants must live in perpetual exile'." James, Henry. "The Madonna of the Future", in *Complete Stories 1864–1874*. Nova York: The Library of America, 1999, 733.

5 Refiro-me, é claro, à obra sinfônica de George Gershwin, *An American in Paris*, de 1928.

6 Eis a conhecida passagem: "Nós, brasileiros – o mesmo pode-se dizer dos outros povos americanos – pertencemos à América pelo sedimento

novo, flutuante, do nosso espírito, e à Europa, por suas camadas estratificadas. Desde que temos a menor cultura, começa o predomínio destas sobre aquele. A nossa imaginação não pode deixar de ser europeia, isto é, de ser *humana*; ela não para na Primeira Missa no Brasil, para continuar daí recompondo as tradições dos selvagens que guarneciam as nossas praias no momento da descoberta; segue pelas civilizações todas da humanidade, como a dos europeus com quem temos o mesmo fundo comum de língua, religião, arte, direito e poesia, os mesmos séculos de civilização acumulada, e, portanto, desde que haja um raio de cultura, a mesma imaginação histórica. [...] A instabilidade a que me refiro provém de que na América falta à paisagem, à vida, ao horizonte, à arquitetura, a tudo o que nos cerca, o fundo histórico, a perspectiva humana; e que na Europa nos falta a pátria, isto é, a forma em que cada um de nós foi vazado ao nascer. De um lado do mar sente-se a ausência do mundo; do outro, a ausência do país. O sentimento em nós é brasileiro, a imaginação europeia. As paisagens todas do Novo Mundo, a floresta amazônica ou os pampas argentinos, não valem para mim um trecho da Via Appia, uma volta da estrada de Salerno a Amalfi, um pedaço do cais do Sena à sombra do velho Louvre. No meio do luxo dos teatros, da moda, da política, somos sempre *squatters*, como se estivéssemos ainda derribando a mata virgem." Nabuco, Joaquim. *Minha formação*. Rio de Janeiro: Topbooks, 2004, 49.

7 É o que terá permitido a Evaldo Cabral de Mello formular o "dilema do mazombo", que Maria Alice Rezende de Carvalho justamente retoma em sua análise de *Minha formação*. Cf. Mello, Evaldo Cabral de. "Prefácio", in Nabuco, Joaquim. *Minha formação*, op.cit., 9–16. Cf. também Carvalho, Maria Alice Rezende de. "Joaquim Nabuco – *Minha formação*", in Mota, Lourenço Dantas. *Introdução ao Brasil: um banquete no trópico*, 2. São Paulo: Editora SENAC, 2001, 219–236.

8 Nabuco, Joaquim. "The Share of America in Civilization." *The American Historical Review*, vol.15, nº 1 (1909), 54–65. Citarei sempre o original em inglês, oferecendo a tradução nas notas.

9 João Ribeiro informa que, no tempo que passou em Londres, já como legatário republicano, Nabuco mergulhou na leitura dos viajantes, colecionando "as viagens de Wallace, o êmulo de Darwin, o pitoresco itinerário de Gardner pelo sertão de norte a sul, as narrativas de Saint-Hilaire, as de Pohl, de Wells, Koster e tantos outros que por aqui [no

Brasil] passaram e conviveram, no interior ou na orla marítima, com a nossa gente." Apud Andrade, José Olímpio de Souza. *Joaquim Nabuco e o Brasil na América.* São Paulo: Companhia Editora Nacional, MEC, 1978, 28. Ainda sobre a questão da leitura na juventude, consulte-se, é claro, *Minha formação*, op.cit., ou ainda os comentários de Alencastro sobre *Um estadista do Império.* Cf. Alencastro, Luiz Felipe de. "Joaquim Nabuco – *Um estadista do Império*" in Mota, Lourenço Dantas. *Introdução ao Brasil: um banquete no trópico.* São Paulo: Editora SENAC, 1999, 113–131. Sobre sua concepção "sentimental" da lírica, e a polêmica com Alencar na juventude, veja-se, em ácida chave crítica, Lima, Luiz Costa. "Nabuco: trauma e crítica" in *Intervenções.* São Paulo: Edusp, 2002, 341–357.

10 Nabuco, Joaquim. *Diários, 1873–1910* (org. Evaldo Cabral de Mello). Rio de Janeiro: Bem-Te-Vi, 2006.

11 Aranha, Graça (org.). *Machado de Assis & Joaquim Nabuco: correspondência.* Rio de Janeiro: Academia Brasileira de Letras, Topbooks, 2003. Sobre a relação entre Nabuco e Machado e sua expressão epistolar, consulte-se o texto de K. David Jackson, que deve em breve vir à luz na revista do Real Gabinete Português de Leitura do Rio de Janeiro. Agradeço ao autor a gentileza de ter-me enviado uma versão do texto todavia inédito. Cf. Jackson, Kenneth David. "Nabuco a Machado, Machado a Nabuco: ressonâncias de uma correspondência", manuscrito.

12 Nabuco, Joaquim. *Pensées détachées et souvenirs.* Paris: Libraire Hachette et Cie,1906.

13 Cf. *Diários*, op.cit., 700–701.

14 "The Share of America in Civilization", op.cit., 54.

15 Idem, 60. "Nada atuou mais sobre Jean-Jacques Rousseau do que a impressão do Novo Mundo. Os utopistas franceses do século XVIII pouco deveram à descoberta da Índia, da China e do Japão; mas a descoberta da América foi para eles motivo de inspiração como já vinha sendo para seus antecessores nos últimos três séculos. O grande espírito de Montaigne, por exemplo, disse, sobre os indígenas americanos no século XVI: 'Sinto que Licurgo e Platão não os tenham conhecido, pois parece-me que o que vimos por experiência nessas terras não só sobrepuja todos os quadros com que a Poesia ornou a Época de Ouro, e todas suas

invenções ao imaginar uma feliz espécie humana, mas a própria concepção e até o desejo da Filosofia... Quão distante desta perfeição pareceria a Platão sua República!' Todo o *Contrato Social* de Rousseau caberia nesse capítulo dos *Ensaios*, escritos dois séculos antes dele." Nabuco, Joaquim. *Camões e Assumptos Americanos: Seis Conferencias em Universidades Americanas*. Trad. Carolina Nabuco. São Paulo. Rio de Janeiro: Companhia Editora Nacional, Civilização Brasileira, 1940, 129–130. (Ortografia atualizada, PMM.)

16 "The Share of America in Civilization", op.cit., 56. (Ênfase minha, PMM.)

17 A propósito, leia-se Nabuco, Joaquim. *The Approach of the Two Americas. Convocation Address Delivered Before the University of Chicago, August 28, 1908*. S.l.

18 Assim na carta a Rio Branco, em que, ainda em Londres, Nabuco ia já vislumbrando o seu futuro como embaixador brasileiro em Washington: "Eu sou um forte monroísta, como lhe disse, e por isso grande partidário da aproximação entre o Brasil e os Estados Unidos. Se eu fosse ministro do Exterior e o Presidente consentisse, caminharia firme nesse sentido, e em vez de pensar em mim para suceder-lhe daqui a dois anos, deveria, talvez, você pensar em fazer-me colaborador seu naquela política (unindo as duas legações de Londres e Washington é o que deverá ser, porque é uma só política, sendo hoje a Inglaterra a mais norte-americana das nações...)". Ou ainda, que se pense no bilhete encaminhado à esposa quando, em 1904, finalmente recebera o convite para assumir a embaixada nos Estados Unidos: "Esta manhã um terremoto; o telegrama de Rio Branco oferecendo-me Washington. Vou pensar muito antes de responder; pensa e reza, certa de que nenhum dever pode ser recusado. Lá está talvez o futuro dos nossos filhos. Eu sempre desejei educá-los lá." Apud *Joaquim Nabuco e o Brasil na América*, op.cit., 30–31. Angela Alonso argumenta, entretanto, pela ambivalência, ou resistência de Nabuco em relação ao convite, e seu enfado na capital americana, compreendidos a partir de sua relação conflituosa com Rio Branco, e o desejo, de fato, de permanecer na Europa. Cf. Alonso, Angela. *Joaquim Nabuco: os salões e as ruas*. São Paulo: Companhia das Letras, 2007, 309–320. Já quanto à admiração de Nabuco pela Doutrina Monroe, ela aparecera já, inequívoca, num adendo ao seu estudo de 1895, sobre a guerra civil de 1891 no Chile: "No fundo o que é o Monroísmo? O Monroísmo parecia ser a promessa feita à América toda pela União Americana, de que a Europa não adquiriria mais um palmo de terra no Novo Mundo; depois, porém,

do fato do México, e agora recentemente do Brasil, quer-se entender o Monroísmo como uma garantia dada não só à independência, mas à forma republicana em todo o continente. Seria preciso desconhecer o caráter nacional do povo americano para se supor, por exemplo, que se o Brasil restaurasse a sua Monarquia os Estados Unidos impugnariam essa volta às nossas antigas instituições." Nabuco, Joaquim. *Balmaceda* (ed. José Almino de Alencar). São Paulo: Cosac Naify, 2008, 221.

19 "The Share of America in Civilization", op.cit., 56. "O presidente Eliot, ao resumir seu discurso, chama a essa contribuição, *guardar a paz*. Expressa assim, não duvido que tenha sido um dos vossos mais poderosos auxílios, porque a pressão em favor da paz, exercida sobre a Europa pela América, é hoje a maior no mundo para impedir a guerra. A América, graças à Doutrina Monroe, é o continente da Paz e esse colossal bloco pacifista, que afeta profundamente outras regiões da terra – todo o Pacífico, pode-se dizer – forma o Hemisfério Neutro a equilibrar o outro hemisfério, que poderíamos chamar de beligerante." *Camões e assumptos americanos*, op.cit., 123.

20 Para uma visão nuançada do pan-americanismo e do monroísmo de Joaquim Nabuco, suas raízes e sua reação à obra de Eduardo Prado (*A ilusão americana*, de 1893), ver Dennison, Stephanie. *Joaquim Nabuco: Monarchism, Panamericanism and Nation-building in the Brazilian Belle Époque*. Oxford, Nova York: Peter Lang, 2006.

21 "The Share of America in Civilization", op.cit., 56–57. "Estais realizando agora uma obra [o Canal de Panamá] que, como empreendimento de um só país, seria obstada pelas demais potências navais, se não existisse, além do seu prestígio, a confiança no vosso feitio neutro. Vosso sentimento pacifista será posto à prova quando, no correr do vosso surto prodigioso, encontrardes o primeiro obstáculo sério ao vosso engrandecimento nacional. A questão a resolver-se é se não proclamareis então uma guerra santa nacional. Por enquanto não se pode dizer que a Paz seja para vós artigo de fé de caráter permanente, como, por exemplo, a democracia ou a tolerância religiosa." *Camões e assumptos americanos*, op.cit., 123–124.

22 Parafraseio aqui Alfredo Bosi, para quem a condição colonial erguera uma barreira contra a "universalização do humano". Cf. Bosi, Alfredo. "Colônia, culto e cultura", in *Dialética da colonização*. São Paulo: Companhia das Letras, 1992, 11–63.

23 "The Share of America in Civilization", op.cit., 58. "Nesta constante alteração da vossa composição étnica está o segredo da vossa individualidade [...]" *Camões e assumptos americanos*, op.cit., 125. Sobre essa idealizada "constante alteração" étnica, vale a pena lembrar as linhas de continuidade entre Joaquim Nabuco e Gilberto Freyre. Se por um lado a ideia de uma mistura benéfica de raças não chegaria, em Joaquim Nabuco, à idealização da mestiçagem (que se pense, a propósito, no entusiasmo de Nabuco com a imigração europeia e seu horror em relação aos chins, nos quadros do acendrado debate sobre a substituição da mão de obra escrava no Brasil do século XIX), por outro lado Freyre projeta em Nabuco, retrospectivamente, uma figura híbrida, um herói "desertor de sua casta", numa bela página que bem poderia figurar em *Casa-grande & senzala*, ou em *Sobrados e mucambos*: "Formou-o pelo leite de escrava que amamentou o menino branco de Massangana, pelos braços de escravos que primeiro o carregaram, pelos risos de escravos que lhe afugentaram os primeiros choros e tédios de criança, pelas mãos de escravos que lhe levavam à boca as primeiras comidas, talvez pelos beijos de escrava que primeiro lhe deram sugestões de outro amor de mulher além do de mãe, e, ainda, pelo gesto daquele escravo adolescente, fugido de outro engenho, que, uma tarde, surgiu diante de Nabuco menino, sentado no patamar da casa-grande de Massangana, para abraçar-se a seus pés, suplicando ao sinhozinho que pelo amor de Deus o fizesse comprar pela madrinha, senhora de engenho". Freyre, Gilberto. *Joaquim Nabuco.* Rio de Janeiro: José Olympio, 1948, 11.

24 "The Share of America in Civilization", op.cit., 58.

25 Nabuco, Joaquim. *Cartas aos abolicionistas ingleses* (ed. José Thomaz Nabuco). Recife: FUNDAJ, Massangana, 1985, 46. Sobre as cartas, leia-se ainda Bethell, Leslie, e José Murilo de Carvalho. "Joaquim Nabuco e os abolicionistas britânicos. Correspondência, 1880–1905." *Estudos Avançados*, vol.23, nº 65, jan.-abr. 2009, 207–229.

26 Nabuco, Joaquim. *O Abolicionismo.* Petrópolis: Vozes, 1988, 36. Num capítulo sobre as "Influências sociais e políticas da escravidão", o diagnóstico sobre a secessão é contundente: "A liberdade americana, tomada a União como um todo, data, verdadeiramente, da proclamação de Lincoln que declarou livres os milhões de escravos do Sul. Longe de serem países livres, os Estados ao sul do Potomac eram sociedades organizadas sobre a violação de todos os direitos da humanidade.

Os estadistas americanos, como Henry Clay e Calhoun, que transigiram ou se identificaram com a escravidão, não calcularam a força do antagonismo que devia, mais tarde, revelar-se tão formidável. O que aconteceu – a rebelião na qual o Sul foi salvo pelo braço do Norte do suicídio que ia cometer, separando-se da União para formar uma potência escravagista, e o modo pelo qual ela foi esmagada – prova que nos Estados Unidos a escravidão não afetara a constituição social toda, como entre nós; mas deixara a parte superior do organismo intata, e forte ainda bastante para curvar a parte até então dirigente à sua vontade, apesar de toda a sua cumplicidade com essa." É esta passagem, justamente, que arma a força do argumento orgânico que aparece logo em seguida, voltado para o caso brasileiro: "Entre nós, não há linha alguma divisória. Não há uma seção do país que seja diversa da outra. O contato foi sinônimo de contágio. A circulação geral, desde as grandes artérias até aos vasos capilares, serve de canal às mesmas impurezas. O corpo todo – sangue, elementos constitutivos, respiração, forças e atividade, músculos e nervos, inteligência e vontade, não só o caráter, senão o temperamento, e mais do que tudo a energia – acha-se afetado pela mesma causa." Idem, 124-125.

27 *Diários*, op.cit., 702.

28 Cf. Tocqueville, Alexis de. *De la Démocratie en Amérique*. Douzième Édition. Paris: Pagnerre, Éditeur, 1848. 4 vols.

29 "The Share of America in Civilization", op.cit., 61.

30 Ver Nabuco, Joaquim. *Um estadista do Império*. Rio de Janeiro: Topbooks, 1997, 2 vols. Consulte-se também Araújo, Valdei Lopes de. "Política como história, como literatura: *Um estadista do Império*" in Rocha, João Cezar de Castro. *Nenhum Brasil existe: pequena enciclopédia*. Rio de Janeiro: Topbooks, UniverCidade, 2003, 303-312. Quanto a um horizonte agrário utópico em Joaquim Nabuco, há que pensar na dimensão social de uma reforma agrária, que se esboçara já n'*O Abolicionismo*, na crítica da grande propriedade escravista e na análise da crise da lavoura – análise que não chegava a ceder, porém, ao argumento de uma emancipação pela pequena propriedade, segundo um debate corrente no século XIX. A grande propriedade é ainda, em diversos momentos, o télos de Nabuco, conquanto o papel do Estado fosse sempre, desde a sua perspectiva, "facilitar à agricultura a transição do regímen romano dos ergástulos ao regímen moderno do

salário e do contrato livre. [...] Nós não estamos combatendo a lavoura contra o seu próprio interesse: não só a influência política dos nossos agricultores há de aumentar quando se abaterem essas muralhas de preconceitos e suspeitas, que lhes cercam as fazendas e os engenhos, senão também a sua segurança individual será maior, e os seus recursos crescerão *pari passu* com o bem-estar, a dignidade, o valor individual da população circunvizinha. O trabalho livre, dissipando os últimos vestígios da escravidão, abrirá o nosso país à imigração europeia; será o anúncio de uma transformação viril, e far-nos-á entrar no caminho do crescimento orgânico e portanto homogêneo. O antagonismo latente das raças – a que a escravidão é uma provocação constante, e que ela não deixa morrer, por mais que isso lhe convenha – desaparecerá de todo. Tudo isso servirá para reconstruir, sobre bases sólidas, o ascendente social da grande propriedade, para abrir-lhe altas e patrióticas ambições, para animá-la do espírito de liberdade, que nunca fez a desgraça de nenhum povo e de nenhuma classe. Volte a nossa lavoura resolutamente as costas à Escravidão, como fez com o Tráfico, e dentro de vinte anos de trabalho livre os proprietários territoriais brasileiros formarão uma classe a todos os respeitos mais rica, mais útil, mais poderosa, e mais elevada na comunhão do que hoje". *O Abolicionismo*, op.cit., 159–160. Entretanto, a defesa de uma grande propriedade sadia não o impediria, em alguns momentos, de defender a divisão fundiária, como no caso em que, consultor em Londres das Central Sugar Factories, sugeria, em 1882, que a sua ação em Pernambuco deveria "ser o parcelamento da terra, a divisão da atual plantation, e o fomento de uma nova classe de plantadores ou pequenos proprietários". Cf. Alonso, Angela. *Joaquim Nabuco*, op.cit., 148.

31 "The Share of America in Civilization", op.cit., 61. "Em Arte não se pode procurar progresso humano. Em Arte sejamos retrógrados, das épocas de Fídias, de Evainetos, de Vinci, de Beethoven. E como em Arte, também em Poesia. Nunca mais a Poesia igualará a Mitologia. Há mais poesia na faixa de terra que o terremoto de Messina acaba de convulsionar do que em todo o resto do mundo, hoje e amanhã." *Camões e assumptos americanos*, op.cit., 131.

32 Nabuco, Joaquim. *Pensées détachées et souvenirs*, op.cit., 129. Na tradução de Carolina Nabuco: "Nos tempos de hoje, em arte, o que aparece tem mais importância do que o que não aparece; a superfície vale mais do que o fundo". Nabuco, Joaquim. *Pensamentos soltos, Camões e Assuntos americanos*. São Paulo: Instituto Progresso Editorial, 1949, 175.

33 Nabuco é em certo sentido um colecionador das maravilhas que o Velho Mundo ia deixando para trás, à medida que se desfazia. Ao menos é a imagem que me vem à mente, inspirada no delírio poético de Walter Benjamin, quando, desencaixotando e organizando seus livros, após mais uma mudança, sugere ser possível que as cidades apenas se "revelem" verdadeiramente ao sujeito quando este parte em busca de livros perdidos em seus sebos, num momento – mirífico – em que cada lojinha se constitui em "fortaleza", ou ainda na "posição-chave" que guarda segredos que só ao colecionador é dado encontrar, ou buscar. A frase cortante de Benjamin, após a evocação daquela coruja de Minerva que hegelianamente alça voo ao cair da tarde, é a seguinte: "apenas na extinção o colecionador é compreendido". Cf. Benjamin, Walter. "Unpacking my Library", in *Illuminations* (ed. Hannah Arendt). Nova York: Schocken Books, 1988, 59–67.

34 Em sua tentativa de buscar os sinais de amadurecimento de Joaquim Nabuco, em quem aos poucos o "dândi" da juventude iria se apagando, Angela Alonso lembra que sua "missão abolicionista" pela Europa, que ela supõe ter sido parcialmente financiada por André Rebouças, se iniciou por Portugal, onde, em 1881, Nabuco encontrara aceso o debate em torno da colonização lusitana – debate em que se opunham a visão progressista de Teófilo Braga e a teorização de uma degenerescência em Oliveira Martins. Significativamente, as teses da decadência portuguesa finalmente transmitida ao Brasil teriam encontrado na imaginação do Nabuco que então se formava solo especialmente fértil: "seu lado melancólico, sua vivência infantil do mundo colonial em desagregação, a formação cortesã, sua recente experiência política [não se reelegera deputado nas últimas eleições], tudo em si contribuía para dar mais eco às ideias de Oliveira Martins que às de Teófilo Braga. De modo que a viagem teve efeitos além dos planejados. Fora buscar respaldo político, saiu com a mala cheia de ideias". Alonso, Angela. *Joaquim Nabuco*, op.cit., 124.

35 Cf. Araújo, Ricardo Benzaquen. "Através do espelho: subjetividade em *Minha formação*, de Joaquim Nabuco." *Revista Brasileira de Ciências Sociais*, vol.19, n.56, out. 2004, 5–13.

36 *Diários*, op.cit., 703.

37 Refiro-me aqui à intraduzível e enigmática expressão com que Machado de Assis encerra seu último romance, *O memorial de Aires*, de 1908: "consolava-os a saudade de si mesmos".

38 Cf. Cunha, Euclides da. *Os Sertões (Campanha de Canudos)* (org. Leopoldo M. Bernucci). São Paulo: Ateliê Editorial, Imprensa Oficial do Estado, Arquivo do Estado, 2001. A respeito da desconfiança generalizada sobre as premissas progressistas do avanço republicano, José Luiz Passos traçou recentemente um panorama breve e preciso: "Dois anos antes do romance de Machado [*Esaú e Jacó*], não foi *Os Sertões* que nos revelou a crônica de um observador que julgava certo o passo firme da modernidade brasileira? E não foi ele quem, após Canudos, cedeu ao embaraço de duvidar do moderno, da patente, da sua própria missão de bastião das luzes republicanas? E se olharmos para trás, para a geração anterior, não vemos também em Joaquim Nabuco o sentido do olhar rebaixado pelo embaraço da saudade do mundo de antes? Nabuco relembra seu engenho Massangana com a mesma candura do olhar que Aires aponta para o Rio do Segundo Reinado. O conselheiro fez com que seu narrador mirasse a História com certa desconfiança, como repetição e farsa, causando no leitor uma sensação sutil demais: o enfado que esses homens parecem sentir com a chegada do moderno. É essa mirada lamentosa e resignada que faz coro com *Os Sertões* de Euclides da Cunha e *Minha formação* de Joaquim Nabuco, ambos da mesma época da redação de Aires; um coro de desencanto ante o que parece ser a ruína prematura de um futuro que mal acabara de começar. Essas obras são contemporâneas das várias manifestações de nostalgia e interesse pelo passado recente do Império." Passos, José Luiz. *Machado de Assis: o romance com pessoas*. São Paulo: Edusp, Nankin, 2007, 241–242.

39 "The Share of America in Civilization", op.cit., 62. "No que diz respeito à Arte, não resta dúvida todavia que existe um traço americano. Como o traço inglês é a solidez e o francês é a graça, o americano é a nitidez, o que chamais *clean-cut*. Há uma perfeição americana, tão característica quanto a japonesa e que me parece bem definida por aquela expressão." *Camões e assumptos americanos*, op.cit., 132.

40 "The Share of America in Civilization", op.cit., 63.

41 Idem, 64. "Até agora, na América, nenhuma raça europeia frutificou intelectualmente de modo idêntico ao de sua produção na pátria-mãe. Também as videiras francesas não poderão dar, transplantadas, o mesmo vinho delicioso... A América não poderia continuar a mesma obra europeia. Existe uma geografia intelectual, como existe a geografia botânica ou zoológica. As qualidades intelectuais de cada uma das raças são diversas, e, se tivésseis a segurança de ter excedido a Europa,

diminuiria neste país o poder de esforço. Almejá-lo é motivo para inspirar-vos, mas a certeza da vitória seria o princípio do retrocesso. A humanidade necessita conservar-se maior do que qualquer de suas partes, em tudo que é glória para a civilização; os filhos não devem superar os pais em sua vida. Por muitos séculos a Europa e a América conduzirão o mundo, unidas." *Camões e Assumptos americanos*, op.cit., 135–136.

42 "The Share of America in Civilization", op.cit., 64–65.

43 Em viagem pelo Paraná e Prata em 1889, Nabuco discursara no Senado paraguaio: "Ofereceram-me para levar de Humaitá, como lembrança um dos projetis da guerra: quisera que pudessem ser levados do solo paraguaio todas as balas que nele caíram, mas já que isso não pode ser, desejo que sobre esse chão no qual elas penetraram, cresça uma tal seara material e moral que seja impossível encontrar o menor vestígio dos dissentimentos passados." Apud *Joaquim Nabuco e o Brasil na América*, op.cit., 8. A respeito da visão de Joaquim Nabuco sobre a Guerra do Paraguai, a reconstituição de suas origens em *Um Estadista do Império*, a apologia da missão Saraiva e a demonização de Solano López, em quem, para Nabuco, "o instinto do índio a miúdo fazia explosão", consulte-se Costa, Milton Carlos. *Joaquim Nabuco entre a política e a história*. São Paulo: Annablume, 2003, especialmente 122–195.

44 *Address delivered by Mr. Joaquim Nabuco, ambassador from Brazil, before the Liberal Club of Buffalo, on February 20, 1907; lessons and prophecies of the third Pan-American Conference*. S.l.

45 Rocha, João Cezar de Castro. *O exílio do homem cordial*. Rio de Janeiro: Editora Museu da República, 2004, especialmente 105–195.

BIBLIOGRAFIA

ALENCASTRO, Luiz Felipe de. "Joaquim Nabuco – *Um Estadista do Império*", in Mota, Lourenço Dantas (org.). *Introdução ao Brasil: um banquete no trópico.* São Paulo: Editora SENAC, 1999, 113–131.

ALONSO, Angela. *Joaquim Nabuco: os salões e as ruas.* São Paulo: Companhia das Letras, 2007.

ANDRADE, José Olímpio de Souza. *Joaquim Nabuco e o Brasil na América.* São Paulo: Companhia Editora Nacional, MEC, 1978.

ARANHA, Graça (org.). *Machado de Assis & Joaquim Nabuco: correspondência.* Rio de Janeiro: Academia Brasileira de Letras, Topbooks, 2003.

ARAÚJO, Ricardo Benzaquen. "Através do espelho: subjetividade em *Minha formação*, de Joaquim Nabuco." *Revista Brasileira de Ciências Sociais*, vol.19, nº 56, out. 2004, 5–13.

ARAÚJO, Valdei Lopes de. "Política como história, como literatura: *Um estadista do Império*", in Rocha, João Cezar de Castro (org.). *Nenhum Brasil existe: pequena enciclopédia.* Rio de Janeiro: Topbooks, UniverCidade, 2003, 303–312.

BENJAMIN, Walter. "Unpacking my Library", in *Illuminations* (ed. Hannah Arendt). Nova York: Schocken Books, 1988, 59–67.

BETHELL, Leslie, e José Murilo de Carvalho. "Joaquim Nabuco e os abolicionistas britânicos. Correspondência, 1880–1905." *Estudos Avançados*, vol.23, nº 65, jan.-abr. 2009, 207–229.

BOSI, Alfredo. "Colônia, culto e cultura", in *Dialética da colonização.* São Paulo: Companhia das Letras, 1992, 11–63.

CARVALHO, Maria Alice Rezende de. "Joaquim Nabuco – *Minha formação*", in Mota, Lourenço Dantas (org.). *Introdução ao Brasil: um banquete no trópico*, vol.2. São Paulo: Editora SENAC, 2001, 219–236.

COSTA, Milton Carlos. *Joaquim Nabuco entre a política e a história.* São Paulo: Annablume, 2003.

CUNHA, Euclides da. *Os Sertões (Campanha de Canudos).* Leopoldo M. Bernucci (org.). São Paulo: Ateliê Editorial, Imprensa Oficial do Estado, Arquivo do Estado, 2001.

DENNISON, Stephanie. *Joaquim Nabuco: Monarchism, Panamericanism and Nation-building in the Brazilian Belle Époque.* Oxford, Nova York: Peter Lang, 2006.

FREYRE, Gilberto. *Joaquim Nabuco.* Rio de Janeiro: José Olympio, 1948.

HOLANDA, Sérgio Buarque de. "Em volta do círculo mágico", in *O espírito e a letra: estudos de crítica literária.* Antonio Arnoni Prado (org.). São Paulo: Companhia das Letras, 1996, vol.2, 189–194.

_____. *Do Império à República.* São Paulo: Difel, 1985.

_____. "O pensamento histórico no Brasil nos últimos cinquenta anos", in Monteiro, Pedro Meira e João Kennedy Eugênio (orgs.). *Sérgio Buarque de Holanda: perspectivas*. Campinas, Rio de Janeiro: Editora da Unicamp, EdUERJ, 2008, 601–615.

JACKSON, Kenneth David. "Nabuco a Machado, Machado a Nabuco: ressonâncias de uma correspondência", manuscrito.

JAMES, Henry. "The Madonna of the Future", in *Complete Stories 1864–1874*. Nova York: The Library of America, 1999.

LIMA, Luiz Costa. "Nabuco: trauma e crítica", in *Intervenções*. São Paulo: Edusp, 2002, 341–357.

MACHADO DE ASSIS, Joaquim Maria. *Memorial de Aires*, in *Obra completa* (ed. Afrânio Coutinho). Rio de Janeiro: Nova Aguilar, 1992, vol.1.

MARSON, Izabel. *Política, história e método em Joaquim Nabuco: tessituras da revolução e da escravidão*. Uberlândia: EDUFU, 2008.

MATTOS, Ilmar Rohloff de. *O Tempo Saquarema: a formação do Estado imperial*. São Paulo: Hucitec, 1990.

MELLO, Evaldo Cabral de. "Prefácio", in Nabuco, Joaquim. *Minha formação*. Rio de Janeiro: Topbooks, 2004, 9–16.

NABUCO, Joaquim. *O Abolicionismo* (1883). Petrópolis: Vozes, 1988.

_____. *Address delivered by Mr. Joaquim Nabuco, ambassador from Brazil, before the Liberal Club of Buffalo, on February 20, 1907; lessons and prophecies of the Third Pan-American Conference*. S.l.

_____. *The Approach of the Two Americas. Convocation Address Delivered Before the University of Chicago, August 28, 1908*. S.l.

_____. *Balmaceda*. José Almino de Alencar (org). São Paulo: Cosac Naify, 2008.

_____. *Camões e assumptos americanos: Seis conferencias em universidades americanas*. Trad. Carolina Nabuco. São Paulo, Rio de Janeiro: Companhia Editora Nacional, Civilização Brasileira, 1940.

_____. *Cartas aos abolicionistas ingleses*. José Thomaz Nabuco (org). Recife: FUNDAJ, Massangana, 1985.

_____. *Diários, 1873–1910*. Evaldo Cabral de Mello (org.). Rio de Janeiro: Bem-Te-Vi, 2006.

_____. *Um estadista do Império (1897–1899)*. Rio de Janeiro: Topbooks, 1997. 2 vols.

_____. *Minha formação (1900)*. Rio de Janeiro: Topbooks, 2004.

_____. *Pensamentos soltos, Camões e assuntos americanos*. São Paulo: Instituto Progresso Editorial, 1949.

_____. *Pensées détachées et souvenirs*. Paris: Libraire Hachette et Cie.,1906.

_____. "The Share of America in Civilization." *The American Historical Review*, vol.15, nº 1 (1909), 54–65.

OLIVEIRA, Cecilia Helena L. de Salles. "Herdeiros e vítimas da 'conciliação': política e História em Joaquim Nabuco". *Estudos Avançados*, vol. 23, nº 65, jan.-abr. 2009, 231–244.

PASSOS, José Luiz. *Machado de Assis: o romance com pessoas*. São Paulo: Edusp, Nankin, 2007.

ROCHA, João Cezar de Castro. *O exílio do homem cordial: ensaios e revisões*. Rio de Janeiro: Editora Museu da República, 2004.

SALLES, Ricardo. *Joaquim Nabuco: um pensador do Império*. Rio de Janeiro: Topbooks, 2002.

TOCQUEVILLE, Alexis de. *De la Démocratie en Amérique*. Douzième Édition. Paris: Pagnerre, Éditeur, 1848. 4 vols.

A UTILIDADE DA AMÉRICA ALÉM DO TABACO: NABUCO E MADISON

João Almino

O TÍTULO DESTE TRABALHO alude ao que Joaquim Nabuco diz por perto do final da conferência que escreveu há cem anos, mas por problemas de saúde não pôde apresentar em pessoa na Universidade de Wisconsin em Madison: "Não pretendi mencionar todas as contribuições deste país à civilização... Quis dar-lhes apenas algumas poucas impressões da utilidade da América além do tabaco".[1] O espirituoso comentário refere-se a um episódio narrado no início da conferência: "Certa vez, indo da Europa para o Brasil, ouvi à mesa um escritor inglês, grande viajante pelo Oriente, o falecido William Gifford Palgrave, perguntar ao capitão do navio qual seria a seu ver o benefício advindo da descoberta da América. Ele mesmo não conseguia ver nenhum, a não ser o tabaco".[2]

No texto que tencionava ler em Madison, Nabuco responde a uma pergunta que havia mais de 30 anos ele se colocava: qual a contribuição da América para a civilização? Em *Minha formação*, publicado em 1900, Nabuco incluiu alguns capítulos sobre sua experiência americana de 1876 a 1877, quando viveu entre Washington e Nova York como adido da legação brasileira. No último parágrafo do capítulo XVII, intitulado "Influência dos Estados Unidos", lemos:

> ... até hoje ainda nenhum galho americano de tronco europeu mostrou poder dar a mesma flor de civilização que a da velha estirpe. É possível que a civilização americana venha um dia a ser mais grandiosa do que qualquer que o mundo conheceu, mas eu consideraria perigoso, por enquanto, renunciar a Europa nos Estados Unidos a tarefa de levar a cabo a obra da humanidade. Reduzida esta aos atuais elementos americanos, muita nobre inspiração talvez nunca mais se pudesse renovar e o gênio da raça humana não viesse nunca a reflorir. (...) A ideia tem na América do Norte muito menor papel na vida do que nos outros países, onde tudo está escrito e convertido em regra, e dos quais se pode dizer, invertendo a célebre frase, que nada lhes cai sob os sentidos que não tenha estado primeiro na inteligência. Os americanos, em grande escala, estão inventando a vida, como se nada existisse feito até hoje. Tudo isto sugere grandes inovações futuras, mas não existe ainda o menor sinal de que a elaboração do destino humano ou a revelação superior feita ao homem tenha um dia que passar para os Estados Unidos. A sua missão na história é ainda a mais absoluta incógnita. Se ele desaparecesse de repente, não se pode dizer o que é que a humanidade perderia de essencial, que raio se apagaria do espírito humano; não é ainda como se tivesse desaparecido a França, a Alemanha, a Inglaterra, a Itália, a Espanha.[3]

Nove anos depois, em Wisconsin, ele tenta aclarar suas dúvidas. Diz que "já não é cedo demais para estudar a participação da América na civilização"... e acrescenta: "As nações chegam, a certa altura, ao seu pleno crescimento como individualidades; vocês parecem ter chegado a isso".[4] Embora o tema da contribuição da América à civilização só seja explicitamente desenvolvido na conferência de Wisconsin, dez meses antes, em Chicago, ele havia iniciado sua fala elogiando algumas dessas contribuições. Refere-se à própria Chicago como "uma cidade que... é a maravilha do mundo e a mais avançada de todas as grandes estações experimentais de americanização...” “Aqui estamos”, diz Nabuco, “a uma das portas do mundo, pela qual entramos em novas concepções sociais, em novos modos de ser; em uma das fontes da civilização moderna”. E ele já adianta um dos temas que irá explorar nove meses mais tarde, ao escrever sua conferência de Wisconsin: “Em Chicago, mais do que em qualquer outra parte, pode-se seguir o breve processo pelo qual qualquer planta estrangeira torna-se capaz de dar, em uma ou duas temporadas de aclimatação, frutos genuinamente americanos”.[5]

Para quem leu *The Jungle*, de Upton Sinclair, publicado apenas dois anos antes, em 1906, e seguiu as aventuras de Jurgis Rudkus, um jovem imigrante da Lituânia, pela área de embalagem de carnes de uma Chicago em aflição social, a visão do processo da imigração americana por Nabuco pode parecer muito otimista e até mesmo ingênua. E é claro que ele não previu a segunda grande onda de imigração, vinda da Ásia e especialmente da América Latina, que enseja o atual debate do assunto.

I : IMIGRAÇÃO, A PRIMEIRA E MAIS IMPORTANTE CONTRIBUIÇÃO

Da perspectiva de sua própria época, e em comparação com a experiência então vivida em outras partes, Nabuco estava certo, porém, em ressaltar, como fez em Chicago e Madison, a grande capacidade de atrair e assimilar imigrantes que os Estados Unidos tinham. Num momento em que muitos americanos são possuídos por dúvidas sobre a possível contribuição dos imigrantes para a prosperidade nacional, e em que o ex-presidente fracassou em obter o necessário apoio do Congresso para aprovar uma lei de imigração, as palavras de Nabuco oferecem-nos uma perspectiva sobre o sucesso dos Estados Unidos como país de imigração.

Na conferência de Wisconsin, ele considera a imigração “a maior força da civilização moderna” e “a maior de todas as contribuições da América à civilização".[6] A experiência americana da imigração, para Nabuco, é única. Somente o Império Romano, próximo à sua dissolução, viveu experiência semelhante, mas com uma diferença fundamental. Diz ele: "Todas as outras nações são, ou foram, compostas de uma raça ou de raças separadas, falando cada qual sua língua; já vocês são uma nação formada pela fusão de raças de diferentes línguas, trazidas, por razões superiores, a falar somente a língua hereditária do país... Aqui está toda a diferença: vocês foram formados pela imigração livre, não por conquistas". Segundo ele, a América criou um novo direito: o direito de cada um escolher seu próprio país. "Pela primeira vez na história", diz, "a imigração deu a homens e mulheres de todas as nacionalidades uma chance de transplantação, de tentar a vida em circunstâncias mais favoráveis..." Nabuco vê a América como a Nova Europa. Mas, enquanto a Europa mantinha suas barreiras nacionais, na América "todas essas mesmas raças europeias se misturam".[7] Ele dá mais ênfase à síntese nacional americana do que à natureza multicultural da sociedade americana.

Está certo quando assinala que a América é "uma nação cuja fórmula étnica varia a cada geração",[8] mas ainda não fala dos hispânicos nem dos asiáticos. Poder-se-ia argumentar que Nabuco, eurocentrista como era, quer acentuar a boa influência da imigração europeia. Ao ser eleito para o Parlamento, como representante da província de Pernambuco, em 1878, tinha criticado uma missão do governo brasileiro à China, que visava estimular a imigração chinesa, chamando-a de tentativa de "mongolizar o país". Mas devemos reconhecer que os números justificam plenamente sua ênfase na imigração europeia para os Estados Unidos. Se em 1990 os residentes nos Estados Unidos nascidos na Ásia ultrapassavam os nascidos na Europa, enquanto os nascidos na América Latina – quase 8,5 milhões de pessoas – eram o dobro dos europeus, em 1910 havia quase 12 milhões de procedentes da Europa, quando apenas 1,6% desse número, ou seja, 190 mil, vinha da Ásia e 2,3%, ou seja, 280 mil, da América Latina.[9]

Do autor de *O Abolicionismo*, um político engajado em acabar com a escravidão no Brasil durante as últimas décadas do século

XIX, seria de esperar, no entanto, que ele não esquecesse a contribuição étnica da África para os Estados Unidos. Com efeito, ele reconhece que, "antes do espírito americano iniciar a imigração, a maior das migrações humanas foi o tráfico de escravos". Mas prossegue dizendo que "o que matou o tráfico de escravos e a escravidão foi a imigração" e que "a imigração, não a escravidão, representa a genuína seiva americana".[10]

A imigração foi também o tema central da conferência de Nabuco em 1908 na Universidade de Chicago. Nesse texto a experiência americana com a imigração é vista como um exemplo a ser seguido pelo resto do continente. Nabuco considera um traço comum ao destino das Américas que "todas elas fossem países de imigração". Para ele, os países latino-americanos deveriam aprender com os Estados Unidos como assimilar os imigrantes, que sem demora se tornam cidadãos patriotas, característica que, como hoje nós podemos dizer, ainda continua presente nos Estados Unidos. Isso é possível, segundo Nabuco, por causa do espírito político da América, que combina liberdade individual com igualdade. A esse respeito, ele põe a experiência americana em contraste não só com a da América Latina, mas também com a da Europa: "Não ouvimos falar de estrangeiros que adotem a nacionalidade dos livres países europeus para os quais emigram", diz.[11]

Ainda hoje, de fato, a assimilação de imigrantes, apesar de tantos e tão conhecidos problemas, parece ser muito mais profunda nos Estados Unidos do que na Europa. Os Estados Unidos também não têm paralelos em seu poder de atrair imigrantes. E Nabuco está certo quando aponta para a explicação do sucesso: o imigrante europeu, diz ele, "ascende socialmente na América" e "é isto que o faz querer ser americano". Os Estados Unidos exercem atração sobre os imigrantes, Nabuco explica, em consequência também de seu progresso e do "lugar que o país fez para si no mundo".[12]

Em ambas as conferências, ele poderia ter feito uma comparação entre os Estados Unidos e o Brasil, igualmente um país de imigrantes, onde sua assimilação foi talvez ainda mais profunda. Em muitos aspectos a experiência brasileira se mostrou semelhante à dos Estados Unidos: a assimilação à nacionalidade brasileira de imigrantes vindos de Portugal, Espanha, Alemanha, Itália, Líbano, Síria, Japão, Polônia ou Ucrânia, entre outros países, patenteia-se porque eles se consideram brasileiros após a primeira geração e nem sequer se identificam como nipo-brasileiros, ítalo-brasileiros ou árabe-brasileiros, à diferença da experiência dos Estados Unidos, onde a nacionalidade de origem é comumente acrescentada à identidade descrita. De modo geral, os imigrantes têm se beneficiado também, como nos Estados Unidos, da mobilidade social. Talvez Nabuco ainda não tivesse ciência da amplitude do fenômeno no Brasil ou achasse que a diferença em proporção não justificava uma comparação. Exatamente em 1908 teve início a grande imigração japonesa no Brasil, e por volta desse ano chegaram os mais expressivos números de imigrantes vindos de várias partes do mundo. Se 850 mil imigrantes tinham entrado no Brasil nos dois decênios prévios (de 1884 a 1893 e de 1894 a 1903), entre 1904 e 1913 esse número aumentou para um milhão, vindo os maiores grupos, por ordem de importância, de Portugal, Espanha, Itália, Síria, Turquia, Alemanha e Japão.[13] Mas a magnitude da experiência americana era muito mais expressiva. Em 1910, havia nos Estados Unidos uma população de 13,5 milhões de pessoas nascidas fora do país.[14]

II : OUTRAS CONTRIBUIÇÕES DA AMÉRICA À CIVILIZAÇÃO

São os seguintes os pontos, todos eles abordados em Madison, que no entender de Nabuco sintetizam as demais contribuições da América à civilização: a) a manutenção da paz; b) a democracia; c) a igualdade; d) o sistema de educação; e) o caráter do povo. Digamos algumas palavras sobre cada um. Nabuco não usa "manutenção da paz" no sentido que será mais tarde adotado pelas Nações Unidas. Diz que "... a pressão pela paz, da América sobre a Europa, é a maior pressão que ora pesa no mundo para refrear a guerra". E nesse contexto ele reitera, ao contrário do que tanto se escreveu na América Latina, sua avaliação positiva da Doutrina Monroe. "A América, graças à Doutrina Monroe", afirma Nabuco, "é o Continente da Paz, e essa unidade colossal de paz... forma um hemisfério neutro e equilibra o outro, que poderíamos chamar de hemisfério beligerante". Há uma contribuição também pelo exemplo, já que o comportamento da América pode interessar a outras regiões da Terra – "a todo o Pacífico, se poderia dizer".[15]

Ele duvida que esse sentimento de paz, no entanto, venha a ser um traço permanente da América, pois o país terá de o pôr à prova quando "o engrandecimento nacional for de encontro ao primeiro obstáculo grave".[16]

Segundo ele – e eis a parte do pensamento utópico que desenvolve nessas duas conferências –, uma paz duradoura dependerá do progresso da civilização e "provavelmente do da ciência", que terá "êxito em substituir a guerra pela lei internacional, ou em desvincular a guerra da lei internacional".[17]

O pan-americanismo, tema discutido na conferência em Chicago, é apresentado na conferência em Madison como outro instrumento de paz e como instrumento da contribuição da América à civilização mundial. Diz ele: "... nada faria mais do que o pan-americanismo para fixar na mente desta grande nação o objetivo da paz".[18] A imigração, de igual modo, também é considerada um instrumento de paz.

Na época, Nabuco via os Estados Unidos como um forte agente da paz. Em 1905, tinha enviado um telegrama ao presidente Roosevelt, reproduzido em "Washington Life", no qual o congratulava pelo término da guerra russo-japonesa, dizendo:

> Peço a V. Ex. aceitar a expressão do nosso contentamento e do nosso comum orgulho americano pela nobre página que acaba de escrever na história da civilização. O mundo inteiro a lê, sem dúvida, como o prefácio de uma nova era de paz. O

> uso que V. Ex. fez do prestígio ileso de seu país à terminação da guerra do Oriente será recebido como uma garantia que fará em outra ocasião não se hesitar em recorrer novamente a essa incalculável fonte de força para impedir em todo o mundo que os feudos nacionais se transformem em guerra, quando, no interesse da humanidade, a sincera e amistosa admoestação deste grande país o puder impedir. Deste modo criou V. Ex. para a presidência americana uma função que lhe trará na hegemonia moral do mundo o único comando que ela pode aceitar. Imagino quão grato se sente V. Ex. pela inspiração que lhe permitiu conferir-lhe este poder, de todos o mais poderoso e o mais nobre, o momento mais oportuno da história do seu país".[19]

Outra importante contribuição americana à civilização, segundo Nabuco, é a democracia, que para ele é "um produto inglês na América", mas "distintamente americano". Embora tenha conhecimento, é claro, das formas antigas de democracia e das características democráticas da monarquia parlamentar, Nabuco valoriza de modo ímpar a democracia americana, que considera "autenticamente nova, um novo projeto" e, sob certos aspectos, uma criação original. A democracia americana pode ter derivado da filosofia europeia do século XVIII, mas essa filosofia, diz ele, levando o argumento um pouco longe demais, "em grande parte procedeu do Novo Mundo". Nesse contexto, lembra-nos o fato de que Rousseau e antes dele Montaigne foram influenciados por impressões do Novo Mundo. Além disso, associa a experiência democrática à forma republicana de governo, dizendo: "O espírito da liberdade..., ao crescer numa terra sem nenhuma tradição monárquica, tomou a forma de democracia, ou república". Era pelo exemplo que a democracia americana exercia influência sobre o continente e a Europa, e por causa dessa boa influência é que Nabuco pondera que ela deve ser incluída entre as contribuições americanas à civilização, dizendo:

> ... pode-se reivindicá-la para a América como contribuição à civilização, não porque o regime republicano possa ser tido por uma forma mais alta de civilização do que o regime monárquico parlamentar, mas sim porque, por sua concorrência e pela lição silenciosa da imigração, ele tem exercido a mais benéfica influência sobre a evolução liberal do regime monárquico na Europa... Vocês podem dizer que, com a sua democracia, transformaram não só o sistema monárquico da Europa, mas também seus métodos coloniais de governo.[20]

Numa época em que ainda não havia previdência social na Europa ocidental, nem, na oriental, a experiência prática do socialismo, Nabuco incluiria entre as contribuições americanas à civilização "a igualdade de condições sociais entre todas as classes da nação", um traço, lembra-nos ele, que "causou forte impressão em Alexis de Tocqueville" e que explica por que a América "se tornou o país de adoção, a terra eleita de homens de todas as raças..." Nesse contexto, é interessante sua previsão da finalidade da evolução humana, um conceito *avant la lettre* do fim da história, formulado porém à diferença da ainda recente abordagem neoliberal. Diz ele: "... a igualdade não fez apenas o sucesso desta nação; fixou por toda parte o tipo final de sociedade humana. Como a imigração, como a democracia, a igualdade é final, e a finalidade é em tudo a maior contribuição possível para o progresso".[21]

Outra contribuição da América à civilização, segundo Nabuco, é seu sistema educacional, um ponto que ele já ressaltara, vários anos antes, em *Minha formação*.[22] Na conferência de Madison, diz que "a educação americana parece a única que não é convencional", que "se baseia não apenas em livros, mas também nos vislumbres e necessidades de seu próprio tempo" e que ensina "autoconfiança a homens *e a mulheres*". Nabuco expressa grande admiração pelo lugar conquistado pelas mulheres na sociedade americana. "O que veio de vocês, em oposição à tendência geral moderna, é o respeito que têm pela mulher, o lugar que fizeram para ela no seio da humanidade..."

E considera de um modo positivo certo ascetismo que a seu ver provavelmente não passa de uma sobrevivência do puritanismo inglês: "no tocante à pureza de pensamento em relação à mulher, a atual liderança do mundo, de fato, pertence à América".[23]

Uma contribuição adicional da América à civilização tem a ver com o caráter de seu povo, cujo retrato Nabuco tomou de empréstimo ao político, diplomata e historiador inglês James Bryce, a quem ele considera, junto com Tocqueville, um dos dois clássicos do século XIX sobre a democracia americana. Bryce publicou seu livro clássico, *The American Commonwealth*, em Londres, em três volumes, em 1888, e tornou-se amigo de Nabuco em Washington, onde foi designado embaixador britânico nos Estados Unidos em 1907. Para Bryce, citado por Nabuco, os americanos são um povo bonachão, cordial, bem-humorado, esperançoso, educado, de boa moralidade e conduta; seu nível médio de temperança, castidade, veracidade e probidade em geral é um pouco superior ao de qualquer grande nação da Europa; são um povo religioso; capaz de um idealismo que ultrapassa o de ingleses e franceses; um povo inquieto, no qual ninguém se sente enraizado na terra, no entanto simpático e associativo; e também um povo conservador.[24]

III : EUROPA E AMÉRICA: CENTROS DE CIVILIZAÇÃO

Quando fala de civilização, não há dúvida de que Nabuco se refere à civilização ocidental, como se houvesse apenas uma. Está implícito que a América é parte integrante do Ocidente, ao qual também a integração da América Latina é muito positivamente vista por ele, como se evidencia em sua preleção na Universidade de Chicago.

No entanto, todas essas contribuições da América à civilização não são credenciais suficientes para colocá-la no verdadeiro centro do palco. Numa passagem de *Minha formação*, Nabuco diz que existe apenas um espírito humano, o qual é "terrivelmente centrista" e "no século atual..." está "localizado do outro lado do Atlântico". Ele admite, contudo, que essa situação possa mudar no futuro, quando afirma: "Não quero dizer que haja duas humanidades, a alta e a baixa, e que nós sejamos desta última; talvez a humanidade se renove um dia pelos seus galhos americanos..."[25] A ideia não era nova. Hegel, por exemplo, havia dito em sua *Filosofia da História*, publicada originalmente em 1837: "A América é a terra do futuro, onde, nas eras que temos pela frente, o peso da história do mundo há de se revelar, talvez numa disputa entre a América do Norte e a do Sul. É uma terra de desejos para todos aqueles que estão cansados do quarto de entulho histórico da velha Europa". Para ele, porém, a Europa ainda era "o cenário da história do mundo".[26]

Embora Nabuco entrevisse a possibilidade de o centro de civilização mudar um dia para a América, em 1909 esse dia ainda não tinha chegado. Nas artes e ciências, a seu ver, os Estados Unidos não lideravam ainda a humanidade. "Não há sinal" diz ele, "de que a hegemonia intelectual esteja passando da Europa à América".[27] Há um certo naturalismo intelectual no pensamento de Nabuco quando ele diz que "há uma geografia intelectual, assim como há uma geografia botânica ou a zoológica".[28] Ademais, observando uma nova tendência na economia americana para as fusões ou centralização, ele diz que "por enquanto ninguém pode dizer se a nova política econômica americana é ou não é uma das grandes contribuições deste país à civilização". A Europa é vista como o pai, e a América como a criança que deve se comportar como tal: "Em tudo o que faz a glória da civilização, a humanidade deve permanecer maior do que qualquer de suas partes, e as crianças não devem ultrapassar seus pais em seu tempo de vida". Mesmo assim ele admite que a América – entendendo-se os Estados Unidos – já era parceira numa espécie de civilização bipolar. "Por muitos séculos", conclui, "a Europa e a América hão de liderar juntas".[29]

A América Latina pouco aparece como tal na conferência de Nabuco em Madison. Ele explica que "ainda é um tanto cedo para falar da parte destinada na história à América Latina. Ainda não recebemos ordem para entrar em cena; são longuíssimas as peças de

Deus; seus atos são eras". Não obstante, reconhece algumas poucas contribuições da América Latina à civilização, relacionadas à índole de seu povo, bem como certas contribuições às leis internacionais, à paz e à diplomacia. "Mas até agora", diz ele,

> realizamos contra grandes dificuldades uma considerável obra de civilização, e creio eu que em parte alguma mais se poderia escolher melhores tipos de homem e mulher do que em meio de nossas diferentes nações... Muitos ideais do mundo são, pelo menos em parte, sustentados por nossa crença, sem que isso jamais seja notado, devido ao nosso isolamento, mas já mais de uma vez houve surpresa no mundo, quando homens da América Latina tomaram a dianteira, como no último Concílio do Vaticano ou na Segunda Conferência de Haia, ou quando Santos-Dumont, voando em torno de Paris, abriu a era da navegação aérea. Muitas vezes nos apropriamos do progresso da civilização de tal modo que aqueles com os quais ele se originou julgam-no por demais consumado para eles mesmos. Nenhuma constituição, por exemplo, a não ser a do Brasil, dispõe que a guerra só será autorizada pelo Congresso Nacional caso a arbitragem seja impossível [Constituição de 24 de fevereiro de 1891, artigo 34, parágrafo 11] e nenhuma contém um artigo como o seu artigo 88: 'Em nenhum caso os Estados Unidos do Brasil entrarão numa guerra de conquista, seja direta ou indiretamente, seja só ou aliado a outra potência...' A abolição da guerra por endividamento, de igual modo, será nas leis internacionais uma láurea a coroar o nome da República Argentina,[30]

o que é uma referência à doutrina anunciada pelo secretário do Exterior argentino, Luis Maria Drago, em 1902.

Para Nabuco, são os Estados Unidos, todavia, que moldam o que ele então chama de "civilização americana". No caso do Brasil, poderia ter mencionado, a esse respeito, a grande influência americana sobre a primeira constituição republicana do Brasil e a assim chamada "aliança não formalizada" entre o Brasil e os Estados Unidos, analisada, entre outros, por Bradford Burns.[31] O pensamento de Nabuco se enquadra numa tradição de abertura, universalismo e cosmopolitismo do pensamento e cultura brasileiros, à qual podem ser ligadas outras relevantes figuras literárias, como o escritor Machado de Assis, um de seus melhores amigos. Embora vista com desconfiança, às vezes, pelas perspectivas mais nacionalistas, esta tradição não tem sido indiferente às expressões culturais locais. Contudo, valoriza a cor local, o que poderíamos chamar de brasilidade, não como uma pré-condição ou ponto de partida, e sim como um resultado. O Brasil, por conseguinte, deveria estar pronto, como outros países, a receber as contribuições da América à civilização como valores capazes de lançar os fundamentos de seu próprio progresso.

Mas não nos convém pensar, como pensou Nabuco, que os princípios universais e a obra de civilização requeiram um centro, seja a Europa ou os Estados Unidos. Os latino-americanos não se veem nem deveriam ver-se como meros espectadores de um teatro do mundo, nem apenas como vítimas de uma opressiva ordem mundial, como foi moda pensar durante décadas, após a morte de Nabuco. Podem eles mesmos prover-se dos ingredientes de sua identidade e evitar, entretanto, as formas românticas e conservadoras de nacionalismo. Doze anos após a morte de Nabuco, o modernismo brasileiro começou a propor-nos o arcabouço para um cosmopolitismo culturalmente pluralista, que se baseava em raízes locais, mas sem temer influências estrangeiras, pois a antropofagia, como ideologia, implicava a capacidade de digerir e transformar o outro.

O assim chamado Ocidente é difícil de definir. É um resultado dinâmico, transcultural, de migrações, colonizações, conquistas e outros movimentos da história, onde uma cultura energizou a outra. Já se disse que alguns princípios, como os de liberdade e tolerância, são parte integrante de seu legado. Não obstante, podemos encontrar exemplos de repressão, de desrespeito aos direitos humanos e de intolerância em todos os continentes e culturas. No mesmo país e na mesma cultura, ao longo da história, encontraremos uma evolução nas práticas políticas e vários graus de coerção, ou de liberdade, mesmo em regimes políticos diferentes. É um erro estender a toda a história, generalizando, a bela foto que se tira em dado momento, como é um erro justificar a injustiça ou o autoritarismo com base na tradição cultural.

A civilização é uma criação permanente, por meio de um diálogo de culturas e de inovação transcultural. É um resultado, não um começo. Não é um dado conjunto de princípios para ser imposto, mas uma troca e um processo de aprendizagem. Se devemos, como disse Nabuco, tolerar a diversidade na raça humana, os valores universais que perseguimos nas Américas podem desenvolver-se em qualquer dos nossos países e convém que sejam democraticamente negociados. Ambas as Américas já deixaram um legado que vai muito além do tabaco e por certo têm ainda contribuições importantes a dar à civilização, uma civilização global criada e partilhada pela humanidade.

NOTAS

1 Nabuco, Joaquim. "The Share of America in Civilization", Baccalaureate address, University of Wisconsin at Madison, June 20, 1909. In *The American Historical Review*, vol. 15, nº 1 (1909), 63.

2 Ibid., 54.

3 Nabuco, Joaquim. *Minha formação*. Rio de Janeiro: Topbooks, 1999; 14ª ed.: 2004, 141–142.

4 Nabuco, Joaquim. "The Share of America in Civilization", op. cit., 55.

5 Nabuco, Joaquim. "The Approach of the Two Americas", Convocation adress, University of Chicago, August 28, 1908; published by the American Branch Association for International Conciliation. Nova York, set. 1908, nº 10, 3.

6 Nabuco, Joaquim. "The Share of America in Civilization", op. cit., 59 e 57.

7 Ibid., 57, 58 e 59.

8 Ibid., 57.

9 *U.S. Census Bureau, Population Division*. Washington, D.C., 2001. Authors: Campbell Gibson e Emily Lennon, 2001.

10 Nabuco, Joaquim. "The Share of America in Civilization", op. cit., 59.

11 Nabuco, Joaquim. "The Approach of the Two Americas", op. cit., 6.

12 Ibid., 7.

13 *Brasil, 500 anos de povoamento*. Rio de Janeiro: IBGE, 2000. Apêndice: Estatísticas de 500 anos de povoamento, 226.

14 *US Census Bureau, Population Division*. op.cit.

15 Nabuco, Joaquim. "The Share of America in Civilization", op. cit., 56.

16 Ibid., 56.

17 Ibid., 57.

18 Ibid.,57.

19 Nabuco, Joaquim. *O Dever dos Monarquistas*, Carta ao Almirante Jaceguay. Rio de Janeiro: Leuzinger, 1895, 9 e 10.

20 Ibid., 59 e 60.

21 Ibid., 60 e 61.

22 Em *Minha formação*, op. cit., 141, ele escreveu: "A educação americana parece a única que não é convencional, que não é uma pura galvanização de estados de espírito de outras épocas, de ideais clássicos e literários, que homens que vivem entre livros insinuam aos que não têm tempo para ler".

23 Nabuco, Joaquim. "The Share of America in Civilization", op. cit., 63.

24 Ibid., 63 e 64.

25 Nabuco, Joaquim. op. cit., 50.

26 Hegel, G.W.F. *Philosophy of History*. Translated by J. Sibree, Nova York: American Home Library Company, 1902, 142 e 143. A tradução desta citação para o português é de Leonardo Fróes.

27 Nabuco, Joaquim. "The Share of America in Civilization", op. cit., 64.

28 Ibid., 64.

29 Ibid., 62.

30 Ibid., 65.

31 Burns, E. Bradford, *The Unwritten Alliance: Rio Branco and Brazilian-American Relations*. Nova York: Columbia University Press, 1966.

BIBLIOGRAFIA

ARANHA, Graça. *Machado de Assis e Joaquim Nabuco*, 2ª ed., Rio de Janeiro: F. Briguiet & Cia., 1942.

ARINOS Fº, Afonso. Conferência na Academia Brasileira de Letras, 23 de março de 2004.

Brasil: 500 anos de povoamento. Rio de Janeiro: IBGE, 2000. Apêndice: estatísticas de 500 anos de povoamento, 226.

BURNS, E. Bradford. *The Unwritten Alliance: Rio Branco and Brazilian-American Relations*, Nova York: Columbia University Press, 1966.

HEGEL, G.W.F. *Philosophy of History*. Translated by J. Sibree, M.A., Nova York: American Home Library Company, 1902.

NABUCO, Joaquim. *O Dever dos Monarquistas*, Carta ao Almirante Jaceguay. Rio de Janeiro: Leuzinger, 1895.

_____. *Minha formação* (1900). Prefácio de Evaldo Cabral de Mello. Rio de Janeiro: Topbooks, 1999.

_____. "The Place of Camoens in Literature": Address delivered before the students of the Yale University, on the 14th May, 1908.

_____. "The Spirit of Nationality in the History of Brazil": Address delivered before the Spanish Club of Yale University, on the 15th May, 1908, 12.

_____. "The Approach of the Two Americas": Convocation address before the University of Chicago, August 28, 1908, published by the American Branch Association for International Conciliation, Nova York, set. 1908, nº 10, 3.

_____. "Camoens: The Lyric Poet": Address at Vassar College on April 21, 1909.

_____. "*The Lusiads* as the Epic of Love": Address at Cornell University on April 23, 1909.

_____. "The Share of America in Civilization", Baccalaureate address, University of Wisconsin at Madison, June 20, 1909. In *The American Historical Review*, vol. 15, nº 1 (1909), 63.

U.S. Census Bureau, Population Division. Washington, D.C. 2001. Authors: Campbell Gibson and Emily Lennon.

O BRASIL E OS ESTADOS UNIDOS ANTES E DEPOIS DE NABUCO: UMA AVALIAÇÃO DE DESEMPENHO RELATIVO NO PLANO DO DESENVOLVIMENTO SOCIAL

Paulo Roberto de Almeida

I : A PARTICIPAÇÃO DE DOIS GRANDES PAÍSES NO MUNDO MODERNO

O objetivo principal deste ensaio é oferecer uma visão comparada do desempenho relativo, em termos de realizações materiais e intelectuais, da sociedade e da economia dos Estados Unidos, por um lado, e do Brasil, por outro, no espaço dos últimos cem anos. O ponto de partida é dado pela releitura da avaliação geral feita pelo embaixador Joaquim Nabuco sobre a contribuição dos Estados Unidos – uma designação que ele não usa em seu ensaio original, adotando o termo "América", usado pelos americanos – à civilização mundial, na sua aula inaugural preparada para a cerimônia de formatura da turma de 1909 na Universidade de Wisconsin em Madison.

Em sua *Madison lecture*, cujo título exato é "The Share of America in Civilization",[1] Nabuco apresentou o que ele entendia serem as mais importantes contribuições dos Estados Unidos à civilização moderna, que listou assim: imigração, democracia, igualdade de condições sociais para todas as classes da nação, iniciativa individual, competição e, finalmente, educação, ou melhor, o sistema americano de educação, baseado na autonomia do indivíduo, ou *self-reliance*. Ele notou, também, o papel da ciência e da inovação no desenvolvimento da civilização contemporânea; mas considerou que, naquele momento, os Estados Unidos não estavam totalmente preparados para desafiar as realizações europeias nesses terrenos.

No que se refere ao Brasil e à América Latina, ele comentou, *en passant*, que os países ibéricos ainda não estavam preparados para desempenhar um grande papel na disseminação da civilização: "É ainda muito cedo para falar da parte reservada à América Latina na história. Ainda não nos foi dada a ordem para entrar no palco; as peças de Deus são muito longas; seus atos são eras inteiras."[2] Ele reconhecia as dificuldades que esses países enfrentavam; referiu-se a algumas de suas contribuições, como a participação na Segunda Conferência de Paz da Haia e o voo de Santos-Dumont, e elogiou a postura pacifista da Constituição brasileira de 1891, única no mundo a recusar a guerra de conquista.

Este ensaio examinará o ponto de partida dos Estados Unidos e do Brasil, no momento da independência, seguirá seus respectivos processos de desenvolvimento econômico ao longo do século XIX – testemunhado por Nabuco – e estenderá essa avaliação para os cem anos seguintes ao seu discurso. Obviamente, taxas de crescimento do PIB e indicadores nacionais de renda per capita representam abordagens parciais, incompletas e insuficientes aos caminhos divergentes de modernização seguidos pelos Estados Unidos e pelo Brasil durante o "longo século XX", isto é, aquele que se estende da última década do século anterior até nossa própria época. Provavelmente, mais importante do que as realizações materiais foram: a construção institucional, ou seja, a qualidade da democracia; a natureza meritocrática do sistema educacional, que premia o desempenho individual e a competição saudável; e aquele traço de caráter e de organização institucional especificamente anglo-saxão, que sequer possui um equivalente hispânico, chamado *accountability* (prestação de contas, ou "responsabilização" no desempenho de qualquer cargo público).

A primeira característica, relacionada com a organização democrática da sociedade, também possui um significado diferente nos Estados Unidos do que o que é normalmente entendido num mundo latino-americano: quando os brasileiros, ou os latino-americanos, se referem à democracia, estão pensando num regime político, uma forma de arranjo institucional, cobrindo apenas aquilo que Marx chamava de superestrutura, isto é, o Estado. A visão americana, ou, na realidade, a sua prática, não meramente um simples conceito, refere-se, obviamente, a um modo de vida, à própria organização da sociedade, a partir da base, não apenas um arranjo com vistas à representação política nos estratos superiores da sociedade.

Não obstante suas capacitações econômicas e tecnológicas divergentes, tanto o Brasil como os Estados Unidos ofereceram algumas contribuições à civilização moderna, diferentes em sua natureza e no impacto global. O poder bruto dos Estados Unidos, tanto quanto o seu *soft power*, produziu e "entregou" ao mundo, durante o decorrer do século XX, alguns elementos materiais e outros contingentes que foram – e continuam sendo, até os nossos dias – bem mais "gentis e amigáveis" do que os que poderiam ter sido oferecidos, digamos, respectivamente, por ditadores como Mussolini, Hitler, Stalin, Mao, a claque militarista do Japão no período entre as guerras ou por seus imitadores em países menos dominantes ou não expansionistas. O mundo é um lugar melhor, atualmente, graças às grandes contribuições americanas à nossa civilização global, como Nabuco reconheceu um século atrás, e não apenas pela imigração, democracia, igualdade e inovação, que constituem ainda o caráter distintivo das contribuições americanas para o mundo. O "militarismo" americano e a defesa acirrada da soberania nacional também constituem partes desse legado positivo ao mundo moderno, enquanto garantidores da paz e estabilidade, por um lado, e requisito institucional para a preservação da autonomia no interminável debate entre o multilateralismo ingênuo e a autodeterminação nacional, por outro.

No que se refere ao Brasil, ademais da proclamada – e provavelmente exagerada – reivindicação da alegada paternidade de uma nova sociedade multirracial, existem algumas evidências quanto ao caráter pacífico, o comprometimento com o direito internacional para a solução política das disputas entre Estados, a natureza aberta e tolerante de sua sociedade e o seu papel moderador na América do Sul. Adicionalmente ao fato de ter abastecido o mundo com uma abundância de produtos de "sobremesa" desde os descobrimentos – açúcar, café, cacau e semelhantes, sem esquecer o aprovisionamento atual de grandes quantidades de grãos, carnes, minerais, fibras e suco de laranja –, o Brasil encontra-se no limiar de se tornar um ator estratégico na transição gradual de uma "sociedade de carbono" para um produtor confiável de energia renovável e sustentável, sob a forma de etanol de cana de açúcar e de biocombustíveis.

Nabuco provavelmente teria ficado orgulhoso ao constatar as realizações do Brasil desde sua estada como primeiro embaixador brasileiro nos Estados Unidos; mas certamente teria também ficado surpreso pelo fato de que os Estados Unidos – sendo uma grande sociedade multinacional, mas talvez ainda não uma multirracial, como o Brasil pretende ser – conseguiram eleger antes um cidadão negro como seu presidente. Coincidentemente, os EUA também dão início, após tantos anos de "ação afirmativa", a uma agenda pós-racial em políticas públicas, quando o Brasil inicia, infelizmente, a construção de um miniapartheid, com suas leis de 'igualdade racial' que ameaçam dividir o país em linhas de cor. A sociedade brasileira ainda precisa oferecer um outro tipo de contribuição para a civilização moderna...

II : O QUE DISTINGUE OS ESTADOS UNIDOS COMO PAÍS: UMA BREVE REVISÃO

Nabuco começou sua aula inaugural referindo-se à obra pré-revolucionária do abade Louis Genty: *L'influence de la découverte de l'Amérique sur le bonheur du genre humain* (publicada originalmente em 1788), cuja questão do título foi julgada suficientemente importante para ser proposta como ponto central de um prêmio atribuído pela Academia de Lyon. Nabuco confronta essa questão com a opinião de um escritor inglês, encontrado durante uma travessia do Atlântico, que considerava que a única contribuição da América para o mundo tinha sido o tabaco e nada além disso. Certamente devem existir outras contribuições valiosas dos Estados Unidos, começando pelo milho, o peru e, obviamente, estas invenções supremas da modernidade americana, como a Coca-Cola e o hambúrguer (mas este poderia ter sido inventado pelos europeus continentais, já fabricantes do bolo de carne). Poderíamos acrescentar, em nossos dias, o iPod e o iPhone, pelo menos para os viciados em computadores Mac. Se desejarmos parafrasear o abade Genty, poderíamos classificar essas invenções como as mais valiosas *contributions de l'Amérique pour le bonheur du genre humain*.

Nabuco também se refere, no começo de sua aula, ao "president Eliot", que era o grande educador americano Charles William Eliot, eleito presidente da Universidade de Harvard em 1869 e um sólido promotor de elevados requerimentos nos exames de entrada para as escolas superiores dos Estados Unidos, que eram, então, em comparação com as universidades europeias, apenas um conjunto de instituições de ensino de segunda ou de terceira classe. A campanha liderada por Eliot com o seu colega da Universidade Johns Hopkins levou, ao final, a importantes reformas na educação secundária dos Estados Unidos, assim como a muitas outras melhorias no sistema educacional do país. Mais do que a qualidade da pesquisa tecnológica ou as muitas conquistas do *establishment* científico – refletidos nos produtos que adquirimos atualmente ou nos prêmios Nobel conquistados por americanos ou por estrangeiros trabalhando nos laboratórios americanos – é a alta qualidade da educação superior nos Estados Unidos que distingue esse país entre todos os outros do mundo civilizado (apenas para empregar um conceito bastante apreciado nos tempos de Nabuco).

No momento em que Nabuco preparava a sua aula, Eliot tinha acabado de deixar a presidência de Harvard (em novembro de 1908, efetivamente desligado no começo de 1909), e dava início a novas iniciativas em relação ao sistema americano de educação. Um de seus muitos livros, ao qual Nabuco se referiu em sua identificação de contribuições dos Estados Unidos para o mundo, era *American Contributions to Civilization, and Other Essays and Addresses.*[3] As "cinco contribuições americanas para a civilização" (uma conferência que Eliot pronunciou em agosto de 1896, em Chautauqua), criticamente examinadas por Nabuco em sua aula inaugural, eram, respectivamente:

> 1) a substituição da guerra por discussões e a arbitragem como meio de solucionar disputas entre as nações;
> 2) a mais ampla tolerância religiosa;
> 3) o sufrágio universal masculino;
> 4) a demonstração da adequação de uma grande variedade de raças para a liberdade política;
> 5) a disseminação do bem-estar material entre a população.

Nabuco parecia aprovar essas contribuições dos Estados Unidos, como a "manutenção da paz" e o sufrágio universal masculino, numa conjuntura – tempos do primeiro Roosevelt – em que a expansão imperial, de fato colonial, dos Estados Unidos na região e alhures, assim como a confirmação do apartheid legal nas escolas públicas pela Suprema Corte, estava totalmente em contradição com essa visão positiva, talvez ingênua, acerca dos Estados Unidos. Outro intelectual brasileiro, que tinha vivido brevemente nos Estados Unidos um pouco mais cedo, Manuel de Oliveira Lima, mantinha uma visão mais cética sobre esse grande país. Em seu livro *Nos EstadosUnidos: Impressões Políticas e Sociais*,[4] Oliveira Lima analisa, de maneira bem mais realista, as aventuras imperiais da nova Roma, e abre seu livro pela mais importante questão de toda a história da sociedade americana: o assim chamado "problema Negro". Oliveira

Lima não poupa palavras ao comentar a terrível situação da população negra americana e não tem pruridos ao mencionar os muitos linchamentos nos estados do Sul, um problema que não poderia ser ignorado por um fervoroso promotor da causa abolicionista e da educação do povo negro no Brasil, como Joaquim Nabuco. Adicionalmente, havia muitas diferenças entre os dois diplomatas no que se referia ao pan-americanismo e o imperialismo americano, provavelmente duas das questões mais divisivas que separaram os velhos amigos ao final da vida de Nabuco.

Em qualquer hipótese, ambos avaliavam positivamente e apreciavam altamente a qualidade da educação americana, à qual eles atribuíam a inventividade genial da civilização americana. Na verdade, Nabuco acreditava que os europeus eram mais capacitados cientificamente e, de toda forma, mais inventivos do que os americanos; mas reconhecia que estes eram suficientemente industriosos e capazes de grandes empreendimentos na criação de riquezas materiais e espirituais. Inegavelmente, as maiores realizações e conquistas da "civilização americana", já ao tempo de Nabuco, devem ser atribuídas à capacidade de aprendizado e às dotações técnicas do povo americano, tanto os primeiros colonizadores ingleses quanto os imigrantes integrados ao novo país. No sentido inverso, população e instituições não conseguiram tornar o Brasil mais próspero do que ele era no começo do século XX. Aqui se situam as enormes diferenças entre os dois países, como será brevemente examinado na próxima seção.

III : O QUE DISTINGUE OS ESTADOS UNIDOS DO BRASIL: UMA VISÃO COMPARATIVA

O primeiro e mais importante fator a ser levado em consideração em qualquer tipo de comparação entre os dois maiores países do hemisfério ocidental é, obviamente, a diferença entre a riqueza material de cada um deles, ou, como os economistas chamariam, os valores respectivos da produção agregada, em bases comparáveis. Trata-se do Produto Nacional Bruto, isto é, o volume total de valor agregado no processo produtivo nacional em cada país durante certo período, geralmente o ano calendário. Nacional não significa o território do país em questão, mas a jurisdição própria desse Estado, já que a produção de residentes de qualquer país pode, como geralmente acontece num mundo globalizado, ser estendida a outros países, abrindo a possibilidade de que algum valor agregado no exterior seja "exportado" aos residentes daquele Estado; isso pode representar alguma diferença. Por exemplo, sendo uma economia exportadora de capital, o Produto Nacional Bruto dos Estados Unidos é maior do que o seu Produto Interno Bruto, na medida em que algum valor agregado no exterior é mandado para o país sob a forma de dividendos, lucros ou outras rendas do capital pagos aos residentes dos Estados Unidos. Inversamente, no caso do Brasil, o seu Produto Nacional Bruto é menor do que seu Produto Interno Bruto, já que o Brasil tem de pagar dividendos e remeter outros tipos de capital aos residentes dos países de origem do capital investido em sua economia.

Mas a produção bruta, nacional ou interna, não constitui por si só a medida real da prosperidade individual, já que, como o conceito indica, se trata de uma medida bruta, compreendendo a capacidade produtiva total de uma economia, sem levar em consideração a dotação relativa de fatores ou a produtividade dessa economia, em função dos recursos, da população e da distribuição da riqueza produzida em termos per capita. Uma medida mais adequada de prosperidade, ou da riqueza real de um país, está refletida no PIB per capita e sua evolução cumulativa no longo prazo, como explicado, por exemplo, no livro seminal de Robert Barro e Xavier Sala-i-Martin, *Economic Growth*.[5] Assim, para comparar o itinerário econômico dos dois países no decorrer de um longo período de tempo, figuram abaixo, organizados com base em critérios uniformes e atualizados pelo conhecido historiador econômico Angus Maddison, os dados relativos ao PIB per capita do Brasil e dos EUA, ao lado dos mesmos dados para a Argentina, como forma de acompanhar seus desempenhos respectivos a partir do século XIX.

PIB per capita (US$ 1990), EUA, Brasil e Argentina e relações, 1820–2006

ANOS	PIB per capita			USA = 100		Arg = 100
	USA	*Brasil*	*Argentina*	*Brasil*	*Argentina*	*Brasil*
1820	1.257	646	—	51,39	—	—
1850	1.806	686	—	37,98	—	—
1870	2.445	713	1.311	29,16	53,61	54,38
1890	3.392	794	2.152	23,40	63,44	36,89
1909	5.017	776	3.699	15,46	73,73	20,97
1913	5.301	811	3.797	15,29	71.62	21,35
1921	5.323	963	3.471	18,09	65,20	27,74
1929	6.899	1,137	4.367	16,48	63,29	26,03
1939	6.561	1.263	4.148	19,25	63,22	30,44
1950	9.561	1.672	4.987	17,48	52,15	33,52
1980	18.577	5,195	8.206	27,96	44,17	63,30
1998	26.849	5,414	9.155	20,16	34,09	59,13
2001	28.405	5.525	8.124	19,45	28,60	68,00
2006	31.049	5.835	9.679	18,79	31,17	60,28

Fonte: Angus Maddison, *Statistics on World Population, PIB e Per Capita PIB, 1–2006 AD* (atualizado: março 2009; disponível: http://www.ggdc.net/Maddison/).

A distância entre a riqueza material individual dos dois países, já considerável no início do século XIX – aproximadamente o dobro em 1820 –, continuou a aumentar nos 180 anos seguintes: a distância máxima foi alcançada no período imediatamente anterior à Primeira Guerra Mundial, quando a renda individual dos americanos representava 6,5 vezes a dos brasileiros. Desde então, a defasagem foi sendo lenta e gradualmente reduzida. Ainda assim, as crises econômicas brasileiras a partir dos anos 1980 – choques do petróleo, dívida externa e crises financeiras dos anos 1990 – e as baixas taxas de crescimento econômico registradas no seu seguimento, ao lado das taxas de crescimento sustentadas nos EUA durante a maior parte do período, fizeram com que a brecha aumentasse novamente (colocando a distância relativa no mesmo nível dos anos entre guerras).

O caso mais dramático, evidentemente, é o da Argentina, o país mais rico da América Latina ao tempo de Nabuco, ainda mais rico do que vários países europeus. No máximo de sua riqueza, exatamente um século atrás, os argentinos ostentavam uma renda per capita equivalente a 74% daquela disponível aos americanos, relação que foi reduzida a menos de 30% no período recente. Avaliando a relação bilateral entre o Brasil e a Argentina, em termos de renda pessoal, os brasileiros avançaram de um patamar mínimo de um quinto da renda argentina em 1909 para perto de dois terços da renda per capita dos seus vizinhos atualmente. A razão, obviamente, foram as taxas, cumulativamente mais altas, de crescimento no Brasil na segunda metade do século XX, e o fato de que a Argentina conseguiu se superar em oportunidades perdidas.

De fato, depois da ínfima taxa de crescimento econômico cumulativo de 0,92% por ano no período da "República oligárquica" (1890–1929) – enquanto os Estados Unidos cresciam a um ritmo de 1,83% ao ano –, o Brasil manteve, durante a sua "era desenvolvimentista" (1929–1980), uma taxa anual de crescimento de 3,03%, em face de "apenas" 1,96% para os Estados Unidos. Esse novo dinamismo contribuiu para uma redução moderada na defasagem bilateral de renda. Infelizmente, o crescimento per capita do Brasil declinou para apenas 0,27% ao ano, durante o período de "ajuste" que se seguiu à crise da dívida externa (toda a década de 1980 e grande parte da de 1990), um período no qual os Estados Unidos retomaram um crescimento de 2,20% ao ano, em média. A distância voltou a se alargar em função dessas taxas diferenciadas de crescimento cumulativo, o que parece bastante "normal" em termos de níveis desiguais de desenvolvimento econômico mundial.

Não obstante a distância nominal entre as médias nacionais de renda per capita, os fatores cruciais que realmente distinguem o Brasil dos Estados Unidos não estão em seus níveis respectivos de desenvolvimento econômico, enquanto tais, mas nas taxas de produtividade, que são quase uma função direta da capacitação educacional dos dois países. Na verdade, a industrialização brasileira depois dos anos 1930 aproximou a base material do processo produtivo no Brasil de um nível não muito distante, em termos de possibilidades produtivas, daquele dos Estados Unidos, incluindo alguma transferência involuntária de tecnologia em setores nos quais os investimentos diretos de companhias americanas se tornaram possíveis em função das políticas brasileiras desde os anos 1950, como na indústria automotiva. No entanto, a distância continuou enorme, quando a comparação é feita em termos de níveis educacionais, tanto no plano quantitativo como em desempenho qualitativo.

Foi preciso, obviamente, um processo que exigiu largo tempo, desde a era colonial, para que o sistema educacional americano surgisse, evoluísse e se consolidasse. A primeira lei de "educação" em Massachusetts, em 1642 – na verdade sem quaisquer dispositivos relativos a escolas públicas –, meramente requeria que todas as crianças, e os empregados também, fossem capazes de demonstrar competência na leitura e escrita, tal como definido por funcionários públicos: "A ideia era que, se todos os cidadãos pudessem compreender a linguagem escrita em algum nível básico, todos os cidadãos seriam capazes de compreender e, portanto, respeitar e cumprir as leis que governavam o estado".[6] Uma segunda lei, emitida em 1647, requeria que as aldeias com cinquenta famílias contratassem um mestre-escola que deveria ensinar as crianças a ler e escrever. Cidades com cem famílias deveriam ter um mestre-escola competente em gramática, para preparar os jovens para ingressar no Harvard College.

No momento em que o Brasil consolidava a sua independência, aproximadamente no final dos anos 1820, assim como durante todo o século XIX, as taxas de escolarização respectivas (matrículas na escola primária) nos dois países se distanciavam dramaticamente, na medida em que os Estados Unidos colavam de perto na nação mais avançada: a Alemanha (superada já em torno dos anos 1850). A distância vis-à-vis dos Estados Unidos de 1830 foi reduzida pelo Brasil apenas no final do século XX, como se pode constatar na tabela: o que significa uma defasagem de mais de um século e meio! Esta é certamente a mais dramática brecha entre os dois países.

Taxa estimada de matrículas na escola primária, 1830–1975 (por 10.000 pessoas)

País	1830	1882	1900	1930	1950	1960	1975
EUA	1500	1908	1969	—	—	—	—
Alemanha	1700	1547	1576	—	—	—	—
Itália	300	681	881	1056	—	—	—
Espanha	400	1049	1038	1535	—	—	—
Japão	—	722	984	1550	—	—	—
Argentina	—	511	808	1172	1286	1339	—
Brasil	—	207	258	618	979	1087	1866
México	—	457	544	1074	1072	1460	1905
Índia	—	—	107	343	513	854	1082

Fonte: Richard A. Easterlin, "Why isn't the whole world developed?", *Journal of Economic History*, 41(1), março 1981:1–19; disponível: http://links.jstor.org/sici?sici=0022-0507%28198103%2941%3A1%3C1%3AWITWWD%3E2.0.CO%3B2-Y;

Obviamente, esse quadro, por mais dramático que ele pareça, refere-se apenas ao aspecto quantitativo da escolarização primária, mas não diz absolutamente nada sobre a evolução dos mesmos dados ao longo do ciclo completo de estudos básicos (avaliações no Brasil confirmam um alto volume de evasões, quase a metade na passagem do primeiro para o segundo nível de ensino) e diz menos ainda sobre os aspectos qualitativos, evidentemente mais importantes, do processo de aprendizado. Não deveria haver surpresa, em consequência, ao se encontrar o Brasil entre os últimos lugares nos programas internacionais de avaliação de estudantes da escola secundária, em todas as matérias – conhecimentos básicos de língua pátria, matemática e ciências – e por muitos anos, a exemplo do PISA-OCDE.

IV : MITOS E EQUÍVOCOS SOBRE O PROTECIONISMO COMERCIAL AMERICANO

Um dos grandes mitos que cercam a sociologia comparada dos processos de desenvolvimento no Brasil e nos Estados Unidos – e até mesmo a historiografia econômica especializada – é o que pretende que os Estados Unidos se tornaram a potência econômica e industrial que são – ou que pelo menos foram, ao longo do século XX – graças a políticas econômicas ativas, especialmente no setor industrial, e especificamente em virtude de uma política comercial protecionista e altamente nacionalista no apoio às indústrias domésticas e de discriminação quanto ao ingresso de produtos estrangeiros concorrentes da produção nacional. Em comparação, dizem alguns historiadores mal informados, o Brasil teria sido excessivamente liberal em sua política comercial, abrindo as portas à importação de bens industriais, inviabilizando, assim, a emergência e consolidação de uma indústria manufatureira doméstica.

É um fato que os Estados Unidos tiveram um grande debate, logo no alvorecer do século XIX, sobre as principais orientações a serem impressas à política econômica no que tange aos benefícios ou apoios concedidos às indústrias domésticas – aqui incluídas a pesca, a caça da baleia, a exportação de recursos naturais como madeira e outros produtos – e às medidas que deveriam ser tomadas em relação à agricultura, sua base produtiva interna e suas possibilidades no comércio exterior. Uma visão singela desse debate costuma ser ilustrada pelas posições respectivas de Thomas Jefferson, de um lado, e Alexander Hamilton, de outro. Jefferson, aparentemente o promotor de uma visão idílica de uma América pastoril e ruralista por excelência, era, inclusive, um grande proprietário de escravos na Virgínia, um estado do Sul que baseava sua pujança econômica na grande agricultura comercial de exportação, de base escravista. Hamilton, por sua vez, foi identificado com projetos industrializantes na parte setentrional e, portanto, comprometido com uma política comercial de instintos protecionistas. Também se costuma enfatizar a estada de Friedrich List nos Estados Unidos dos anos 1820 como a fase decisiva de sua formação enquanto economista da proteção à indústria infante e do protecionismo seletivo e temporário, que teriam sido a base do processo industrializador de sua pátria de origem, a Alemanha.

Sem descuidar desses elementos teóricos ou ideológicos – sem dúvida relevantes nesse interminável debate em torno das virtudes respectivas do livre-comércio e do protecionismo industrializante para uma análise do desempenho econômico comparado entre o Brasil e os Estados Unidos –, caberia, preferencialmente, ater-se mais aos elementos factuais e empíricos dessas duas histórias do que às interpretações divergentes – eventualmente questionáveis – dos processos respectivos de industrialização, relativamente precoce no caso dos Estados Unidos e reconhecidamente tardio no caso do Brasil. A simplificação do debate recai, precisamente, sobre o grau de protecionismo tarifário incidente no perfil produtivo e de demanda em cada um dos países, em relação ao qual a historiografia apressada costuma apontar a maior defesa efetiva da produção industrial doméstica no caso do grande país do Norte, ao passo que o Brasil teria sido excessivamente "liberal" em suas políticas industrial e comercial. Os dados disponíveis revelam, justamente, outra configuração ao longo do tempo, sem que, no entanto, os Estados Unidos possam ser considerados mais abertos do que o Brasil em se tratando de tarifas industriais. Ocorre apenas que o Brasil não possuía as demais condições econômicas e culturais para impulsionar um processo efetivo de industrialização.

Um esforço de comparação das médias tarifárias dos dois países, assim como da defesa comercial efetiva revelada nas relações que ambos, Brasil e Estados Unidos, mantinham com seus principais parceiros no comércio internacional, ao longo de um período significativo, nem sempre é factível, dadas as dispersões das alíquotas, as classes diferentes de produtos e a própria orientação da política comercial de cada um deles, em função dos níveis de industrialização de cada país, do grau de abertura ao comércio internacional – que depende, em grande medida, da dotação relativa de fatores – e da própria ideologia dos dirigentes políticos. É possível, contudo, comparar o grau de proteção efetiva existente em cada país, mediante a "montagem" de uma alíquota tarifária média a partir das taxas de importação como fração do valor total das importações.

Não é preciso dizer que os países latino-americanos sempre foram – e provavelmente continuam sendo – os campeões absolutos das tarifas elevadas, em alguns casos até o exagero. Outros países, alegadamente protecionistas, em função de alíquotas altas em determinadas categorias especiais, ou de produtos seletivamente protegidos em função de lobbies ou políticas estatais, acabam sendo beneficiados por esse tipo de abordagem, posto que a metodologia seguida pode, por um lado, distorcer determinadas incidências da proteção comercial, permitindo, por outro, uma visão mais clara sobre a orientação geral da política comercial do país em questão. A tabela seguinte coleta, seletivamente, algumas dessas informações sobre as alíquotas médias praticadas pelos principais parceiros comerciais do Brasil no período anterior ao início de sua República, permitindo uma primeira visão geral dos instintos protecionistas de cada um deles na segunda metade do século XIX. Entre 1865 e 1889, a tarifa brasileira foi de 25,7% a 41,4%, passando por um pico de 58,2% em 1887; ao passo que a tarifa americana não chegou a exceder 41%, situando-se numa faixa média de 32,3%, bem abaixo de uma média aparente do Brasil, para esse período, em torno de 39,4%. O outro país mais protecionista, a Argentina, ainda ostentava, nessa fase, uma média tarifária de 25,5%.

Tarifas aduaneiras comparadas, 1865–1889
(Média tarifária a partir de receitas de importações sobre importações totais)

ANO	G.-B.	EUA	Alem.	França	Japão	Argent.	Brasil
1865	8,3	33,7	3,7	4,7	4,9	17,5	25,7
1870	7,1	40,9	3,7	2,9	1,8	24,6	31.0
1872	5,7	38,5	3,7	3,1	5,0	23,4	37,9
1880	4,7	30,1	5,8	5,2	7,1	26,4	37,2
1885	5,5	30,3	7,4	7,2	7,2	25,1	36,2
1887	5,6	29,4	8,1	8,1	9,3	30,0	58,2
1888	5,1	28,4	8,7	8,8	7,0	28,3	47,6
1889	4,7	27,5	8,7	8,1	7,1	28,3	41,4

Fonte: Clemens, Michael; Williamson, Jeffrey: A Tariff-Growth Paradox?: Protection's Impact the World Around, 1875–1997. NBER Working Paper nº 8459, September 2001 (Import Duties over imports, 35 countries, 1865–1950; disponível: http://www.nber.org/papers/w8459).

O que se pode concluir, à vista desta tabela, é que, com a exceção das alíquotas elevadas apresentadas pelos EUA recém-saídos da guerra civil, quando legitimamente a União aumentou substancialmente as tarifas alfandegárias como meio de enfrentar as despesas militares e as da reconstrução posterior, o Brasil se apresenta como o campeão absoluto das alíquotas exageradas. Registre-se, ademais, que a tarifa média foi construída apenas com os impostos de importação, sendo que o Brasil também gravava, significativamente, as suas próprias exportações, cujos impostos representavam entre 10% e 18% das receitas totais do Estado, nesse mesmo período. Em todo caso, o Brasil ultrapassou a média dos EUA poucos anos depois do final da Guerra do Paraguai e, pelo resto do período considerado, manteve-se sistematicamente acima dos EUA e da Argentina – à razão de um terço adicional, aproximadamente –, os dois outros países mais protecionistas desta seleção.

No período que vai da última década do século XIX até o início da Primeira Guerra Mundial – que corresponde, em parte, à presença de Nabuco nos Estados Unidos –, o Brasil continuou a exibir as maiores médias tarifárias dentre todos os seus principais parceiros comerciais, indo de 30% a quase 50% no leque das receitas de importação, como se pode constatar pela tabela seguinte. A Argentina consegue ultrapassar os EUA na proteção defensiva, com médias respectivas de 25% e 23%, ao passo que o Brasil continua a ser o campeão das barreiras alfandegárias, com uma tarifa média de 39%.

Tarifas aduaneiras comparadas, 1890–1913
(Média tarifária a partir de receitas de importações sobre importações totais)

ANO	*G.-B.*	EUA	*Alem.*	*França*	*Japão*	*Argent.*	*Brasil*
1890	4,8	26,6	8,8	8,0	5,4	33.4	39,4
1893	4,9	23,6	8,5	11,2	3,5	28,9	24,2
1896	4,8	20,7	10,1	10,7	2,6	23,9	35,4
1897	4,8	22,1	9,4	10,8	2,4	25,7	41,0
1900	4,6	27,0	8,1	8,8	5,8	26,5	30,1
1903	6,4	26,9	8,5	8,4	5,2	24,9	38,9
1905	6,4	25,1	8.8	8,6	7,0	23.9	49,3
1907	5,1	23,4	7,4	8,2	9,5	23,0	44,6
1910	4,5	21,0	7,4	8,2	7,8	21,6	41,9
1913	4,4	17,7	6,3	9,2	10,1	20,8	34,2

Fonte: Clemens-Williamson, 2001, op. cit.

No período posterior à Primeira Guerra Mundial, as tarifas comerciais tendem a perder importância relativa na maior parte dos países avançados, em relação a outras fontes de receitas (impostos indiretos, ou sobre o consumo; impostos sobre o patrimônio, ou sobre a renda), ademais da diversificação da base impositiva e o crescimento da arrecadação sobre determinados bens de consumo conspícuo (automóveis, ou cigarros, por exemplo), o que diminui ainda mais o papel da política comercial nas políticas econômicas nacionais. A tabela seguinte ilustra a situação real dos dispositivos tarifários protecionistas a serviço de alguns dos principais parceiros do Brasil na década de 1920, de plena recuperação depois dos desastres da guerra.

Tarifas aduaneiras comparadas, 1920–1930
(Média tarifária a partir de receitas de importações sobre importações totais)

ANO	*G.-B.*	EUA	*Alem.*	*França*	*Japão*	*Argent.*	*Brasil*
1920	7,7	6,4	—	3,1	3,2	9,5	16,5
1922	13,0	14,7	—	6,4	6,2	12,5	19,0
1924	9,4	14,9	3,9	3,2	4,6	15,0	20,5
1926	8,3	13,4	9,4	2,5	6,2	15,5	21,5
1927	8,8	13,8	8,9	4,7	6,6	17,5	25,0
1928	9,3	13,3	7,9	6,6	7,1	17,0	25,5
1929	9,7	13,5	8,2	7,5	6,7	17,0	26,0
1930	11,5	14,8	10,5	8,5	7,3	16,5	26,5

Fonte: Clemens-Williamson, 2001; op. cit.

A Grã-Bretanha, abandonando sua política unilateral de livre-comércio, movimenta-se gradualmente de uma média inferior a 5% no período anterior à guerra para uma faixa próxima do dobro desse valor. A Alemanha e a França seguem tendência similar, ao passo que os EUA, a despeito das altas tarifas nominais, apresentam uma média tarifária mais moderada no decurso dos anos 1920, com um valor próximo de 14% para os anos republicanos. Tanto o Brasil quanto a Argentina prosseguem na escalada tarifária, embora as médias possam parecer reduzidas em função do decréscimo de arrecadação em decorrência da perda de valor real das tarifas específicas, em aplicação nesse período.

Independentemente, porém, desse alinhamento de tarifas médias ao longo do tempo, cabe destacar dois elementos importantes nesse exercício. O primeiro seria desmantelar a ideia de que os EUA foram, em geral, mais protecionistas do que o Brasil em matéria de política comercial ou industrial: os dados quanto à proteção efetiva revelam justamente o contrário, mas as evidências são puramente quantitativas nesse particular (ou seja, diferenças lineares mas *prima facie*, não muito relevantes), nada revelando, portanto, quanto aos efeitos da proteção sobre o desenvolvimento industrial hipotético do país assim protegido. O segundo, e mais importante elemento, seria o desmantelamento desse outro mito historiográfico, segundo o qual uma política protecionista garantiria o desenvolvimento industrial, ao passo que políticas liberais condenariam o país ao atraso e à especialização agrícola: o Brasil continuou sendo, até os anos 1960, pelo menos, uma economia agrícola atrasada e pouco competitiva, a despeito de uma das maiores taxas efetivas de proteção industrial que se conhecem no mundo capitalista. O processo industrializador, iniciado no Brasil a partir dos anos 1930, e intensificado nos anos do pós-guerra, não teve tanto a ver com o nível de proteção efetiva no plano comercial – ainda mais porque as rupturas econômicas e de pagamentos dos anos 1930 e a guerra que se seguiu atuaram como barreiras protetoras 'naturais' – e, sim, com as demais políticas de Estado e outras condições criadas pelo espírito "schumpeteriano" de alguns imigrantes tentados pela aventura industrial.

O que vincula, de modo excessivo, a proteção tarifária ao sucesso industrial é o mito associado a essa crença equivocada das virtudes da política comercial sobre o ímpeto industrializante de um país, justamente se esquecendo que o comércio exterior – mormente em países de grande mercado interno, como os Estados Unidos e o Brasil – representa, apenas e tão-somente, uma parte, por vezes pequena, da economia de uma nação. Utilizando-se de uma imagem frequente, o que poderia ser dito a esse respeito é que não se deve esperar que o rabo do comércio exterior seja capaz de abanar o cachorro do desenvolvimento econômico.

Em outros termos: não será apenas devido a uma política comercial de tipo protecionista que um país se tornará uma potência industrial, na ausência das demais condições – sobretudo culturais e educacionais – suscetíveis de "empurrar" o esforço industrializador para patamares mais elevados de agregação de valor; e, sobretudo, de criação de um processo autônomo de capacitação tecnológica e de incremento da produtividade do trabalho humano, não apenas na indústria, mas em todos os demais setores associados ao sucesso manufatureiro (o que compreende, também, logística, mercado financeiro, ambiente de negócios favorável, tributação adequada etc.). Resumindo, não se poderia esperar que o Brasil imitasse o sucesso industrializante dos Estados Unidos (que, aliás, realizaram sua revolução industrial, pelo menos na "nova Inglaterra", praticamente ao mesmo tempo que o processo deslanchava na "velha Inglaterra"). No Brasil, não existiam condições mínimas para que o protecionismo comercial – real, depois da tarifa Alves Branco (1844), a despeito de suas motivações basicamente fiscalistas, ou seja, de arrecadação de recursos para o Estado central –, se constituísse em alavanca suficiente para uma 'explosão' manufatureira (que de resto ficou limitada a poucos exemplos "heroicos").

V : AS CARACTERÍSTICAS AMERICANAS DE NABUCO AO LONGO DO SÉCULO 20: AINDA UMA LARGA DEFASAGEM EM RELAÇÃO AO BRASIL

Os Estados Unidos emergiram efetivamente como um grande poder mundial ao final da Primeira Guerra Mundial, quando se tornaram o "emprestador de última instância" da maior parte dos países europeus esmagados pelo conflito destrutivo. Esse foi, também, o mesmo período no qual os *Brazilian bonds* começaram a trocar a exclusividade de sua emissão junto aos banqueiros da City de Londres – até então, um monopólio dos Rothschilds – por outros centros financeiros, como Nova York. A mudança, entretanto, foi lenta, se consolidando durante os anos 1930 para tornar-se quase um monopólio americano depois da Segunda Guerra Mundial.

Nessa conjuntura, com o reforço dos vínculos construídos durante a depressão e a guerra, o Brasil entrou em uma fase que alguns historiadores chamam de "americanização", tanto por seus aspectos culturais como pela preeminência em todos os setores econômicos: industrial, tecnológico, financeiro.[7] O Brasil era, obviamente, uma economia atrasada, ainda baseada na produção e exportação de algumas *commodities* – entre as quais o café ainda predominava largamente – e dependente do capital e do *know-how* estrangeiros para a maioria dos investimentos estratégicos na indústria e na infraestrutura, assim como para o financiamento de seu balanço de pagamentos.

As relações políticas e diplomáticas estavam bastante em conformidade com o que Joaquim Nabuco relatava e escrevia sobre o pan-americanismo no começo do século, com uma forte liderança dos Estados Unidos, uma visão que não era partilhada por outros diplomatas preeminentes, como Manuel de Oliveira Lima, que se opunha duramente à interpretação otimista do pan-americanismo de Nabuco.[8] Mas mesmo um diplomata experiente, não suspeito de muita simpatia pelos Estados Unidos, como o próprio chefe da chancelaria brasileira, Rio Branco – o mesmo que designou Nabuco como o primeiro embaixador do Brasil nos EUA –, exibia uma atitude positiva e quase ingênua em relação a uma possível "divisão de tarefas" entre o Brasil e os Estados Unidos para o controle de todo o hemisfério: os EUA decidiriam o destino das partes setentrional e central, incluindo a totalidade do Caribe, ao passo que o Brasil tentaria replicar esse tipo de papel líder na seção meridional do hemisfério. Mesmo depois de um século de desenvolvimento industrial e com um PIB bem mais "musculoso", o Brasil não parece estar perto de exercer uma liderança consensual na América do Sul: não apenas ele carece da capacidade intrínseca para desempenhar esse papel – isto é, força militar e recursos financeiros –, como os países vizinhos não reconhecem nenhuma legitimidade em tal liderança.

Na outra direção, a despeito de seu impressionante poder, mesmo os EUA não são capazes de determinar o ritmo da cooperação hemisférica e da integração. Quinze anos antes da designação de Joaquim Nabuco como embaixador brasileiro em Washington, o secretário de Estado James Blaine tentou vender a ideia de uma "união aduaneira hemisférica" aos países ao sul do Rio Grande. Ele não teve mais sucesso do que Clinton e Bush um século depois, com a ideia de uma Área de Livre-comércio das Américas, recusada pelo Brasil e pela Argentina com argumentos não muito diferentes dos utilizados em 1889–1890. Então e agora, o temor dos países da América Latina era o de perder sua soberania econômica, se suas empresas fossem confrontadas às poderosas companhias e aos prodígios tecnológicos de seus correspondentes nos EUA. Um chanceler brasileiro contemporâneo costumava dizer que, do ponto de vista do Brasil, o Mercosul era o destino, e a Alca apenas uma opção. Como a opção foi recusada, o grande ator hemisférico passou a comandar a constituição de uma rede de acordos bilaterais de livre-comércio, talvez de forma não muito diferente do papel que Nabuco considerava ser o dos Estados Unidos na vinculação comercial de todo o hemisfério.

Contudo, esses são assuntos marginais do ponto de vista dos Estados Unidos, cujas preocupações prioritárias estão localizadas na Eurásia e, crescentemente, na Ásia do Pacífico, com um grande foco na China. Na verdade, a utilidade da América além do tabaco, como Nabuco teria ironicamente registrado, reside em seu indispensável e insubstituível papel de grande "pacificador" do mundo. Pacificador, obviamente, não no sentido histórico de Munique, enquanto poder conciliador, disposto a aceitar desafios de intrusos expansionistas – como a Alemanha e o Japão nos anos 1930 –, mas no sentido de um poder dissuasório, pronto a conter poderes hostis e, também, conter a si mesmo na pretensão de ser o tomador de decisões de última instância do sistema internacional. O mais poderoso império desde os tempos romanos não é, como os seus predecessores, um poder extorsivo, vivendo às expensas de seus satélites ou dedicado à extração de recursos de outros povos.

Os elementos dominantes do poder americano são o império do livre-comércio e o princípio das portas abertas para os investimentos diretos, dois conceitos que estão em contradição com várias crenças e práticas brasileiras desde antes do tempo de Nabuco. Para ser preciso, o Brasil jamais acreditou ou promoveu o livre-comércio, além da fase precoce e involuntária da dominação britânica sobre Portugal no começo do século XIX, quando as tarifas foram fixadas em 15% por mais de 30 anos (um começo não muito liberal, por sinal). Durante a maior parte de sua história independente, o Brasil restringiu áreas e oportunidades para os investimentos, e segue um padrão similar nas atuais negociações comerciais multilaterais. Mesmo quando eles atuaram como uma economia de fato protecionista nas fases iniciais de sua consolidação como uma potência industrial, os Estados Unidos aderiram vigorosamente ao livre-comércio multilateral e não discriminatório depois da Segunda Guerra Mundial, ajudando assim a promover uma das eras mais longas de crescimento econômico na história mundial.

A despeito de sua adesão retórica ao livre-comércio e à integração na América do Sul, o Brasil ainda não está preparado para desempenhar tal papel em escala regional. Uma liderança consensual geralmente vem ao custo da abertura dos seus próprios mercados e cidades aos produtos e pessoas dos seguidores prospectivos. O Brasil não parece estar disposto, ainda, a agir dessa forma, abrindo unilateralmente suas fronteiras aos vizinhos menos desenvolvidos. Joaquim Nabuco teria certamente recomendado uma tal política de abertura regional, mas também teria aceito da mesma forma um acordo econômico formal com o "império", mesmo um acordo de tipo "assimétrico", como a proposta Alca, na medida em que ele parecia acreditar que o Brasil poderia ganhar o bastante, mesmo numa relação aparentemente desequilibrada como aquela. Mesmo enquanto poeta amador e escritor, não um economista por formação ou interesse, Nabuco partilhava da percepção, agora amplamente aceita entre os estudiosos contemporâneos de teoria econômica e de estudos empíricos sobre comércio regional, que, se alguma integração tem de ocorrer entre parceiros "assimétricos", a maior parte dos ganhos deve fluir dos países desenvolvidos para as economias em desenvolvimento, na medida em que os últimos devem receber os investimentos e o *know-how* dos primeiros, de forma a poder explorar suas vantagens relativas, normalmente baixos custos de mão de obra e abundância de insumos primários, como terra e recursos naturais. Não por acaso, este foi o *rationale* que presidiu as escolhas feitas pela Grécia, Portugal e Espanha em sua decisão de ingressar nas Comunidades Europeias, agora União, tendo esses países avaliado corretamente os custos e benefícios desse empreendimento "assimétrico". Ao que parece, eles não se arrependeram desde então, a despeito das novas disciplinas seguidas.

Além do livre-comércio e das oportunidades de investimento, um outro elemento caracteriza o candidato a um papel de líder na região ou em geral: a imigração, como Nabuco também sublinhou no contexto das políticas seguidas pelos Estados Unidos no início do século XX. A evolução, neste caso, é o contrário do que ocorreu com a política comercial: começando pela abertura total a todos os tipos de imigrantes, que aportavam aos magotes desde a era colonial, os Estados Unidos começaram a restringir o livre fluxo no começo da terceira década de século XX, primeiro contra os candidatos asiáticos, depois todo o resto. Não obstante, os Estados Unidos permanecem, absolutamente – mas não comparativamente, tendo em vista o Canadá ou a Austrália, por exemplo –, o país mais aberto do mundo aos cérebros e músculos de todos os outros. Essa é uma característica única que poderia explicar o vigor, a solidez e a inventividade da economia americana, e alguns dos prêmios Nobel que o seu *establishment* científico consegue ganhar atualmente.

Não é necessário lembrar que o Brasil, durante a maior parte do século XX, manifestou preferência por "agricultores" e relutou em aceitar "comerciantes" – talvez judeus, por acaso –, e outras especializações "urbanas" como candidatos à imigração. Atualmente, continua relutante em abrir suas fronteiras aos parceiros da vizinhança no alegadamente estratégico projeto de integração no Mercosul, assim como continua a impor um requisito financeiro – à altura de US$ 200.000 ao que parece – para os candidatos individuais à imigração, como se em nossos dias o verdadeiro capital devesse ainda ser medido em termos financeiros como no passado (obstando, assim, a possibilidade de que algum PhD "pobre" ingresse no Brasil). Se existe algo parecido a uma competição mundial pela captura de cérebros (*world brain-drain*), os Estados Unidos estão especialmente preparados para ganhar o primeiro lugar, na medida em que eles continuam a acolher todos os tipos de pesquisadores de qualquer lugar do mundo. Comparativamente, o Brasil continua a praticar um nacionalismo educacional e científico que contradiz totalmente os requisitos modernos de um *establishment* científico competitivo.

A democracia foi outra importante contribuição que Nabuco entendia figurar no coração da civilização americana contemporânea e um de seus dons ao mundo. Isso é altamente controverso, mas seria impossível negar que a modalidade especialmente americana de democracia exibe características únicas vis-à-vis outros modelos existentes no mundo, no qual, na verdade, existem pouquíssimos exemplos verdadeiros, talvez apenas os padrões inglês e europeu continental. A primeira característica permanente da democracia americana é, obviamente, sua base efetiva na "aldeia", um modelo de assembleia popular, desde a eleição de um juiz ou xerife à escolha de representantes federais, passando pelos conselhos e comitês de todos os tipos, essa proliferação real de ativismo associativo que não encontra paralelo em nenhum outro país. Nesse sentido, a democracia americana é excepcional, como Tocqueville já tinha observado no início do século XIX. Na maior parte dos demais países, a democracia, se ela existe de fato, significa apenas uma forma de governo representativo, não um modo de vida, um *mores*, como nos EUA. Na Europa, tanto quanto no Brasil, a democracia representa no máximo, como se poderia dizer em termos marxistas, uma superestrutura de caráter político, não uma infraestrutura de natureza social, como nos EUA. Nesse sentido, as observações de Nabuco conservam plena validade para nossos dias também.

Isso também é verdadeiro, pelo menos potencialmente, para a terceira característica selecionada por ele, a "igualdade de condição social para todas as classes da nação", que conserva uma legitimidade de princípio, mesmo se os Estados Unidos são bem mais desiguais, em distribuição de renda, do que suas contrapartes social-democratas na Europa. Na verdade, e precisamente, não existe igualdade de condições sociais nos EUA, tanto quanto existe uma real igualdade de oportunidades, bem mais do que nos rígidos sistemas de estratificação social na Europa, direcionando os jovens estudantes a suas futuras especializações profissionais sem todas as possibilidades abertas de estudos superiores como existe nos EUA. O Brasil exibe, provavelmente, flexibilidades comparáveis em termos de estudos superiores – mas não uma oferta tão rica e diversificada como aquela existente nos *campi* americanos – e de carreiras profissionais, mas não certamente a mobilidade de emprego, que é uma marca registrada do mercado de trabalho americano. A igualdade social é uma questão extremamente complexa que, claramente, não poderia ter sido tratada de maneira adequada por Joaquim Nabuco; tampouco é uma questão trabalhada satisfatoriamente pelos economistas ou sociólogos contemporâneos. Ela vai seguramente permanecer como a mais séria questão a ser tratada por todos os economistas e sociólogos do futuro.

Não há muito a ser agregado em relação às duas outras "contribuições" dos Estados Unidos para o mundo: a iniciativa individual e a competição. Embora não especificamente americanas em sua origem ou características, elas corporificam o verdadeiro caráter americano desde os tempos coloniais, e prometem continuar no coração da organização social e da estrutura econômica da sociedade e da nação americanas. A educação já foi enfatizada o bastante para merecer, novamente, uma discussão detalhada, mesmo que ninguém possa sublinhar de maneira suficiente ou adequada sua importância crucial para a maior parte das diferenças entre o Brasil e os Estados Unidos.

Na verdade, as instituições, no sentido dado ao conceito por Douglass North, enquanto um suporte abrangente para todas as transações sociais e as interações humanas, constituem, no conjunto, os elementos definidores mais importantes de um desempenho econômico bem-sucedido historicamente.[9] O conjunto de instituições americanas ofereceu, desde os tempos coloniais, um ambiente bem mais adequado a um processo sustentado de crescimento econômico e de prosperidade social do que, digamos, as instituições sociais e econômicas portuguesa e ibéricas e suas sucessoras contemporâneas na América Latina atual. Não que os Estados Unidos tenham estado isentos de comportamentos populistas, da corrupção, do desperdício e da política partidária fisiológica, assim como a arrogância e o desprezo imperiais, especialmente em relação à América Latina; mas eles se desempenharam melhor, em todo o caso, do que todos os demais competidores ou imitadores (inclusive na América Latina).

A razão está provavelmente na capacidade americana em se autocorrigir, em virtude de um sistema flexível enfatizando a responsabilidade individual, a *accountability* exigida de todos os eleitos ou escolhidos para dirigir (temporariamente) as instituições de Estado, a competição e, acima de tudo, a extraordinária capacidade de seu povo, que é a produtividade do trabalho, derivada de um sistema educacional aberto e democrático, baseado no mérito e na retribuição. A herança aristocrática e a extrema concentração de renda na América Latina, bem como um Estado todo-poderoso, dominando todas as interações sociais e permeando todas as transações, um comportamento centralizador colocado contra um ambiente empresarial saudavelmente competitivo, esses são, provavelmente, os elementos retardatários que explicam, historicamente, o baixo desempenho socioeconômico das nações latino-americanas.

VI : A MODO DE CONCLUSÃO: UM ASPECTO NEGLIGENCIADO NA ALOCUÇÃO DE NABUCO

Mesmo intuitivamente, Nabuco percebia as diferenças entre a América Latina e os Estados Unidos, e tentou apresentar um quadro realista das contribuições americanas para o que ele chamou de "civilização" (e que podemos chamar de "mundo contemporâneo"). Ele foi muito condescendente, talvez, levando em consideração sua audiência e a sua posição enquanto embaixador brasileiro nos EUA. Mas provavelmente não mais do que seria um estudioso simpático aos EUA tentando avaliar as verdadeiras razões para o sucesso americano no início do século XX (e os Estados Unidos foram realmente um sucesso, até agora, aliás, a despeito de suas muitas limitações, especialmente em aspectos sociais). Assim, as características selecionadas e apresentadas por Nabuco em seu ensaio parecem sustentar o teste do tempo, com uma última qualificação que não pode ser contornada por um estudioso brasileiro: a natureza duradoura da segregação americana, resultante de antigas relações raciais entre senhores e escravos, o que nos remete ao clássico de Gilberto Freyre, *Casa Grande e Senzala*.[10]

Analisando o estado atual das relações raciais nos EUA, especificamente o relacionamento entre negros e brancos, não se pode deixar de ficar surpreendido pelo apartheid de fato que parece permear essas interações desconfortáveis. Após mais de um século e meio de emancipação oficial, a divisão pode ainda não ter sido superada, em função, obviamente, da segregação *post-bellum* e do racialismo oficial das políticas públicas – tanto no nível federal como estadual – adotadas durante grande parte do século XX. O apartheid oficial terminou menos de uma geração atrás, mas a segregação psicológica permanece. Esta triste evidência do cenário social americano, já bem visível no tempo de Nabuco, não foi tratada de forma adequada em seu ensaio.

Mesmo sem aderir a uma visão idílica de uma suposta democracia racial no Brasil – não especialmente defendida por Gilberto Freyre, como vários de seus críticos pretenderam enfatizar –, deve-se reconhecer que uma característica verdadeira do caráter nacional brasileiro é essa mistura excepcional de povos e raças (de forma raramente experimentada por outros povos e culturas). Infelizmente, é também verdade que negros e mestiços formam não apenas a maioria da população brasileira mas, igualmente, o componente majoritário de sua ainda larga fração de pobres e de indivíduos desprovidos de tudo (em termos de renda, educação, emprego). Entretanto, o Brasil evitou os mais negativos componentes do racialismo americano. Este é constituído, basicamente, de segregação cultural, ou seja, de uma fratura estrutural de profundas dimensões culturais que vai muito além das relações raciais enquanto tais, e que toca na constituição mental de ambas as comunidades, principalmente, talvez, na da população negra (ou, como eles prefeririam, os *African-Americans*, o que é conceitualmente incorreto e, essencialmente, um mito, historicamente e antropologicamente falando; o Brasil e os Estados Unidos têm, no máximo, "afro-descendentes", não afro-americanos ou afro-brasileiros).

Infelizmente, essas realidades negativas – tanto o racialismo persistente nos Estados Unidos quanto a discriminação social no caso do Brasil – não são apenas parte da história; elas são o presente e a agenda social atual em ambos os países. E, tristemente, de novo, quando os Estados Unidos dão início a uma agenda pós-racial – com a eleição à presidência de um legítimo afro-americano –, o Brasil parece estar aderindo a uma política racial e a iniciativas nessa área que nunca formaram parte de sua sociedade e hábitos. As "cotas raciais" e as ações afirmativas que estão sendo introduzidas atualmente no Brasil – incluindo um Estatuto da Igualdade Racial que representa na prática um convite à segregação racial – estão construindo um possível apartheid, que jamais existiu no Brasil, social ou culturalmente.

Para ser honesto com o espírito deste ensaio, esta questão específica vai muito além dos objetivos da alocução de Nabuco em 1909. Entretanto, para quem, como Nabuco, lutou pela liberação real dos escravos no Brasil – e que recomendava não apenas reforma agrária, mas também educação e assistência social para a população negra –, os atuais desenvolvimentos no Brasil apresentam similaridades com políticas do século XIX que ambas as sociedades, a americana e a brasileira, deveriam deixar definitivamente nas estantes da história.

NOTAS

1 Publicado oportunamente em *The American Historical Review*, 15.1 [1909], 54–65.

2 Nabuco, "The Share...", 64.

3 Nova York: The Century Company, 1897.

4 Leipzig, 1899; Brasília: Senado Federal, 2009.

5 Cambridge, MA: The MIT Press, 2ª ed., 2003.

6 Cf. "History of American Education"; link: http://www.nd.edu/~rbarger/www7/masslaws.html

7 Gerald K. Haines, *The Americanization of Brazil: A Study of the US Cold War Diplomacy in the Third World, 1945–1954*. Wilmington, DE: Scholarly Resource Books, 1989.

8 Ver os artigos de Oliveira Lima a respeito em seu livro *Pan-americanismo: Monroe, Bolivar, Roosevelt*. Ed. fac-similar. Brasília: Senado Federal, 1980; ed. original: 1907.

9 Ver *Institutions, Institutional Change and Economic Performance*. Cambridge: Cambridge University Press, 1990.

10 Várias edições brasileiras; traduzido para o inglês por Samuel Putnam e publicado nos Estados Unidos sob o título *The Master and the Slaves: A Study in the Development of Brazilian Civilization*. Nova York: Knopf, 1946.

BIBLIOGRAFIA

BARRO, Robert; Sala-i-Martin, Xavier. *Economic Growth.* Cambridge, MA: The MIT Press, 2003, 2ª ed., 672 p.

CLEMENS, Michael; Williamson, Jeffrey: A Tariff-Growth Paradox?: Protection's Impact the World Around, 1875–1997. NBER Working Paper nº 8459, September 2001 (Import Duties over imports, 35 countries, 1865–1950; disponível: http://www.nber.org/papers/w8459.; acesso: outubro 2009).

EASTERLIN, Richard A. "Why isn't the whole world developed?", *Journal of Economic History*, 41(1), 1981,1–19.

ELIOT, Charles William. *American Contributions to Civilization, and Other Essays and Addresses.* Nova York: The Century Company, 1897, 387 p.

FREYRE, Gilberto. *The Master and the Slaves: A Study in the Development of Brazilian Civilization.* Nova York: Knopf, 1946; trad.: Samuel Putnam.

GENTY, Louis. *L'influence de la découverte de l'Amérique sur le bonheur du genre humain* (2ème éd.: revue, corrigée & augmenté par l'auteur). Orleans: Imprimerie Jacob l'Aine, 1789, XXXVI+ 292 p.

HAINES, Gerald K. *The Americanization of Brazil: A Study of the U.S. Cold War Diplomacy in the Third World, 1945–1954.* Wilmington, DE.: Scholarly Resource Books, 1989.

LIMA, Oliveira. *Nos Estados Unidos: Impressões Políticas e Sociais.* Leipzig: Brockhaus, 1899; 2ª ed.: Brasília: Senado Federal, Conselho Editorial, 2009, 424 p.

_____. *Pan-americanismo: Monroe, Bolivar, Roosevelt.* Ed. fac-similar. Brasília: Senado Federal, 1980; ed. original: 1907.

MADDISON, Angus. *Statistics on World Population, PIB e Per Capita PIB, 1–2006 AD* (website pessoal: http://www.ggdc.net/Maddison/; atualizado: março 2009)

MATZAT, Amy L. "History of American Education" (website University of Notre Dame: http://www.nd.edu/-rbarger/www7/masslaws.html; acesso: outubro 2009).

NABUCO, Joaquim. "The Share of America in Civilization", *The American Historical Review*, 15.1 [1909], 54–65.

NORTH, Douglass. *Institutions, Institutional Change and Economic Performance.* Cambridge: Cambridge University Press, 1990.

JOAQUIM NABUCO: UM INTELECTUAL ENTRE CULTURAS[1]

João Cezar de Castro Rocha

I : LOCALIZAÇÃO DE NABUCO

Neste ensaio proponho uma reflexão inicial acerca de um dilema típico dos intelectuais latino-americanos. A própria situação de países como o Brasil estimula o viajar entre culturas,[2] o habitar literalmente o "entre-lugar", como Silviano Santiago sugeriu num ensaio clássico,[3] ou o aprender a levar a "vida no hífen", como propôs Gustavo Pérez Firmat.[4] K. David Jackson chegou a uma conclusão semelhante ao esboçar uma topologia do "intelectual entre culturas", que seria "o outro outro". Em sua eclética lista inclui, entre vários, os nomes de Rushdie, Gandhi, Senghor, Bandaranaike e Paz.[5] Por que não ler a obra de Joaquim Nabuco como a de um precursor dessa eminente galeria de homens de letras? Em suas próprias palavras: "De um lado do mar sente-se a ausência do mundo; do outro, a ausência do país".[6] A oscilação permanente entre ambos os polos constitui o traço mais original do pensamento de Joaquim Nabuco – eis a principal hipótese que desenvolverei.

Por isso mesmo, a fim de contribuir para uma releitura do papel de Joaquim Nabuco como um intelectual entre culturas, proponho uma leitura específica de sua autobiografia, *Minha formação*. Na verdade, minha contribuição será modesta, pois o que fundamentalmente sugiro é a releitura sobretudo de um capítulo que, desde o Modernismo, tem moldado nossa percepção do legado de Nabuco. Como provavelmente já sabem, refiro-me ao capítulo 4, "Atração do mundo", que toca, assim como o capítulo 20, "Massangana", nos mais desafiadores aspectos da formação social do Brasil. Por um lado, o paradoxo de habitar nesta especial residência na terra: o entre-lugar. Por outro, a tarefa complexa de enfrentar os impasses engendrados pelas consequências da escravidão na constituição da sociedade brasileira.

A recepção da obra de Nabuco, no tocante a esses dois aspectos, conhece uma clara divisão. Quanto à importância de Nabuco em relação à escravidão e suas consequências, nunca houve dúvidas. Afinal, ele foi um dos mais destacados líderes do movimento abolicionista, e tanto sua obra política quanto a intelectual têm sido vistas como fundamentais para a compreensão do problema. Talvez baste, no tocante à relevância de Nabuco neste tópico, uma demonstração eloquente. Em 2000, Caetano Veloso lançou um CD intitulado "Noites do Norte", em cuja faixa principal, de igual título, musicou um parágrafo do capítulo 20 de *Minha formação* – "Massangana". Neste capítulo famoso e sempre citado, Nabuco sintetizou suas reflexões sobre a questão. Segundo ele, "A escravidão permanecerá por muito tempo como a característica nacional do Brasil".[7] Permitam-me enfatizar o ponto: Caetano Veloso simplesmente pôs música no parágrafo de Nabuco, sem mudar uma só palavra. Basta saber do considerável impacto de Caetano na vida cultural brasileira para entender que nada poderia ser mais revelador do reconhecimento da importância de Nabuco quanto aos impasses engendrados pela escravidão.

Contudo, as opiniões de Nabuco sobre a complexidade da cultura brasileira não tiveram recepção comparável. Devo esclarecer que me refiro especificamente à contribuição de Nabuco relativa ao dilema de habitar o "entre-lugar", típico não só das culturas latino-americanas, mas, num sentido mais amplo, típico das culturas não hegemônicas. A má recepção pode ser sintetizada no rude julgamento de *Minha formação* por Darcy Ribeiro: o antropólogo considerava o testamento intelectual de Nabuco como o retrato em preto e branco da alienação cultural![8] Minha hipótese de trabalho, neste ensaio, é a seguinte: o discernimento de Joaquim Nabuco sobre o que ele mesmo chamou de "atração do mundo" é tão importante quanto sua perturbadora descrição da escravidão no Brasil e oferece muito mais à nossa reflexão do que temos sido capazes de apreender. Tentarei mostrá-lo através de um diálogo que, pelo contrário, moldou fortemente uma recepção verdadeiramente negativa do legado de Nabuco.

II : A "MOLÉSTIA" DE NABUCO

Em 22 de novembro de 1924, Carlos Drummond de Andrade, então um jovem literato provinciano, escreveu uma carta surpreendente a Mário de Andrade. Nela, Drummond abriu seu coração com o líder do Modernismo: "Desculpe se vou estender-lhe ante os olhos os cenários da velha tragédia de Joaquim Nabuco um pouco deteriorados. Sou acidentalmente brasileiro (...). Detesto o Brasil como a um ambiente nocivo à expansão do meu espírito. Sou hereditariamente europeu, ou antes: francês. Amo a França como um ambiente propício, etc. Tudo muito velho, muito batido, muito Joaquim Nabuco".[9]

O assunto era delicado, pois relacionava-se diretamente à questão complexa de definição da identidade artística e intelectual nas circunstâncias de um país na periferia da modernidade. Mário de Andrade reagiu prontamente, embora na época fosse impossível prever que o autor da melancólica carta se tornaria um ícone da literatura brasileira. Em 1924, Carlos Drummond de Andrade, na verdade, era apenas um talento promissor. Mas Mário se atribuíra a tarefa de orientar as gerações mais jovens de escritores e artistas brasileiros e, para cumprir esse objetivo, produziu uma obra epistolar das mais impressionantes.[10] Mário tomou a sério, portanto, o desafio de persuadir Drummond de que, apesar de suas inegáveis dificuldades, o país ainda merecia alguma consideração e esperança... Assim, pelo "diagnóstico" de uma "moléstia" comum entre intelectuais brasileiros, Mário tentou desvendar a lógica às avessas da carta de Drummond. Na bem-humorada terapia do autor de *Namoros com a medicina*,[11] o lamento do poeta mineiro revelava sintomas do eterno retorno da "moléstia de Nabuco", expressão cunhada por Mário e desde então repetida como diagnóstico certeiro das mazelas do "europeizado" autor de *Amour et Dieu*. Seria uma doença contagiosa que afeta artistas e intelectuais que acreditam que a verdadeira recompensa por seus esforços deve encontrar-se nos países ditos centrais. No tiro ao alvo de Mário: "(...) o doutor Chagas descobriu que grassava no país uma doença que foi chamada moléstia de Chagas. Eu descobri outra doença mais grave, de que todos estamos infeccionados: a moléstia de Nabuco. É preciso começar esse trabalho de abrasileiramento do Brasil (...)".[12] O que tanto Carlos Drummond quanto Mário de Andrade tinham em mente era *Minha formação* de Joaquim Nabuco, referindo-se ambos, provavelmente, ao capítulo "Atração do mundo".[13] Comecemos pois aceitando a crítica de Mário – só num segundo momento pretendo propor uma leitura alternativa.

Neste capítulo, Nabuco propôs uma compreensão peculiar do papel dos intelectuais na América Latina; ou, para colocar o problema em termos mais amplos, da situação dos intelectuais oriundos de culturas não hegemônicas: como aquilatar o próprio valor e o de seus contemporâneos, se o modelo se encontra não apenas fora, mas também e a rigor fora de alcance? Nas palavras do líder do abolicionismo: "Nós, brasileiros – o mesmo pode-se dizer dos outros povos americanos – pertencemos à América pelo sedimento novo, flutuante, do nosso espírito, e à Europa, por suas camadas estratificadas".[14] A metáfora geológica não está livre de ardis – devo ser o primeiro a reconhecer. Afinal, opor a juventude de um novo continente à maturidade da Europa estabelece claramente uma hierarquia no mínimo perigosa entre os dois polos da equação. Em outras palavras, a ironia de Mário inegavelmente atinge o alvo. Deve-se também notar que provavelmente Nabuco baseou seu argumento numa teoria comum, segundo a qual o assim chamado Novo Mundo não era "novo" somente por ser "desconhecido" antes, mas "novo" acima de tudo por sua "juventude" geológica. É quase desnecessário dizer que, por trás da aparência de um sério esforço científico, tal teoria propunha uma homologia grosseira entre "juventude" e barbarismo, bem como uma equivalência direta entre "maturidade" geológica e civilização.[15] Na correta síntese de Ricardo Salles: "Ou seja, enquanto nação nova, americana, ainda faltava ao seu desenvolvimento o lastro histórico e cultural, civilizacional, europeu. Somente o tempo poderia cobrir esta distância".[16] Dentro dessa complexa constelação de problemas, Nabuco esclareceu seu ponto de vista e, sem dúvida, pagou pesado tributo às crenças do tempo: "Desde que temos a menor cultura, começa o predomínio destas [as camadas estratificadas] sobre aquele [o sedimento novo]. A nossa imaginação não pode deixar de ser europeia, isto é, de ser *humana*; (...). Estamos assim condenados à mais terrível das instabilidades, e é isto o que explica o fato de tantos sul-americanos preferirem viver na Europa...".[17]

A passagem, com razão, é uma das mais discutidas de toda a sua obra. No fundo, Drummond recorreu ao que definiu como "tragédia de Nabuco" para dar um toque nobre a seu próprio sentimento de viver entre culturas, de estar "fora do lugar", como Edward Said intitulou sua autobiografia, ou como muito antes Roberto Schwarz definiu a estratégia de certa elite brasileira, que deliberadamente emprega "ideias fora do lugar" como uma forma matreira de perpetuar sua dominação.[18] Como resposta estratégica, Mário cunhou uma expressão forte, transformando o dilema intelectual objetivo de Nabuco numa "moléstia" subjetiva. A percepção de Nabuco, por conseguinte, não seria celebrada como inovadora e sobretudo intelectualmente sofisticada. Pelo contrário, tinha de ser denunciada como uma mistura de bovarismo e inegável complexo de inferioridade – não é verdade que, na maioria das vezes, os dois são um só e o mesmo sentimento?[19] Afinal, o desejo de tornar-se outro costuma surgir de um problema de autoestima. Além disso, a ironia era uma arma que os modernistas sempre souberam como usar, e a investida de Mário dependia dessa tirada irônica sobre os valores eurocêntricos de Nabuco. A imputação é grave, porque, como vimos, a metáfora geológica não está de todo isenta de problemas, e é claro que ao empregá-la Nabuco reiterou preconceitos comuns de sua época. Ao mesmo tempo, Nabuco queria retratar a si mesmo como um perfeito cosmopolita, um cidadão do mundo, que, em lugar de limitar-se às circunstâncias de seu país, preocupava-se com o espetáculo do mundo e da civilização em geral: "Sou antes um espectador do meu século do que do meu país; a peça é para mim a civilização, e se está representando em todos os teatros da humanidade, ligados hoje pelo telégrafo".[20]

(Inicio aqui uma longa, mas necessária digressão. De um lado, todos que citam essa passagem como prova definitiva da alienação de Nabuco parecem "esquecer" o que autor afirmou algumas páginas adiante: "A verdade é que sinto cada dia mais forte o arrocho do berço: cada vez sou mais servo da gleba brasileira, por essa lei singular do coração que prende o homem à pátria com tanto mais força quanto mais infeliz ela é e quanto maiores são os riscos e incertezas que ele mesmo corre".[21] De outro lado, a insistência no perfil exclusivamente europeizado de Nabuco talvez revele uma leitura insuficiente do conjunto de sua obra, especialmente de sua última fase. Na avaliação precisa de um notável estudioso: "No decorrer deste ensaio sobre Joaquim Nabuco e a América, a transmutação operou-se por si mesma, naturalmente gradativamente: o homem que era chamado *europeu* por contemporâneos (...) passou a ser visto no fim da vida como um pan-americanista convicto (...)".[22] A fim de enfatizar sua interpretação, Olímpio de Souza Andrade intitulou o primeiro capítulo do livro "O 'europeu' e os assuntos americanos", e o último capítulo, "O americano e os assuntos europeus". Aliás, a própria estrutura do ensaio supõe a transferência de um polo a outro. Encerro a digressão para voltar à recepção modernista da obra de Nabuco, mas espero ter esclarecido a necessidade de revisitar a interpretação dominante sobre o seu "eurocentrismo". Trata-se de uma questão complexa que não pode ser resolvida com uma simples adjetivação.)

Mário não só diagnosticou a doença de Drummond, mas também (e acima de tudo) prescreveu a droga para curar seu jovem amigo: "não existe essa oposição entre nacionalismo e universalismo. O que há é mau nacionalismo: o Brasil dos brasileiros – ou regionalismo exótico"[23]. O "mau nacionalismo" recusaria os valores europeus simplesmente por serem europeus, ou mesmo qualquer valor estrangeiro, simplesmente por não ser um espelho. O *phármakon* de Mário, portanto, subentendia a busca de um delicado equilíbrio entre uma aceitação não crítica da Europa e uma definição da nacionalidade exclusivamente autocentrada. Por isso é que o gesto de Mário é um *phármakon*, pois, fiel aos múltiplos e contraditórios significados da palavra em grego, a cultura europeia não era só o *veneno*, mas também e ao mesmo tempo o *remédio*, portanto, parte indispensável do processo de "cura".[24]

III : CONTEXTUALIZAÇÃO

Minha hipótese é simples: a irônica definição da "moléstia de Nabuco" aprisionou o entendimento da complexidade intelectual do autor de *O Abolicionismo*. A rejeição por Darcy Ribeiro, em termos tão superficiais, de um livro fascinante como *Minha formação* é apenas um sintoma do sucesso da estratégia de Mário. Por isso mesmo, quero adotar o *phármakon* de Mário contra seu próprio diagnóstico, a fim de propor que Nabuco antecipou muitas das questões que estamos discutindo hoje; questões essas referentes à definição de noções como a de nação e a de identidade com base nos conceitos de exílio, de entre-lugar, de sentir-se fora do lugar, entre outras categorias relativamente recentes. Claro está que tal hipótese só pode ser considerada se enfrentarmos um problema hermenêutico fundamental, ou seja, a contextualização do vocabulário de Nabuco, bem como de seus preconceitos e preconcepções, em vez de rotular sua reflexão de alienada, apenas porque naturalmente ele não empregou categorias atualmente disponíveis![25] Além disso, convém recordar um princípio hermenêutico básico: não há época que não tenha suas próprias preconcepções, pois o anacronismo tanto é problema epistemológico quanto condição existencial. Ora, nenhuma época histórica é simultânea a si mesma, pois entre o gesto e a intenção, entre o contexto e seu entendimento, insinua-se sempre a necessária passagem do tempo histórico. Em outras palavras, somente somos contemporâneos ao presente que nos coube num futuro próximo, vale dizer, quando o que foi presente já se tornou nosso passado, pois precisamos de distância temporal para organizar as experiências que tivemos. Portanto, o que importa avaliar na obra de um pensador não é como ele evitou preconceitos – pois ninguém pode evitá-los de todo –, e sim como conseguiu, malgrado seus limites, produzir uma obra importante – o caso, se não me equivoco, de Joaquim Nabuco.

Esclareço o que proponho em relação a dois conceitos presentes em *Minha formação*. No capítulo 10, "Londres", Nabuco rememora suas impressões da cidade e da cultura britânica em geral. Esse foi um período muito importante para Nabuco, pois na Inglaterra ele se distanciou do movimento republicano, sua primeira inclinação, e se tornou ferrenho defensor da Monarquia como o mais adequado sistema político dos tempos modernos.[26] Ele compara a Londres oitocentista à Roma imperial e se coloca na pele de um literato provinciano que tivesse viajado "do fundo da África romana" até o centro do Império.[27] Assim, o Brasil seria uma província intelectual de dois centros metropolitanos dos tempos modernos: Londres e Paris. Em capítulos anteriores, Nabuco já descrevera a influência decisiva da língua e da cultura francesas em sua configuração intelectual, destacando-se o papel tutelar atribuído a Renan: "(...) eu lia muito pouco o português, ainda não começara a ler o inglês e desaprendera o alemão da Maria Stuart e de *Wallenstein*, com verdadeira mágoa do meu velho mestre Goldschmidt. O resultado foi que me senti solicitado, coagido pela espontaneidade própria do pensamento, a escrever em francês".[28] E como intelectual brasileiro, como um intelectual oriundo de um país não hegemônico, ele tinha se formado numa constelação de problemas ainda mais complexa. No tocante à especial localização do Império Colonial Português dentro do sistema mundial, Boaventura de Sousa Santos elaborou a noção de "situação semiperiférica", noção que envolve "um desenvolvimento econômico intermediário e uma posição de mediação entre o centro e a periferia da economia mundial".[29] Adiante, em seu ensaio inovador, Sousa Santos expõe as consequências culturais da situação semiperiférica, definindo ao mesmo tempo uma figura de Janus, o "Prospero português": "Não sendo uma identidade emancipada nem emancipatória, ele oscilava entre Prospero e Caliban como se em busca da terceira margem do rio de Guimarães Rosa".[30] Vale dizer, Nabuco era oriundo de uma periferia cujo centro de origem, por assim dizer, ocupava uma posição semiperiférica no sistema mundial. Em outras palavras, Nabuco teria intuído com grande originalidade uma situação cuja complexidade foi formulada com coragem por Antonio Candido numa polêmica porém instigante passagem: "A nossa literatura é galho secundário da portuguesa, por sua vez arbusto de segunda ordem no jardim das Musas... Os que se nutrem apenas dela são reconhecíveis à primeira vista, mesmo quando eruditos e inteligentes, pelo gosto provinciano, e falta de senso de proporções. Estamos fadados, pois, a depender da experiência de outras letras, o que pode levar ao desinteresse e até menoscabo das nossas".[31] Se não me engano, a consequência mais fecunda aberta por essa perspectiva é estabelecer a literatura comparada como o método por execlência de uma cultura não hegemônica como a brasileira.

Dentro dessa estrutura complexa, Nabuco não podia senão considerar-se "um provinciano do século XIX".[32] Que fique óbvio que tal definição não subentende necessariamente uma aceitação passiva dos valores europeus, nem um desligamento de seu próprio ambiente – como a recepção modernista estabeleceu por interpretação dominante de suas relações com a cultura europeia. Proponho, antes, uma releitura da reflexão de Nabuco no âmbito dos debates teóricos contemporâneos. Tomemos, por exemplo, duas autobiografias intelectuais recentes: *Out of Place* (1999), de Edward Said, e *The Gatekeeper* (2001), de Terry Eagleton.

Edward Said retratou-se como um ser dividido entre dois mundos, bem como entre duas línguas. Em suas palavras: "Nunca soube que língua falei primeiro, se árabe ou inglês, ou qual, sem a menor sombra de dúvida, era a minha. O que eu sei, porém, é que em minha vida as duas sempre estiveram juntas, uma ressoando na outra, às vezes irônica, às vezes nostalgicamente, e quase sempre uma corrigindo e comentando a outra".[33] Tal condição de nômade percorre toda a narrativa e proporciona a moldura para sua autodefinição: "Experiencio-me de quando em quando como um agregado de correntes em fluxo. E prefiro esta ideia à de um sólido ser (...)".[34] Por que não reler a autoconstrução de Nabuco como cidadão do mundo sob um enfoque similar, em vez de automaticamente reduzi-la a um sintoma de alienação cultural?

Terry Eagleton, um dos astros do (e um dos rebeldes contra o) sistema "Oxbridge", além de autor de obras literárias, também se retratou dessa forma. No seu caso, ele sente-se dividido entre classes. Vejamos como relembrou seus anos de formação: "O interesse pela escrita não era o ponto mais forte da comunidade de minha infância. Era um mundo que não entenderia como alguém podia ganhar a vida escrevendo livros, como não entendia que alguém o fizesse tirando cera do ouvido".[35] Ambos os autores se descrevem como sendo fundamentalmente marginais, exilados num ambiente potencialmente hostil. Não é verdade que no século XIX o artista romântico era um especialista em apresentar-se como uma alma atormentada, exilada de sua própria complexidade? No século XX, basta lembrar os escritores americanos da década de 1920, que se tornaram famosos como a "geração perdida" – mas, ao que consta, sem maiores contratempos, pois tinham se perdido no difícil exílio dos meios vanguardistas de Paris. Como o próprio Said reconheceu, num de seus ensaios mais citados: "(...) se o exílio verdadeiro é uma condição de perda terminal, por que então foi transformado tão facilmente num motivo possante, e até enriquecedor, da cultura moderna? Acostumamo-nos a pensar, do período moderno mesmo, que seja espiritualmente órfão e alienado (...)."[36] Daí o exílio seria a própria metonímia dos tempos modernos e conheceria na pluralidade linguística uma de suas marcas mais salientes.

Deve ser óbvio que, se aceitarmos que Said e Eagleton, bem como muitos outros estudiosos, desenvolvem suas reflexões, ou seja, fazem suas carreiras, a partir de uma consciência crítica da situação de estar fora do lugar e sentir-se dividido entre línguas e culturas, sem ser capaz de decidir por uma só opção,[37] devemos, ao menos por cautela metodológica, conceder a Joaquim Nabuco uma possibilidade semelhante, embora seus vocabulários e suas preocupações difiram muito dos hoje em dia usados. Contudo, essa possibilidade, na história cultural brasileira, não foi estendida a Joaquim Nabuco. Será útil, por conseguinte, caracterizar cinco momentos da recepção de sua obra no Brasil.

IV : RECEPÇÃO CRÍTICA

Inicialmente, em 1873–1874, logo ao regressar de sua primeira viagem à Europa, Nabuco se destacou por uma polêmica contra José de Alencar, iniciada em 1875.[38] De imediato teve seu talento reconhecido, muito embora o epíteto de afrancesado já fosse usado contra Nabuco: "Estava encharcado de francesismo intelectual, a ponto de escrever uma língua que mais parecia francês traduzido, como lhe foi assacado na época".[39] Durante o Império e após a proclamação da República, sua importância nunca deixou de ser devidamente apreciada. Um dos líderes mais celebrados do movimento abolicionista, viajou intensamente pelo exterior promovendo a causa contra a escravidão. Mais tarde foi figura central na iniciativa pan-americana, tendo recebido aclamação pública internacional por sua atuação em questões diplomáticas. Na recordação eloquente de Oliveira Lima acerca de discursos de Nabuco em Washington: "O segundo discurso do Sr. Joaquim Nabuco suscitou, todavia, algumas lisonjeiras referências, entre elas um editorial do *Times*, de Nova Iorque, intitulado *A nossa hegemonia hemisférica*".[40] Não supreende, portanto, que, como embaixador em Washington, tenha sido provavelmente o primeiro homem de letras brasileiro a receber um doutorado *honoris causa*, oferecido em 1908 por uma universidade prestigiosa como a de Yale.[41] Recebeu também um doutorado em leis, oferecido pela Columbia University – a mesma universidade que deslumbrou o jovem Gilberto Freyre nos anos de 1920.[42] Nesse período, Nabuco fez uma série de importantes conferências em universidades americanas. Em carta a Machado de Assis, datada de Washington em 8 de junho de 1908, Nabuco não escondeu seu entusiasmo:

> Vou receber este ano o grau de doutor em Letras por Yale, e a Universidade de Chicago convidou-me para pronunciar o discurso oficial no encerramento do ano letivo, ou no dia da colação dos graus, o que é uma grande honra. V. vê que estou fazendo render aqui as poucas forças que me restam. Também comprometi-me a pronunciar para o ano o discurso oficial em um dos grandes dias da Universidade de Wisconsin, e já me anunciaram o convite de outra universidade. Estou muito contente pelo Brasil com todas essas honras, que são principalmente feitas ao país.[43]

Fiel a seu estilo sóbrio, Machado felicitou o amigo com poucas palavras: "Enfim, dou-lhe os meus parabéns pelo seu doutoramento em Yale".[44] Em alguma medida, a recepção brasileira das conferências feitas por Nabuco em inglês nos Estados Unidos tem acompanhado a sobriedade do autor de *Memorial de Aires*, ou seja, elas são sobretudo consideradas como sinal do prestígio de Nabuco. O primeiro tradutor dessas conferências ao português resumiu esse ânimo com perfeição: "Não fora nenhuma exageração afirmar-se que Joaquim Nabuco em sua derradeira fase era o mais eminente, o mais legítimo representante da raça latina (...). E ninguém o sentiu melhor do que os anglo-saxões".[45] De igual modo, duas biografias clássicas apenas mencionam a realização das conferências, mas não se preocupam em analisar seu conteúdo. Carolina Nabuco dedicou três páginas ao assunto,[46] e assim explicou os convites recebidos por Nabuco: "E era também nesse quadro das universidades que sobressaíam com maior relevo, e eram melhor compreendidas, suas qualidades literárias e espirituais, a vasta cultura que lhe fazia merecer o epíteto de *scholar*-

ly, a fineza de seu juízo crítico e, no país do útil, o seu ardente amor ao belo".[47] E ressalte-se seu importante trabalho de tradutora, pois, além de traduzir, do francês, *Pensamentos soltos*,[48] reuniu em livro, traduzindo do inglês, *Camões e assuntos americanos. Seis conferências em universidades americanas*[49]. De igual modo, Luís Viana Filho mencionou as conferências sem deter-se nas ideias originais expostas por Nabuco, além de justificar os convites com raciocínio muito semelhante: "Realmente, divulgada a fama do intelectual, que corria parelha com a de Bryce, o famoso embaixador inglês, multiplicavam-se os convites de universidades desejosas de ouvi-lo, e a agenda de 1908 enchera-se de solicitações".[50] Sem negar que tantos convites tenham tido como origem o prestígio pessoal de Nabuco, gostaria de sugerir que uma análise cuidadosa de seu pensamento, tal como desenvolvido nessas conferências, seria uma forma de renovar a compreensão de seu papel pioneiro como intelectual entre culturas.[51]

Em suma, nesse segundo momento, definido por um crescente sentimento de sua importância no cenário brasileiro e internacional, Nabuco tornou-se um dos principais membros da então jovem Academia Brasileira de Letras.

Contudo, o movimento modernista, sua leitura iconoclasta da tradição e sobretudo a irônica definição de Mário de Andrade deram início a uma terceira onda de recepção de sua obra, a qual desde o começo tem sido predominantemente negativa. Italo Moriconi resumiu com felicidade os dois momentos: "(...) na história cultural brasileira, a figura de Joaquim Nabuco ou serve de *modelo* ou é vista como *sintoma*. (...) De modelo de nacionalidade, Nabuco vira exemplo de patologia nacional".[52] Ora, mas não é verdade que o Modernismo estreitou em demasia nossa compreensão da cultura brasileira anterior à Semana de Arte Moderna? Espero não ser mal interpretado: meu ponto de vista nada tem a ver com uma crítica infundada da própria Semana. Este evento, sem dúvida, foi um dos mais importantes da vida cultural brasileira no século XX, e não me incluo entre os que recentemente tentaram reduzir seu alcance. O que estou sugerindo, antes, é que o Modernismo foi tão importante que, como sempre acontece, cegounos para uma sensibilidade histórica que precedeu a revolução modernista – precisamente a sensibilidade de Joaquim Nabuco. Evaldo Cabral de Mello tem toda razão ao assinalar: "Boa parte do interesse de *Minha formação* consiste precisamente em se haver constituído num testemunho da antiga sensibilidade brasileira que precedeu à que é atualmente a nossa e que só se tornou hegemônica a partir dos anos vinte e trinta. Muitos trechos do livro soam insolitamente ao brasileiro de hoje".[53] Creio que esta é a razão de ainda não ter sido totalmente explorada a compreensão original exposta por Nabuco do dilema definidor de uma cultura não hegemônica.[54]

É talvez por isso que nem mesmo uma importante reavaliação da ideia de "atração do mundo" de Nabuco, tal como a proposta por Silviano Santiago, conseguiu superar totalmente o modelo modernista, segundo o qual Nabuco teria caído na armadilha de um olhar não crítico em relação à Europa. Nas palavras de Santiago: "A insatisfação geológica na prospecção tanto do solo histórico brasileiro quanto da produção cultural rudimentar nele feita, razão do eurocentrismo e da sensação de inferioridade americana no pensamento de Nabuco (...)".[55] A questão é muito mais complexa, como espero demonstrar, e reavaliá-la implica analisar o emprego por Nabuco da metáfora, aliás tipicamente modernista, da apropriação, vendo como ela funciona em seu texto. Publicado originalmente em 1996, o ensaio de Santiago constituiria um quarto momento na recepção de Joaquim Nabuco, e reconheço que sua perspectiva estimulou minha reflexão: "A riqueza exploratória da escrita memorialística de Nabuco não para ali. Em primeiro lugar, ela pode nos servir hoje para estabelecer um paradigma inicial que recobre e explica as políticas de globalização e identidade que configuraram o primeiro século da autonomia nacional para uma discussão das posições ideológicas antagônicas mantidas no primeiro século de autonomia nacional".[56]

Embora não se abrisse à possibilidade de reler Nabuco no âmbito das preocupações teóricas contemporâneas, especialmente no tocante à circunstância do intelectual entre culturas – principal objetivo deste ensaio –, Santiago destacou uma dimensão fundamental na autobiografia de Nabuco, qual seja, sua percepção da íntima conexão entre a constituição dos centros econômicos e o controle sobre as novas tecnologias da comunicação. Santiago foi o primeiro a expor as consequências do fascínio de Nabuco, por exemplo, com "o telégrafo, um outro meio de circulação de ideias da época, a saber, o jornal", e o papel de Nabuco, "que seria uma espécie ancestral do contemporâneo *wired citizen*".[57]

Este é um ponto muito importante. No discurso de formatura que deveria ter pronunciado na Universidade de Wisconsin em 1909,[58] Nabuco revela esta preocupação com novas tecnologias quando orgulhosamente menciona progressos científicos realizados com a contribuição de países não hegemônicos: "(...) Mais de uma vez, porém, surpreendeu-se o Mundo, vendo homens da América Latina surgirem na primeira linha, como no último concílio do Vaticano ou na Segunda Conferência de Haia, ou quando Santos-Dumont, voando em redor de Paris, abriu a era da navegação pelos ares".[59] Pode-se dizer que Nabuco intuiu as condições de um mundo globalizado e que ele narra corretamente o despertar desse mundo para os avanços então inéditos verificados nos meios de comunicação e transporte: "As grandes nações, as estradas de ferro continentais, os navios rápidos, os aviões, os cabos submarinos, o telégrafo sem fio, as Conferências de Haia, tudo parece anunciar que a nova tendência da humanidade em todos os sentidos será a fusão".[60] Nesta passagem, Nabuco referiu-se à criação de uma comunidade americana mais ampla, que reunisse latinos e anglo-saxônicos. Sua ideia caminhava no sentido contrário, por exemplo, do que tinha sido proposto em 1900 por José Enrique Rodó em seu clássico ensaio *Ariel*, cuja tese principal defendia uma oposição entre Caliban, metonímia da América anglo-saxônica, e Ariel, metáfora da América latina. Em outra conferência, "The Approach of the Two Americas", feita na Universidade de Chicago em 28 de agosto de 1908, Nabuco até mesmo sugeriu: "O único resultado certo que vejo de um intercâmbio constante e vivo entre a América Latina e a vossa pátria é que ficaríamos *americanizados*; isto é, sofreríamos, em graus diversos, a infiltração do vosso otimismo, da vossa confiança e da vossa energia. Seria um tratamento pela eletricidade".[61] À diferença de muitos intelectuais latino-americanos da época, Nabuco estava disposto a aceitar certos elementos dos Estados Unidos como fundamentalmente positivos em seu projeto de patrocinar um sentido mais vasto para a ideia de "América". Hoje em dia, a visão de Nabuco poderia ser reconsiderada no âmbito da preocupação contemporânea com os chamados "estudos interamericanos".[62] A questão da imigração, segundo ele, constituiria um terreno comum para uma reflexão inicial sobre essa aproximação da América latina com a anglo-saxônica: "Tomai um ponto em comum nos nossos destinos. Todos somos e seremos países de imigração".[63] Este tópico é de importância capital para Nabuco, que logo distingue uma faceta fundamental da imigração nas origens dos Estados Unidos: "(...) eu classificaria a imigração como a primeira entre as contribuições da América para a Civilização. (...) As demais nações são, ou foram, todas compostas de uma única raça, ou então de raças separadas e falando cada qual sua língua (...). Em outras palavras, sois uma nação formada de nações por sua livre vontade. A diferença está toda nisto".[64]

Finalmente, um quinto momento na recepção da obra de Nabuco foi inaugurado pelo prefácio de Evaldo Cabral de Mello a uma nova edição de *Minha formação*. O historiador propôs uma leitura do capítulo "Atração do mundo" que é fundamental para minha própria perspectiva. O que estou tentando fazer, de fato, não é mais do que desenvolver a sugestão de Cabral de Mello:

> O que *Minha formação* formula mais certeiramente do que qualquer outra obra de autor nacional é o que se poderia chamar o dilema do mazombo, isto é, do descendente de europeu ou reputado como tal, com um pé na América e outro na Europa, e equivocadamente persuadido de que, cedo ou tarde, terá de vencer a indecisão, plantando-os ambos de um só lado do oceano.[65]

Assim, Evaldo Cabral de Mello nos deu a tarefa urgente de reavaliar a complexa compreensão do problema por Nabuco. Podemos ler agora com uma nova perspectiva, por exemplo, as palavras de Nabuco referentes à troca entre culturas: "Às vezes, apossamo-nos (*we appropriate*) dos progressos da Civilização de um modo que parecerá por demais completo aos próprios criadores".[66] Na verdade, a metáfora da apropriação, tão importante para o Modernismo, já havia aflorado em *Minha formação* e com o mesmo sentido de um relacionamento criativo com a tradição alheia a fim de enriquecer o pensamento próprio. Após reconhecer a importância do livro de Bagehot sobre a Constituição inglesa para sua definição política, Nabuco, no entanto, observou: "O que me decidiu foi a *Constituição Inglesa* de Bagehot. Devo a esse pequeno volume, que hoje não será talvez lido por ninguém, a minha fixação monárquica inalterável; tirei dele, transformando-a a meu modo, a ferramenta toda com que trabalhei em política (...)".[67] Ao definir a relevância do que chama de "espírito britânico", ele emprega o mesmo conceito: "Essa influência foi o contágio do espírito inglês, o que pude apropriar-me dele".[68] É por isso que, muito diferente da imagem estabelecida pelo epíteto de Mário, Nabuco propõe uma estrada de mão dupla para se aproximar da compreensão da troca entre culturas:

> Nada exerceu mais influência sobre Jean-Jacques Rousseau do que a impressão do Novo Mundo. Os utopistas franceses do século XVIII não tiraram muito da descoberta da Índia, da China e do Japão; mas a descoberta da América foi para eles uma impressão criadora, como o fora por três séculos para os seus predecessores. (...).
>
> Um livro poderia ser escrito sobre essas duas sucessivas influências do Novo Mundo na imaginação europeia.[69]

Tal livro foi parcialmente escrito por Afonso Arinos de Melo Franco,[70] e as mais fecundas teorias contemporâneas, em sua maior parte, preocupam-se exatamente com a questão levantada por Nabuco. Na verdade, o antropólogo cubano Fernando Ortiz, com sua teoria da "transculturação", deu pleno relevo à abordagem de mão dupla que

Nabuco havia adiantado tão-só como indicação preliminar do que deveria ser feito por um estudo crítico de troca entre culturas.[71]

V : NABUCO E TRADUÇÃO

De interesse ainda maior para o debate contemporâneo é o modo como Nabuco define sua relação com a língua portuguesa. Desde a infância ele lia principalmente em francês. Quando escreveu seus primeiros poemas, também o fez nessa língua, num livro intitulado *Amour et Dieu*.[72] Sob influência do Modernismo, só podemos ver nesse gesto, como viu Darcy Ribeiro, a prova mais cabal de alienação. No entanto, não é verdade que desde Conrad, Nabokov e Beckett, entre outros, passamos a entender a riqueza literária que há por trás do bilinguismo? O bilinguismo supõe a expressão dos sentimentos e da visão do mundo em mais do que uma forma padrão, capacidade altamente valorizada num mundo cada vez mais globalizado. Nabuco foi provavelmente o primeiro intelectual brasileiro a experienciar as consequencias desse dilema, recorrente ao longo de sua obra.[73] Sua autobiografia também é representativa do esforço. Assim justifica o sentir-se mais à vontade para escrever em francês do que em português: "(...) com efeito, não revelo nenhum segredo, dizendo que insensivelmente a minha frase é uma tradução livre, e que nada seria mais fácil do que vertê-la outra vez para o francês do qual ela procede. O que me admira é que o mesmo não aconteça a todos os que têm lido tanto em francês como eu, mais do que eu, e cuja vida intelectual tem sido assim em sua parte principal, isto é, em toda a sua função aquisitiva, francesa".[74] E, como se pudesse antecipar a crítica a ser feita por Mário, é como se Nabuco adiantasse uma reflexão de grande relevância:

> Não sei; mas essa suscetibilidade à influência francesa parece natural em espíritos que recebem quase tudo em francês e que têm horror à tradução; o purismo português, esse, sim, é

> que, até tornar-se uma segunda natureza literária, exige uma constante vigilância, a retificação exata de todo o trabalho de aquisição intelectual.[75]

Esta é uma das passagens mais difíceis e fascinantes de *Minha formação*, e ele a conclui de forma bem provocante: "a minha fonografia cerebral adaptou-se contudo às leituras estrangeiras".[76] Décadas antes da importante teoria da tradução de Walter Benjamin ou do notável projeto de transcriação de Haroldo de Campos, Joaquim Nabuco vislumbrou a riqueza de um estilo de escrita cujo original já se lê como disseminação de línguas "estrangeiras". Nesse sentido, considerar o "purismo" linguístico como sintoma preocupante de um provincianismo indesejável é um traço de lucidez, que até agora não teve o reconhecimento merecido. Nabuco não está ingenuamente querendo ser francês – não é o jovem Carlos Drummond de Andrade. Pelo contrário, Nabuco é um intelectual brasileiro que domina três línguas e escreve e pensa em todas elas – *he could, for instance*, no meio da frase, *parler en français*, e a seguir retomar sua conversa, fosse em inglês, francês ou português. Não era um homem alienado, mas foi, isto sim, um dos primeiros intelectuais transnacionais dos tempos modernos – o que é difícil de aceitar, sobretudo no Brasil; afinal de contas, Joaquim Nabuco era... um intelectual brasileiro. Ironicamente, os críticos que reduzem a contribuição de Nabuco ao eurocentrismo só são capazes de dizê-lo seguindo as últimas tendências das universidades europeias e norte-americanas.

Talvez a melhor maneira de apreender o vigor das ideias de Nabuco seja relacionar sua intuição no tocante a línguas e culturas ao "projeto para o Brasil" desenvolvido pelo filósofo Vilém Flusser: "Por décadas eu estive envolvido num experimento para sintetizar a cultura brasileira a partir de uma mistura maior de fenômenos culturais indígenas, africanos, do Leste asiático e da Europa Ocidental e Oriental".[77] Essa síntese que continha um pouco de tudo só seria possível devido à "natureza" flexível do português falado no Brasil – o que nos leva a pensar na relação que Nabuco tinha com seu próprio idioma. O português falado no Brasil tanto é "arcaico", com a presença de antigos elementos já esquecidos ou raramente usados em Portugal, quanto "selvagem", devido ao fato de "elementos africanos nele terem penetrado".[78] O português falado no Brasil, segundo a primorosa definição de Flusser, seria um "português-esperanto",[79] como se fosse um arco-íris de possibilidades linguísticas. Dada a estrutura especial da "língua brasileira",[80] Flusser não teme propor a questão sem dúvida polêmica:

> É possível construir uma língua brasileira que tanto suporte quanto transmita uma cultura brasileira e assim faça do país Brasil a terra de uma sociedade futura? Essa questão controversa, na minha opinião, é o viveiro de tudo o que o Brasil produziu no último século, a começar por Brasília e a terminar na bossa nova.[81]

Essa é talvez a razão de Nabuco não recorrer a traduções, porque o gesto de traduzir todas as línguas *numa só* lhe parece uma redução lamentável e, assim, um empobrecimento desnecessário da expressão. Nabuco escreve em português como se escrevesse em francês; escreve em sua língua materna, em outras palavras, já com um sabor estrangeiro. No célebre prefácio-ensaio de suas próprias traduções de Baudelaire ao alemão, mais conhecido como ensaio autônomo, "A tarefa do tradutor",[82] Walter Benjamim propôs precisamente que o melhor tradutor faria sua língua soar como as línguas estrangeiras das quais ele traduz, em vez de fazer com que todas as línguas estrangeiras soem como a sua. Faria assim seu alemão nativo, por exemplo, soar surpreendentemente francês, inglês, italiano, português, e assim por diante. Por certo, Haroldo de Campos saberia como desenvolver a intuição de Nabuco em sua própria teoria da transcriação, segundo a qual traduzir subentende alargar os horizontes criativos da língua na qual as obras são traduzidas. A tradução, assim, também é criação e deveria produzir, por assim dizer, um sobressalto linguístico em decorrência do ato de transcriar como produção de estranhamento estético. Em ambos os casos, mais uma vez, Nabuco teria se apropriado do método (nesse caso, no fundo, ele teria antecipado a noção de um estranhamento positivo), pois produziria sua transcriação enquanto escrevia em sua "própria" língua, fazendo-a soar como se já fosse estrangeira. Trata-se de uma postulação cuja riqueza e complexidade o Modernismo não foi capaz de compreender e na qual somente soube vislumbrar alienação. Nabuco também se sentia dividido entre línguas e culturas, ou seja, exatamente como a situação de estar fora do lugar foi definida por Edward Said. No entanto, e à diferença da maioria dos estudiosos contemporâneos, que tendem a vitimizar sua situação a fim de obter capital simbólico para suas carreiras acadêmicas, Nabuco enfrentou essa situação sem qualquer melancolia e sem recorrer a qualquer tipo de essencialismo. Pode até mesmo, e empregue-se aqui o verbo mais adequado, ser um "essencialismo estratégico" sofisticado, tal como definido por Gayatri Spivak: "Identidade é uma palavra muito diferente de essência. Nós 'escrevemos' uma biografia em curso com a língua da vida".[83] Contudo, após dizê-lo, Spivak honestamente reconheceu: "Reconsiderei então meu clamor por um uso estratégico do essencialismo. Numa cultura personalista, mesmo entre pessoas que são também humanistas e, de de modo geral, forjadores de palavras, a ideia de estratégia é que foi esquecida".[84] Mas também pode tratar-se, numa versão menos erudita, de um genuíno essencialismo autobiográfico disfarçado de identidade política, tão comum em certas áreas dos estudos culturais contemporâneos. Nos dois casos, o desafio de viver entre culturas e línguas não é realmente enfrentado, mas sim transformado num cômodo discurso acadêmico que paradoxalmente se tornou dominante e proporciona as melhores oportunidades para garantir uma situação estável, conquistar posições de prestígio e assegurar bolsas generosas de fundações milionárias, porém muito preocupadas com a sorte das minorias. A aguda percepção do problema por Nabuco, pelo contrário, propõe vários pontos que estão intimamente relacionados ao mundo contemporâneo. Vejamos então agora como Nabuco compreendeu a relação entre os *poderes* centrais e periféricos.

VI : NEM CENTRO NEM PERIFERIA

Devo esclarecer o que provavelmente já ficou entendido: não estou usando os conceitos de "centro e "periferia" como descrição objetiva de um determinado lugar, fixo e portanto sempre idêntico a si mesmo; entendo-os, antes, como um conjunto complexo de relações que são política, cultural e economicamente assimétricas – estando o polo "periférico" localizado numa posição hierarquicamente secundária. Além do mais, essas posições são, por definição, relacionais; são, por conseguinte, dinâmicas e mudam no curso do processo histórico. Por isso é que, em vez de simplesmente nos livrarmos dos conceitos de centro e periferia, como certas tendências críticas contemporâneas parecem propor, devemos torná-los ainda mais complexos, acentuando sua natureza relacional. De outro modo, faltar-nos-iam instrumentos analíticos para melhor compreender as crescentes desigualdades do chamado mundo globalizado.

No final da década de 1970, no contexto da história da arte italiana, Enrico Castelnuovo e Carlo Ginzburg já haviam proposto um complexo modelo para dar forma nova à discussão, pondo em questão a suposição subjacente à definição comum dos conceitos de centro e periferia. Com uma abordagem particularmente esclarecedora, Castelnuovo e Ginzburg afirmam:

> Se, por definição, o centro for a localização da criação artística e periferia significar simplesmente à distância do centro, periferia então só pode ser considerada sinônimo de atraso artístico. Claro que este é um esquema tautológico, que elimina a dificuldade, embora pretenda resolvê-la. (...) Vista de uma perspectiva polivalente, a relação entre centro e periferia revela-se muito diferente de uma imagem pacífica (...). Não se trata de uma questão de difusão, mas de conflito, o que pode ser observado até mesmo em situações nas quais a periferia parece limitar-se a seguir fielmente as direções do centro.[85]

Na sequência, os autores mostram como, no contexto italiano, mais do que um centro artístico responsável por ditar valores estéticos, o que se encontra é o surgimento de uma estrutura policêntrica, dinâmica em suas relações e variável nos seus padrões de dominação. É um modelo fecundo, em particular na situação contemporânea do mundo globalizado. Não é verdade que os autores latino-americanos sempre criaram o que poderia chamar-se de biblioteca pessoal policêntrica, cujas prateleiras abrigavam diferentes centros e periferias culturais, para não mencionar a sobreposição de vários momentos históricos? É como se a natureza litigiosa do encontro entre instâncias centrais e periféricas se traduzisse como uma forma específica de apropriação de tradições literárias. Carlos Fuentes, referindo-se a Machado de Assis, sintetizou esse impulso com veemência: "E, no entanto, a fome latino-americana, o desejo de tudo abarcar, de apropriar-se de todas as tradições e culturas, inclusive as aberrações; a ânsia utópica de criar uma nova atmosfera em que todos os espaços e tempos sejam simultâneos".[86] Haroldo de Campos já havia empregado um vocabulário similar a fim de definir o mesmo procedimento: "(...) diferentemente dos intelectuais de países hiperdesenvolvidos, que são, até certo ponto, mais auto-suficientes, nós partimos com aquela fome cultural".[87] Portanto, se, em alguma medida, a transcriação é sobretudo uma questão de apetite cultural, então o português afrancesado de Nabuco bem poderia compor parte do cardápio contemporâneo.

Para que essa possibilidade se torne ainda mais clara, permitam-me repetir: *poderes* centrais e periféricos, e aqui a pluralidade importa como sintoma da complexidade do pensamento de Nabuco. Por que é que Londres seria a verdadeira capital imperial do século XIX? Se Paris tinha a seu crédito a distinção intelectual e artística,[88] a própria capital do crédito era Londres, eixo dinâmico do emergente capitalismo financeiro. Nabuco percebeu claramente que a distinção imperial não era fruto de uma visão abstrata da superioridade europeia nem, inversamente, um subjetivo complexo de inferioridade latino-americano. O Império era antes e sobretudo o impressionante fluxo diário, muito concreto, no entanto imaterial (virtual, como diríamos hoje), dos bilhões de libras esterlinas que passam pela City, "transferidos de banco a banco, importados, reexportados pelo telégrafo para os confins donde vieram. O transeunte para no meio de todo esse luxo e refluxo do ouro, sentindo não ouvir o tinido das libras; as oscilações contínuas, subterrâneas, dessas correntes contrárias de metal ele só conhecerá pelo seu efeito sensível: a taxa do desconto".[89] Na mesma linha de raciocínio, a glória cultural da França também esteve intrinsecamente relacionada ao apogeu do poder da monarquia absoluta.

Sublinho a conexão estabelecida por Nabuco entre a centralidade histórica de culturas retratadas como hegemônicas e as relações de poder contemporâneas, pois se trata de ponto fundamental para minha discussão da complexidade da contribuição intelectual de Nabuco. Afinal, nas próprias culturas periféricas existem áreas centrais. Não é verdade, por exemplo, que intelectuais e artistas do Rio de Janeiro e São Paulo são venerados em áreas periféricas do Brasil, exatamente como intelectuais e artistas de São Paulo e do Rio de Janeiro veneram seus pares da Europa e dos Estados Unidos? Noutras palavras, internalizamos as mesmas relações de poder que nos são impostas. Não é igualmente verdade que nas culturas centrais existem áreas periféricas? Não poderíamos dizer que, em *Madame Bovary*, Flaubert também descreveu a criação de periferias dentro de uma cultura central? Emma deseja ser uma parisiense com a mesma intensidade com que o jovem Carlos Drummond de Andrade almejava tornar-se francês. Contudo, há uma distinção importante. Ao contrário de Emma Bovary, os intelectuais latino-americanos geralmente conseguem não só alcançar Paris, mas também tirar pleno proveito da cidade. De fato, Joaquim Nabuco foi ironica e fielmente seguido pela geração de escritores e artistas modernistas. À exceção de Mário de Andrade, os líderes do movimento viveram por longos períodos na capital da vanguarda. Em suma, o tráfego entre os poderes centrais e periféricos não é de uma estrada de mão única, sendo antes composto por um complexo conjunto de relações, pois centro e periferia não são lugares fixados num mapa, e sim deslocamentos de poder, historicamente determinados e portanto mutáveis.

Não obstante, e precisamente por causa disso, se abdicarmos dos conceitos de centro e periferia, ficaremos privados de instrumentos analíticos para compreender e descrever as relações de poder, que a cada dia se fazem mais presentes no mundo globalizado. A aceitação de valores europeus por Nabuco, aparentemente passiva, transforma-se então numa aguda análise da significação do capital financeiro na determinação do capitalismo moderno e, sobretudo, num estudo penetrante do estreito vínculo entre hegemonia cultural e poder econômico. Certamente Nabuco era muito menos ingênuo do que nos quis fazer crer o Modernismo.

VII : NABUCO ENQUANTO EUROPEÍSTA

À guisa de conclusão, recordo uma distinção proposta por Ernesto Sábato: "Os europeus não são europeístas; são simplesmente europeus".[90] Segundo essa distinção, os europeus são figuras de Narciso, incapazes de compreender os próprios limites, enquanto os europeístas trazem na cor da pele ou em seu forte sotaque a diferença que pode disparar um olhar particularmente crítico. Exatamente como o "dilema do mazombo" identificado por Evaldo Cabral de Mello e exatamente como o *criollo* dos tempos coloniais, que, embora descendendo de espanhóis, carregava o estigma de não ter nascido na metrópole, o europeísta lida com códigos de uma cultura que até certo ponto sempre permanecerá estrangeira. É por ser estrangeiro, precisamente, que o europeísta mantém a necessária dose de cinismo para zombar da arrogância de alguns valores e instituições da Europa. Para ser europeísta, afinal, é preciso aprender pelo menos uma segunda língua e depois uma nova cultura e literatura. Em última análise, podemos acrescentar ao raciocínio de Sábato que a verdadeira distinção entre um europeu e um europeísta jaz no tamanho de suas bibliotecas, porque o europeísta tem que ler pelo menos as duas tradições, a da Europa e a sua. *Minha formação* de Joaquim Nabuco, por isso, é também um memorial de suas leituras – bem à semelhança de Machado de Assis, seu querido amigo, Nabuco é primariamente um leitor e só depois um autor. Ora, de igual modo, Mário definiu-se com agudeza no poema "Trovador", incluído em *Paulicéia desvairada*: "Sou um tupi tangendo um alaúde!"[91] Voltamos pois ao começo, a fim de compreender que a "moléstia de Nabuco" antecipou pelo avesso o poema de Mário, pois Nabuco tentou manter o mesmo equilíbrio entre nacionalismo e universalismo. Nabuco também rejeitou um "nacionalismo medíocre" e, de fato, fez ainda mais: estabeleceu a história comparativa como a base indispensável para a compreensão da formação cultural do Brasil.

NOTAS

1 Este texto foi escrito durante a vigência da Hélio and Amélia Pedroso/ Luso-American Foundation Endowed Chair in Portuguese Studies, concedida pelo Centro de Estudos Portugueses da Universidade de Massachusetts, Dartmouth, para dar um curso no Departamento de Português da mesma universidade. Gostaria de agradecer pelas condições ideais de pesquisa asseguradas pelos colegas de Massachusetts, especialmente Dário Borim Jr., Frank F. Sousa e Victor K. Mendes.

2 Como sugestivamente observou certa vez Antônio Callado: "Há sempre uma viagem real ou imaginária na carreira de um escritor, especialmente do latino-americano". "Entrevista". *Literatura Comentada*: Antonio Callado. Lígia Chiappini Moraes Leite (org.). São Paulo: Abril Cultural, 1981, 16. Numa conferência proferida originalmente em inglês, em 1974, "As três viagens dos escritores latino-americanos", Callado desenvolveu a observação. Ver *Censura e outros problemas dos escritores latino-americanos*. Rio de Janeiro: José Olympio, 2006, 53-78. Trad. de Cláudio Figueiredo.

3 Silviano Santiago: "O entre-lugar do discurso latino-americano". *Uma literatura nos trópicos*. São Paulo: Perspectiva, 1978. O leitor interessado deve consultar, no mesmo livro, outro ensaio relevante para essa questão: "Eça, autor de *Madame Bovary*". Seria interessante justapor a noção de "en-

tre-lugar", de Santiago, à percuciente análise, por Julio Ramos, da função da paródia na literatura latino-americana; sua principal função seria solapar noções de pureza e origens nas literaturas europeias hegemônicas, "ainda que ela (voluntaria ou involuntariamente) representasse, recitasse ou simulasse a lógica e função de códigos do Primeiro Mundo" (78). Julio Ramos, *Divergent Modernities. Culture and Politics in Nineteenth-Century Latin America*. Durham: Duke University Press, 2001, 78.

4 Gustavo Pérez Firmat, *Life on the Hyphen: The Cuban-American Way*. University of Texas Press, 1994.

5 "Com a antropofagia, Oswald se converte no 'outro outro'. Abre um 'entre-lugar' nos trópicos, ocupado pelo intelectual de periferia no período pós-colonial, a meio termo entre o nacional e o global. Nem colonial nem indígena, o intelectual se torna um 'outro outro'. David Jackson, "Novas receitas da cozinha canibal. O 'Manifesto Antropófago' nos anos 90". João Cezar de Castro Rocha e Jorge Ruffineli (orgs.). *Anthropophagy Today?* Stanford University, 2000, 278.

6 Joaquim Nabuco, *Minha formação* [1900]. Rio de Janeiro: Topbooks, 1999, 49.

7 Joaquim Nabuco, op. cit., 163. Em outra difícil passagem, sempre citada e discutida, Nabuco afirmou: "Foi assim que o problema moral da escravidão se desenhou pela primeira vez aos meus olhos em sua nitidez perfeita e com sua solução obrigatória. (...) Oh! os santos pretos! Seriam eles os intercessores pela nossa infeliz terra, que regaram com seu sangue, mas abençoaram com seu amor!" Joaquim Nabuco, op. cit., 168.

8 Eis a citação na íntegra: "Joaquim Nabuco – Quincas, o Belo – publica *Minha formação*. Autobiografia clássica e chata, de um alienado. Senão, leia: 'O sentimento em nós é brasileiro; a imaginação, europeia. As paisagens todas do Novo Mundo, a floresta amazônica ou os pampas argentinos não valem para mim um trecho da Via Appia, uma volta da estrada de Salerno a Amalfi, um pedaço do cais do Sena à sombra do velho Louvre'. Vangloriava-se de pensar em francês. Dói é lembrar que esse alienado era, talvez, o mais brilhante intelectual brasileiro de sua geração". Darcy Ribeiro. *Aos trancos e barrancos – como o Brasil deu no que deu*. Rio de Janeiro: Editora Guanabara, 1985, 24. Agradeço a José Mario Pereira pela referência.

9 Silviano Santiago (org.), *Carlos & Mário. Correspondência completa entre Carlos Drummond de Andrade (inédita) e Mário de Andrade*. Rio de Janeiro: Bem-Te-Vi, 2002, 57 e 59.

10 Sobre este tópico, ver o livro indispensável de Marcos Antônio de Moraes, *Orgulho de jamais aconselhar: A epistolografia de Mário de Andrade*. São Paulo: Edusp, 2007.

11 Refiro-me ao pouco discutido porém fascinante *Namoros com a medicina*. Belo Horizonte: Itatiaia, 1980.

12 Silviano Santiago (org.), op. cit., 70.

13 Vale a pena recordar o esclarecimento de Santiago: "A dita 'tragédia de Nabuco', para Mário, não vem originalmente de Joaquim Nabuco, é apenas uma doença tropical, transmitida aos jovens brasileiros letrados pelo bacilo das ninfas europeias". Silviano Santiago, "Prefácio". Idem, 19.

14 Joaquim Nabuco, op. cit, 49.

15 Este debate "científico" foi reconstruído brilhantemente por Antonello Gerbi, *The Dispute of the New World: The History of a Polemic, 1750–1900*. University of Pittsburgh Press, 1973.

16 Ricardo Salles. "Joaquim Nabuco e a frustação da nação abolicionista". *Tempo Brasileiro*, 140 (2000), 41. Para uma compreensão aprofundada da importância da primeira viagem de Nabuco à Europa na sua formação política, recomendo o importante ensaio de Salles, *Joaquim Nabuco. Um pensador do Império*. Rio de Janeiro: Topbooks, 2002, especialmente os dois primeiros capítulos da Parte I.

17 Joaquim Nabuco, op. cit, 49.

18 Como o leitor já sabe, refiro-me ao ensaio "As ideias fora do lugar", primeiro capítulo de *Ao vencedor as batatas. Forma literária e processo social nos inícios do romance brasileiro*, 3ª ed. São Paulo: Livraria Duas Cidades, 1988, 13–28.

19 Penso no célebre ensaio do psicólogo Jules de Gaultier, *Bovarisme*, publicado em 1902. A reedição de 2006 conta com um alentado ensaio de Per Buvik, "Le Principe bovaryque". Jules de Gaultier. *Bovarisme. Essai*

sur le pouvoir d'imaginer. Paris: Presses de l'Université Paris-Sorbonne, 2006, 169–334.

20 Joaquim Nabuco, op. cit, 44.

21 Idem, 47–48.

22 Olímpio de Souza Andrade. *Joaquim Nabuco e o Brasil na América*, 2ª ed. rev. São Paulo: Companhia Editora Nacional/MEC, 1978, 93.

23 Silviano Santiago (org.), op. cit., 70.

24 Acerca desse uso de *phármakon*, tal como desenvolvido por Derrida, recomendo a leitura de dois livros de Evando Nascimento: *Derrida e a literatura. "Notas" de literatura e filosofia nos textos da desconstrução*, Niterói: EdUFF, 2001, especialmente 105–117; *Derrida*, Rio de Janeiro: Jorge Zahar, 2004, especialmente 28–33.

25 Esse foi precisamente o ânimo do autor de um dos mais inovadores ensaios sobre Joaquim Nabuco: "De todo modo, o ponto que gostaria de frisar é que o objetivo deste trabalho é o de levantar questões. Sobre Nabuco e seu mundo, mas também sobre o nosso. / O contato com a hermenêutica de Gadamer foi decisivo nessa mudança de postura. (...) Trata-se de levar em conta a interpelação que nos faz uma determinada tradição, da qual Nabuco é uma das fontes, e buscar a compreensão do seu pensamento". Ricardo Salles, *Joaquim Nabuco. Um pensador do Império*. Rio de Janeiro: Topbooks, 2002, 19.

26 "Devo outras ideias a Bagehot. Antes de o ler, eu tinha o preconceito democrático contra a hereditariedade, o princípio dinástico e a influência aristocrática. (...) Comparados os dois governos, o norte-americano ficou-me parecendo um relógio que marca as horas da opinião, o inglês, um relógio que marca até os segundos". Joaquim Nabuco, op. cit, 35 e 37.

27 Idem, 86. Eis a passagem na íntegra: "A grande impressão que recebi não foi Paris, foi Londres. Londres foi para mim o que teria sido Roma, se eu vivesse entre o século II e o século IV e um dia, transportado da minha aldeia transalpina ou do fundo da África romana para o alto do Palatino (...)".

28 Idem, 66.

29 Boaventura de Sousa Santos, "Between Prospero and Caliban: Colonialism, Postcolonialism, and Inter-Identity". Hilary Owen e Paulo de Medeiros (orgs.). *Special Issue: Portuguese Cultural Studies. Luso-Brazilian Review* 39.2 (2002), 9.

30 Idem, 36.

31 Antonio Candido. *Formação da literatura brasileira* (*Momentos decisivos*), 11ª ed. Rio de Janeiro: Editora Ouro sobre Azul, 2007, 11.

32 Joaquim Nabuco, op. cit, 86.

33 Edward Said, *Out of Place, A Memoir.* Londres: Granta Books, 1999, 4.

34 Idem, 295.

35 Terry Eagleton, *The Gatekeeper, A Memoir.* Londres: The Penguin Press, 2001, 51.

36 Edward Said, "Reflections on Exile". *Reflections on Exile and Other Literary and Cultural Essays. Londres:* Granta Books, 2001, 173.

37 Propus uma análise crítica desse modelo em "Exil als Metapher des Behagens. Wie man große Vorbilder verfehlt: Die Autobiographien von Edward Said und Terry Eagleton". *Frankfurter Allgemeine Zeitung*, Geisteswissenschaften n. 205, 4 de setembro de 2002, 3. Posteriormente, ampliei o estudo em "Why do Scholars Write Autobiographies? Or: Exile as a 'Comfortable' Metaphor", *Portuguese Literary & Cultural Studies*, 7 (2001), 325–338.

38 Em outro momento, Nabuco reconheceu o tom talvez excessivo de sua polêmica com o autor de *Iracema*: "(...) fui colaborador literário de *O Globo* e travei com José de Alencar uma polêmica, em que receio ter tratado com a presunção e a injustiça da mocidade o grande escritor (...)". Joaquim Nabuco, *Minha formação*, 80.

39 Afrânio Coutinho. "Introdução". *A polêmica Alencar-Nabuco.* Rio de Janeiro: Tempo Brasileiro, 1978, 6.

40 M. Oliveira Lima. *Pan-americanismo (Monroe, Bolivar, Roosevelt)* [1907]. Brasília/Rio de Janeiro: Senado Federal/Fundação Casa de Rui Barbosa, 1980, 41.

41 Sobre este tópico, ver K. David Jackson, "A Stateman in the Academy: Joaquim Nabuco at Yale". *Estudos Avançados* 22 (62), 2008, 335-349.

42 "Basta olhar-se na Universidade de Columbia para um John Bassett Moore, para um Giddings, para um Boas, para um Seligman, para um Dewey, cercado não só de americanos dos Estados Unidos como de europeus, asiáticos, de africanos, para sentir-se que aqui se concentra de fato alguma coisa de metropolitano e de cosmopolita, como se Columbia fosse uma superuniversidade. Talvez seja hoje a maior concentração assim universalista e não apenas universitária, em todo o mundo". Gilberto Freyre. *Tempo morto e outros tempos. Trechos de um diário de adolescência e primeira mocidade. 1915-1930*. Rio de Janeiro: José Olympio, 1975, 45. Esse registro é de 1920.

43 Graça Aranha (org.). *Machado de Assis & Joaquim Nabuco. Correspondência*. Rio de Janeiro: Topbooks / Academia Brasileira de Letras, 2003, 155.

44 Idem, 156.

45 Arthur Bomilcar. "Ao leitor". Joaquim Nabuco. *Discursos e conferências*. Rio de Janeiro: Benjamin Aguila, 1911, 5-6.

46 Carolina Nabuco. *A vida de Joaquim Nabuco*, 5ª ed. Rio de Janeiro: José Olympio, 1979. Ver especialmente 439-441.

47 Idem, 439-440.

48 Joaquim Nabuco. *Pensamentos soltos*. Brasília: A. N. Editora, s/d. Trad. de Carolina Nabuco.

49 Joaquim Nabuco. *Camões e assuntos americanos. Seis conferências em universidades americanas*. Rio de Janeiro/São Paulo: Civilização Brasileira/Companhia Editora Nacional, 1940. Trad. de Carolina Nabuco.

50 Luís Viana Filho. *Três estadistas: Rui – Nabuco – Rio Branco*. Rio de Janeiro: José Olympio, 1981, 739.

51 Neste ensaio, não disponho de espaço para essa tarefa, que ficará reservada para outra oportunidade.

52 Italo Moriconi. "Interfaces da formação". *Tempo Brasileiro* 140 (2000), 113-114 e 115. Nesse texto, Moriconi dialoga diretamento com o ensaio de Silviano Santiago, "Atração do mundo – Políticas de globalização e de identidade na moderna cultura brasileira".

53 "No centenário de *Minha formação*". Joaquim Nabuco, *Minha formação*, 11.

54 Valdei Lopes de Araujo tocou o dedo na ferida: "Se a Monarquia, após décadas, havia estabelecio um 'lugar', marcado pela continuidade com a cultura europeia e ocidental, o que permitia a Nabuco sentir-se em casa no Rio de Janeiro, em Paris, ou em Londres, para a República, este 'lugar' estava definitivamente perdido". Valdei Lopes de Araujo. "Política como história, como literatura: *Um Estadista do Império*". João Cezar de Castro Rocha (org.). *Nenhum Brasil existe – pequena enciclopédia*. Rio de Janeiro: Topbooks, 2003, 304.

55 Silviano Santiago, "Atração do mundo – Políticas de globalização e de identidade na moderna cultura brasileira". *O cosmopolitismo do pobre. Crítica literária e crítica cultural*. Belo Horizonte: Editora da UFMG, 2004, 27.

56 Idem, 11.

57 Idem, 22.

58 Por problemas de saúde, Nabuco não pôde viajar a Wisconsin, mas seu discurso foi lido pelo reitor da University of Wisconsin-Madison, C. R. Van Hise.

59 Joaquim Nabuco, "The Share of America in Civilization". *The American Historical Review* 15.1 (1909), 64-65. Cito a tradução de Carolina Nabuco: Joaquim Nabuco. "A parte da América na Civilização". *Camões e assuntos americanos. Seis conferências em universidades americanas*. Rio de Janeiro/São Paulo: Civilização Brasileira/Companhia Editora Nacional, 1940, 137.

60 Idem, 62. Na tradução de Carolina Nabuco, 133.

61 Joaquim Nabuco, "The Approach of the Two Americas". American Branch of the Association for International Conciliation. September, 1908, nº 10, 5. Na tradução de Carolina Nabuco, 143.

62 Referência básica aqui é Elizabeth Lowe e Earl E. Fitz, *Translation and the Rise of Inter-American Literature*. University of Florida Press, 2007.

63 Joaquim Nabuco, "The Approach of the Two Americas". American Branch of the Association for International Conciliation. September, 1908, nº 10, 6. Na tradução de Carolina Nabuco, 144.

64 Joaquim Nabuco, "The Share of America in Civilization". *The American Historical Review* 15. 1 (1909), 57. Na tradução de Carolina Nabuco, 124–25. No tocante à imigração, apesar de eu não ter espaço para expor a comparação, chamo a atenção do leitor para o completo desenvolvimento dado à questão pelo escritor português Eça de Queirós em seu texto, de 1874, *A emigração como força civilizadora (Relatório sobre a emigração)*. Lisboa: Perspectivas & Realidades, 1979.

65 Evaldo Cabral de Mello, "No centenário de *Minha formação*". Joaquim Nabuco, *Minha formação*. Rio de Janeiro: Topbooks, 1999, 12. Em ensaio posterior, Cabral de Mello ampliou seu estudo: "Joaquim Nabuco". *Tempo Brasileiro* 140 (2000), 5–30.

66 Joaquim Nabuco, "The Share of America in Civilization". *The American Historical Review* 15. 1 (1909), 65. Na tradução de Carolina Nabuco, 137. Na sequência do texto, nos exemplos que dá desse princípio, Nabuco une Brasil, Argentina e Estados Unidos: "Nenhuma Constuituição, por exemplo, a não ser a do Brasil, determina que a guerra só será autorizada pelo Congresso Nacional se falhado o recurso de arbitragem (...). Do mesmo modo, a abolição da guerra por dívida ficará, no Direito Internacional, como um louro em redor da República Argentina. Mas sentimos grande ufanismo em reconhecer nos filhos de Washington os modelares da nossa Civilização americana".

67 Joaquim Nabuco, *Minha formação*, 27.

68 Idem, 99.

69 Joaquim Nabuco, "The Share of America in Civilization". *The American Historical Review* 15. 1 (1909), 60.

70 Refiro-me ao clássico ensaio de Afonso Arinos de Melo Franco, *O índio brasileiro e a Revolução Francesa: as origens brasileiras da teoria da bondade natural*. Rio de Janeiro: Topbooks, 2000. A primeira edição foi publicada em 1937.

71 Este não é o espaço adequado, naturalmente, para tentar uma reflexão sobre possíveis vínculos entre as observações apenas introdutórias de Joaquim Nabuco e a volumosa obra-prima de Fernando Ortiz, *Contrapunteo cubano del tabaco y el azúcar*, publicada originalmente em 1940. Quero apenas lembrar, contudo, que tanto no início quanto no fechamento da estrutura da argumentação retórica de Nabuco o tabaco desempenha um papel importante. Ver 54 ("Viajando uma vez da Europa para o Brasil, ouvi o finado William Gifford Palgrave, meu companheiro de mesa, escritor inglês muito viajado no Oriente, perguntar ao Comandante do navio que vantagem lhe parecia ter advindo da descoberta da América. Por sua parte, não lhe ocorria nenhuma, salvo, apenas, o tabaco") e 63 de "The Share of America in Civilization" ("Senhores, nunca pretendi mencionar nesta palestra cada uma das contribuições deste país para a Civilização. Tal catálogo seria obra gigantesca; incluir-se-iam nela certamente vossas contribuições ao Direito Internacional. Quis apenas dar-vos algumas impressões sobre a utilidade da América, além da do tabaco"). [Na tradução de Carolina Nabuco, respectivamente, 120 e 134]. Ortiz empregará precisamente o exemplo do tabaco como a instância mais espantosa de "transculturação", conceito que também tenta entender o processo de troca cultural como uma estrada de mão dupla, isto é, um processo altamente complexo de dar e também pegar. Num recente ensaio, João Almino retoma de forma instigante o tema da "utilidade da América, além da do tabaco". Ver, João Almino, "The Earthenware and the Iron Pot. Nabuco's Utopia for the two Americas". *Luso-Brazilian Review* 45.2 (2008), 1–18.

72 Ver *Minha formação*, especialmente 67–70.

73 Algumas décadas mais tarde, um grande admirador de Joaquim Nabuco terá de decidir entre tornar-se um autor bilingue, cuja primeira língua teria sido o inglês, ou voltar para o Brasil. Refiro-me a Gilberto Freyre. Em suas palavras: "Grande saudade dos Armstrong – A. J. E Mary Ma-

xwell. (...) Ele continua a dizer que eu não devo voltar para o Brasil – a não ser para visitar a família. Que devo tornar-me 'escritor de língua inglesa'. Um 'novo Conrad'". Op. cit., 42.

74 Joaquim Nabuco, *Minha formação*, 66–67.

75 Idem, 67.

76 Ibidem.

77 Vilém Flusser, "Taking up residence in Homelessness". Vilém Flusser, *Writings*. Andreas Ströhl (org.). Minnesota: University of Minnesota Press, 2002, 91.

78 Idem, 97.

79 Vilém Flusser, *Fenomenologia do brasileiro. Em busca do novo homem*. Gustavo Bernardo (org.). Rio de Janeiro: Eduerj, 1998, 157. No prefácio, o organizador anota com agudeza: "O português, então, revela uma lógica sintática relativamente pobre, mas que, paradoxalmente, em função mesma de sua pobreza, pôde se deixar penetrar por elementos de línguas indígenas, como o tupi, e de línguas africanas, como o bantu (...)". Gustavo Bernardo. "A *épokhé* brasileira". Idem, 27.

80 Título de um dos capítulos de *Bodenlos. Uma autobiografia filosófica*. São Paulo: Annablume, 2007, 67–85.

81 Vilém Flusser, "Taking up residence in Homelessness", 97.

82 Para uma edição em português, recomendo: Walter Benjamin. "A Tarefa do Tradutor". *Cadernos do Mestrado\Literatura*. Rio de Janeiro: Eduerj, 1994, 2ª ed. rev. e aum. Trad. Johannes Kretschmer.

83 Gayatri C. Spivak, "In a word: Interview", in *Outside in the Teaching Machine*. Nova York: Routledge, 1993, 4.

84 Idem, 5.

85 Castelnuovo, Enrico & Carlo Ginzburg, "Centro e Periferia". In *Storia dell'arte italiana*, vol. 1. Turin: Giulio Einaudi, 1979, 286.

86 Carlos Fuentes. *Machado de la Mancha*. México DF: Fondo de Cultura Económica, 2001, 24.

87 Haroldo de Campos. "Um lance de poesia: Haroldo de Campos, Décio Pignatari e Augusto de Campos". Claudiney Ferreira & Jorge Vasconcellos. *Certas palavas*. São Paulo: Estação Liberdade/Secretaria de Estado da Cultura, 1990, 332.

88 Na eloquente descrição de Nabuco: "Em Londres, não se tem essa impressão de arte que corre por cima da velha Paris toda como um friso grego. Para o artista que precisa inspirar-se exteriormente nas formas da edificação, viver no meio do belo realizado pelo gênio humano. Londres está para Paris como Khorsabad para Atenas. O gênio francês alegre e festivo é em tudo diferente da grande apatia inglesa, e em Paris se está defronte da obra-prima da arte francesa. Por aí não há que comparar. Para o intelectual que precise diariamente de um passeio artístico para vitalizar-se, assim como para o homem de espírito e de salão, Paris é a primeira das residências, porque é a que reúne à arte o prazer de viver em suas formas mais delicadas e elegantes". Joaquim Nabuco, *Minha formação*, 88.

89 Idem, 86. Não serei capaz de desenvolvê-lo agora, mas gostaria de sugerir o tópico de uma futura pesquisa, justapondo a percepção de Londres e Nova York como importantes centros financeiros e umbrais de uma nova forma de civilização, respectivamente, por Joaquim Nabuco, José Martí e Sousândrade.

90 Ernesto Sábato, *La cultura en la encrucijada nacional*. Buenos Aires: Crisis, 1972, 27.

91 Mário de Andrade, "Trovador". *Paulicéia desvairada*. Obras completas, vol. 2. São Paulo: Martins, 1955, 34.

BIBLIOGRAFIA

ALMINO, João. "The Earthenware and the Iron Pot. Nabuco's Utopia for the two Americas". *Luso-Brazilian Review* 45. 2 (2008).

ANDRADE, Mário de. *Paulicéia desvairada*. Obras completas, vol. 2. São Paulo: Martins, 1955.

_____. *Namoros com a medicina*. Belo Horizonte: Itatiaia, 1980.

ANDRADE, Olímpio de Souza. *Joaquim Nabuco e o Brasil na América*, 2ª ed. rev. São Paulo: Companhia Editora Nacional / MEC, 1978.

ARANHA, Graça (org.). *Machado de Assis & Joaquim Nabuco. Correspondência*. Rio de Janeiro: Topbooks/Academia Brasileira de Letras, 2003.

ARAUJO, Valdei Lopes de. "Política como história, como literatura: *Um Estadista do Império*". João Cezar de Castro Rocha (org.). *Nenhum Brasil existe – pequena enciclopédia*. Rio de Janeiro: Topbooks, 2003.

BENJAMIN, Walter. "A Tarefa do Tradutor". *Cadernos do Mestrado\Literatura*, 2ª ed. rev. e aum. Trad. Johannes Kretschmer. Rio de Janeiro: Eduerj, 1994.

BERNARDO, Gustavo. "A *épokhé* brasileira". Vilém Flusser. *Fenomenologia do brasileiro. Em busca do novo homem*. Gustavo Bernardo (org.). Rio de Janeiro: Eduerj, 1998.

BOMILCAR, Arthur. "Ao leitor". Joaquim Nabuco. *Discursos e conferências*. Rio de Janeiro: Benjamin Aguila, 1911.

BUVIK, Per. "Le Principe bovaryque". Jules de Gaultier. *Bovarisme*. Essai sur le pouvoir d'imaginer. Paris: Presses de l'Université, 2006.

CALLADO, Antônio. "Entrevista". *Literatura Comentada*: Antonio Callado. Lígia Chiappini Moraes Leite (org.). São Paulo: Abril Cultural, 1981.

_____. *Censura e outros problemas dos escritores latino-americanos*. Trad. Cláudio Figueiredo. Rio de Janeiro: José Olympio, 2006, 53–78.

CAMPOS, Haroldo de. "Um lance de poesia: Haroldo de Campos, Décio Pignatari e Augusto de Campos". Claudiney Ferreira & Jorge Vasconcellos. *Certas palavas*. São Paulo: Estação Liberdade/Secretaria de Estado da Cultura, 1990.

CANDIDO, Antonio. *Formação da literatura brasileira* (*Momentos decisivos*), 11ª ed. Rio de Janeiro: Editora Ouro sobre Azul, 2007.

CASTELNUOVO, Enrico & Carlo Ginzburg, "Centro e Periferia". *Storia dell'arte italiana*, vol. 1. Turin: Giulio Einaudi, 1979.

COUTINHO, Afrânio. "Introdução". *A polêmica Alencar-Nabuco*. Rio de Janeiro: Tempo Brasileiro, 1978.

EAGLETON, Terry. *The Gatekeeper, A Memoir*. Londres: The Penguin Press, 2001.

FLUSSER, Vilém. *Fenomenologia do brasileiro. Em busca do novo homem*. Gustavo Bernardo (org.). Rio de Janeiro: Eduerj, 1998.

_____. "Taking up residence in Homelessness". Vilém Flusser, *Writings*. Andreas Ströhl (org.). Minnesota: University of Minnesota Press, 2002.

_____. *Bodenlos. Uma autobiografia filosófica*. São Paulo: Annablume, 2007.

FRANCO, Afonso Arinos de Melo. *O índio brasileiro e a Revolução Francesa: as origens brasileiras da teoria da bondade natural*. Rio de Janeiro: Topbooks, 2000.

FREYRE, Gilberto. *Tempo morto e outros tempos. Trechos de um diário de adolescência e primeira mocidade. 1915–1930*. Rio de Janeiro: José Olympio, 1975.

FUENTES, Carlos. *Machado de la Mancha*. México DF: Fondo de Cultura Económica, 2001.

GAULTIER, Jules de. *Bovarisme. Essai sur le pouvoir d'imaginer*. Paris: Presses de l'Université Paris-Sorbonne, 2006.

GERBI, *The Dispute of the New World: The History of a Polemic, 1750–1900*. University of Pittsburgh Press, 1973.

JACKSON, K. David. "Novas receitas da cozinha canibal. O 'Manifesto Antropófago' nos anos 90". João Cezar de Castro Rocha e Jorge Ruffineli (orgs.). *Anthropophagy Today?* Stanford University, 2000.

_____. "A Stateman in the Academy: Joaquim Nabuco at Yale". *Estudos Avançados* 22 (62), 2008.

LIMA, M. Oliveira. *Pan-americanismo (Monroe, Bolivar, Roosevelt)*. Brasília/Rio de Janeiro: Senado Federal/Fundação Casa de Rui Barbosa, 1980.

LOWE, Elizabeth e FITZ, Earl E. *Translation and the Rise of Inter-American Literature*. University Press of Florida, 2007.

MELLO, Evaldo Cabral de. "No centenário de *Minha formação*". Joaquim Nabuco, *Minha formação*. Rio de Janeiro: Topbooks, 1999.

_____. "Joaquim Nabuco". *Tempo Brasileiro* 140 (2000).

MORAES, Marcos Antônio de. *Orgulho de jamais aconselhar: A epistolografia de Mário de Andrade*. São Paulo: Edusp, 2007.

MORICONI, Italo. "Interfaces da formação". *Tempo Brasileiro* 140 (2000).

NABUCO, Carolina. *A vida de Joaquim Nabuco*, 5ª ed. Rio de Janeiro: José Olympio, 1979.

NABUCO, Joaquim. *Minha formação* [1900]. Rio de Janeiro: Topbooks, 1999.

_____. "The Approach of the Two Americas". American Branch of the Association for International Conciliation. September, 1908, nº 10.

_____. "The Share of America in Civilization". *The American Historical Review* 15. 1 (1909).

_____. *Discursos e conferências*. Rio de Janeiro: Benjamin Aguila, 1911. Trad. de Arthur Bomilcar.

_____. *Camões e assuntos americanos. Seis conferências em universidades americanas*. Rio de Janeiro/São Paulo: Civilização Brasileira/Companhia Editora Nacional, 1940. Trad. de Carolina Nabuco.

_____. *Pensamentos soltos*. Brasília: A. N. Editora, s/d. Trad. de Carolina Nabuco.

NASCIMENTO, Evando. *Derrida e a literatura. "Notas" de literatura e filosofia nos textos da desconstrução*, Niterói: EdUFF, 2001.

_____. *Derrida*, Rio de Janeiro: Jorge Zahar, 2004.

PÉREZ FIRMAT, Gustavo. *Life on the Hyphen: The Cuban-American Way*. University of Texas Press, 1994.

QUEIRÓS, Eça de. *A emigração como força civilizadora. (Relatório sobre a emigração)*. Lisboa: Perspectivas & Realidades, 1979.

RAMOS, Julio. *Divergent Modernities. Culture and Politics in Nineteenth-Century Latin America*. Durham: Duke University Press, 2001.

RIBEIRO, Darcy. *Aos trancos e barrancos – como o Brasil deu no que deu*. Rio de Janeiro: Editora Guanabara, 1985.

ROCHA, João Cezar de Castro. "Exil als Metapher des Behagens. Wie man große Vorbilder verfehlt: Die Autobiographien von Edward Said und Terry Eagleton". *Frankfurter Allgemeine Zeitung*, Geisteswissenschaften n. 205, 4 setembro 2002.

_____. "Why do Scholars Write Autobiographies? Or: Exile as a 'Comfortable' Metaphor", *Portuguese Literary & Cultural Studies* 7 (2001).

SÁBATO, Ernesto. *La cultura en la encrucijada nacional*. Buenos Aires: Crisis, 1972.

SAID, Edward. *Out of Place, A Memoir*. Londres: Granta Books, 1999.

_____. *Reflections on Exile and Other Literary and Cultural Essays. Londres:* Granta Books, 2001.

SALLES, Ricardo. "Joaquim Nabuco e a frustação da nação abolicionista". *Tempo Brasileiro* 140 (2000).

_____. *Joaquim Nabuco. Um pensador do Império*. Rio de Janeiro: Topbooks, 2002.

SANTIAGO, Silviano. *Uma literatura nos trópicos*. São Paulo: Perspectiva, 1978.

_____. "Prefácio". *Carlos & Mário. Correspondência completa entre Carlos Drummond de Andrade (inédita) e Mário de Andrade*. Rio de Janeiro: Bem-Te-Vi, 2002.

_____. "Atração do mundo – Políticas de globalização e de identidade na moderna cultura brasileira". *O cosmopolitismo do pobre*. Crítica literária e crítica cultural. Belo Horizonte: Editora da UFMG, 2004.

SANTOS, Boaventura de Sousa. "Between Prospero and Caliban: Colonialism, Postcolonialism, and Inter-Identity". Hilary Owen e Paulo de Medeiros (orgs.). *Special Issue: Portuguese Cultural Studies. Luso-Brazilian Review* 39.2 (2002).

SCHWARZ, Roberto. *Ao vencedor as batatas. Forma literária e processo social nos inícios do romance brasileiro*, 3ª ed. São Paulo: Livraria Duas Cidades, 1988.

SPIVAK, Gayatri C. *Outside in the Teaching Machine*. Nova York: Routledge, 1993.

VIANA FILHO, Luís. *Três estadistas: Rui – Nabuco – Rio Branco*. Rio de Janeiro: José Olympio, 1981.

NABUCO E A BATALHA PARLAMENTAR PELA ABOLIÇÃO

Jeffrey D. Needell

DESDE A DÉCADA DE 1970, o estudo do abolicionismo foi abandonando a análise nacional da política e se concentrando cada vez mais quer em especificidades no nível local, quer em aspectos da atuação dos escravos. Tentativas de integrar o excelente trabalho realizado por Conrad, Toplin e Bergstresser, ou o clássico pioneiro de Viotti da Costa, a tendências mais recentes ainda estão por aparecer. Nada é mais sintomático dessa mudança de perspectiva do que o descaso que a história política formal, a história parlamentar, tem tido em relação à luta abolicionista, que jaz praticamente intocada há mais de trinta anos. Nenhuma reputação sofreu mais com esse descaso do que a de Joaquim Nabuco, pelo menos como objeto de interesse acadêmico.[1] Estudiosos produziram histórias intelectuais de sua obra, uma estimulante biografia popular e uma introdução às suas atividades intelectuais e diplomáticas após 1888, mas muitos poucos de nós parecem estar interessados em reintroduzir na reflexão e no debate acadêmicos a contribuição singular de Nabuco à batalha abolicionista.[2] Desde 2004, venho procurando realizar uma análise mais inclusiva do movimento abolicionista, enfocando a relação dialética entre a política formal e o movimento político nas ruas do Rio. Assim, a oportunidade de partilhar algo deste trabalho, mesmo que algo incipiente, sobre Nabuco e a batalha parlamentar pela abolição, é muito bem-vinda.

I : AS FASES DO MOVIMENTO ABOLICIONISTA, 1879–1888

Para discutir a narrativa principal do movimento abolicionista, talvez seja útil oferecer um certo contexto. Embora existissem abolicionistas conhecidos e pequenas associações de abolicionistas antes de 1878, e tenha havido uma vitória legislativa politicamente crucial com o estabelecimento de uma abolição gradual através da Lei do Ventre Livre em 1871, a escravidão permaneceu firmemente estabelecida e protegida até o fim da década de 1870. A lei de 1871 foi notoriamente ineficaz e, apesar de o Partido Liberal ter adotado a causa da abolição em 1869, a maioria do partido, elevado ao poder dez anos depois em 1878, abraçou uma posição pró-escravista naquele mesmo ano.[3]

O movimento abolicionista nasceu em reação, por parte da frustrada ala reformista dos liberais, a essa posição. Nabuco fez seu segundo discurso como deputado na condição de membro dessa ala, em 22 de março de 1879, e, como parte dela, tornou-se o segundo deputado, depois de Jerônimo Sodré Pereira, a pedir mais atenção ao assunto e uma reforma que apressasse a emancipação.

Esse apelo foi calorosamente recebido por radicais urbanos, particularmente na imprensa. José Carlos do Patrocínio foi um dos primeiros que reivindicaram a abolição, inspirados pelos discursos de 1879–80 dos deputados reformistas. Assim começou a mobilização pública, com direito a periódicos e organizações dedicados à nova causa. Essa primeira fase, envolvendo uma liderança que unia deputados, jornalistas, outros profissionais liberais e oficiais subalternos do exército, iniciou-se portanto em 1879. Terminou em 1881, quando, nas primeiras eleições diretas da história imperial, Nabuco e vários outros que faziam parte da minoria reformista não conseguiram se reeleger. É importante lembrar que, tanto no seu início como ao longo de toda a sua existência, a causa abolicionista foi uma causa minoritária, marginal aos interesses e ao apoio de ambos os partidos majoritários e atacada por grupos pró-escravistas bem organizados e bem financiados pela sociedade civil.

Esse resultado de 1881 foi decisivo. Significou que o movimento, privado de liderança parlamentar, ficou sob a liderança de radicais urbanos, dos aliados de Nabuco na imprensa, das organizações voluntárias e dos teatros onde se davam as reuniões abolicionistas. Esses líderes, livres das limitações do decoro parlamentar e não só aptos para mobilização popular, como dedicados a ela, levaram adiante a pressão contra o precedente político estabelecido. Eles falavam para e pelas massas urbanas do Rio (das quais pelo menos 40% eram afro-brasileiros).[4] Vincularam a causa romântica da liberdade a uma crítica mais ampla da ordem social e política vigente. Levantaram fundos para alforriar alguns cativos e usaram tais atos e a pressão pública e pessoal sobre donos de escravos para libertar outros tantos. Buscaram contato uns com os outros por todo o Império, do Ceará e do Amazonas a São Paulo e Rio Grande do Sul, organizaram uma rede nacional de apoio mútuo, articularam-se tanto local quanto nacionalmente e aprenderam técnicas organizacionais uns com os outros. Em 1881, os abolicionistas cearenses conseguiram extinguir o tráfico interno de escravos para o Sul, e Patrocínio assumiu a direção da *Gazeta da Tarde*, a voz mais importante do movimento. Em 1882, os abolicionistas paulistanos fundaram o Centro Abolicionista e um jornal, *Ça ira*; nesse mesmo ano, abolicionistas cearenses aperfeiçoaram sua tática de emancipação rua a rua e deram início à estratégia da abolição aos poucos, de cidade em cidade, de província em província. Em 1883, foi fundada a Confederação Abolicionista, que reuniu os abolicionistas do Rio, estabeleceu contatos com abolicionistas de todo o Império e preparou as bases para atividades ilegais clandestinas, incluindo uma "ferrovia subterrânea" *(underground railway)*, ou seja, a criação de esconderijos e refúgios para escravos fugitivos. Em 1884, os abolicionistas cearenses conseguiram banir a escravidão de sua província, sendo seguidos depois pelos amazonenses. Movimentos ao estilo cearense de emancipação rua a rua foram iniciados no Rio e em São Paulo e ganharam força no Rio Grande do Sul.

Com efeito, a primeira fase de radicalização (1881–1884) gerou uma crise política. O imperador, que havia imposto a legislação de 1871, aparentemente decidiu tirar vantagem desse abolicionismo mais radical e contê-lo ao mesmo tempo. Fez isso tentando reafirmar a liderança e o controle do parlamento. Nomeou Manoel Dantas primeiro-ministro e apoiou sua decisão de propor e passar uma nova reforma abolicionista, que incluía a emancipação dos sexagenários sem indenização. Foi uma manobra hábil. Embora a reforma proposta fosse bastante tímida, o movimento abolicionista a apoiou formalmente e interrompeu a pressão crescente que vinha exercendo por toda a nação. De fato, homens como Nabuco e Patrocínio tinham uma ligação pessoal com o gabinete e sua proposta e a abraçaram publicamente. Frente à força aparentemente esmagadora dos interesses entrincheirados dos escravocratas, o projeto de Dantas foi visto como uma grande oportunidade de se obter uma vitória real. Mesmo assim, apesar da "torrente" abolicionista, do óbvio apoio do imperador e do claro potencial para a imposição de uma crescente ameaça de mobilização contínua e sem precedentes nas ruas, o projeto de Dantas foi rejeitado. Os liberais se dividiram, e a fração antiabolicionista dos deputados liberais, apoiada pela minoria conservadora, negou ao primeiro-ministro uma maioria na Câmara. Em resposta, o imperador atendeu ao pedido de Dantas de que a Câmara fosse dissolvida e uma nova eleição realizada sob os auspícios do próprio Dantas. Tradicionalmente, tal medida significava que patronagem e poder, em igual medida, garantiriam a eleição de uma maioria receptiva às políticas de um gabinete. Dessa vez, porém, não foi o que aconteceu. A maioria liberal recém-eleita novamente se dividiu com relação à questão; a fração menor, antiabolicionista, se aliou aos conservadores e mais uma vez negou a Dantas o necessário apoio majoritário, forçando-o a renunciar.[5] Na verdade, mesmo essa proposta, por mais branda que fosse como abolicionismo, ainda era radical demais para a maioria da elite política. O que a Câmara acabou aprovando foi a versão desfigurada e pró-escravista da reforma de Dantas apresentada por José Antônio Saraiva, um primeiro-ministro liberal e pró-escravista, que, valendo-se da oposição a Dantas na Câmara, construiu uma aliança *ad hoc* entre liberais moderados e a minoria conservadora, por uma efêmera maioria. Não querendo permanecer no poder com um apoio tão frágil, Saraiva renunciou em seguida. Outros líderes liberais, sentindo as cisões causadas por essas disputas em suas bases, exauridos e desencorajados pela perspectiva que havia intimidado Saraiva, recusaram os convites do imperador para a ele suceder. Na falta de alternativa melhor, o imperador foi forçado a elevar os conservadores ao poder sob a liderança do barão de Cotegipe. Como desejava o imperador, o barão certificou-se de que a desfigurada reforma abolicionista que os liberais tinham aprovado na Câmara fosse aprovada também no Senado. Em seguida, conseguiu o apoio do imperador para dissolver a Câmara e realizar uma nova eleição, criou uma maioria conservadora forte na Câmara e, daí em diante, opôs-se ferrenhamente a qualquer outra reforma abolicionista. De fato, Cotegipe não só desprezou a preferência do imperador pelo gradualismo e se deleitou com a frustração dos abolicionistas, como reprimiu ativamente o movimento na cidade e no campo[6].

No decorrer de mais de dois anos, a resposta dos abolicionistas foi uma radicalização cada vez mais atuante, levando a uma mobilização rural na área de Campos e, mais significativamente, à organização de fugas de escravos das fazendas da província de São Paulo, iniciadas pelo menos a partir do início de 1886. Líderes parlamentares e radicais urbanos atuaram em cooperação na Câmara, nos jornais e nas ruas para divulgar a luta, retratando-a com roupagem romântica e nacionalista, ao mesmo tempo em que enfatizavam a barbárie da escravidão e das medidas repressivas de Cotegipe. Unir a causa abolicionista às aspirações de civilização e progresso dos brasileiros foi uma jogada calculada e bem-sucedida. As reuniões se tornaram mais frequentes, o apoio mais generalizado e o gabinete mais isolado e violento em suas reações.

Em 1887, o imperador, que todos sabiam estar gravemente doente, viajou à Europa em busca de tratamento médico. Os militares, cujas fileiras subalternas eram em grande parte abolicionistas, vinham desafiando publicamente as ações do gabinete.[7] Em São Paulo, a perda crescente de cativos nas fazendas e o novo e súbito êxito no recrutamento de mão de obra imigrante italiana levaram os paulistas para o lado reformista. Muitos fazendeiros passaram a negociar uma libertação gradual com seus escravos para evitar que fugissem, ao mesmo tempo em que incentivavam um fluxo cada vez maior de imigrantes italianos. Qualquer dos dois servia; o importante era manter uma fonte estável de mão de obra num período de expansão e de preços ascendentes. Em setembro, quando se encerrava o período parlamentar, os líderes do Partido Conservador no Senado estavam divididos no apoio às políticas de Cotegipe. Em outubro, incitados por Nabuco, os militares recusaram-se a continuar intervindo na fuga de escravos, enquanto a repressão policial em Campos e no Rio tornava-se cada vez mais notória.

De fato, a fase final do movimento foi um período em que a própria estabilidade da Monarquia ficou ameaçada. No início de 1888, Isabel, princesa regente na ausência do pai, frustrada com a intransigência de Cotegipe em face do colapso, forçou sua renúncia e nomeou em seu lugar João Alfredo, líder da ala reformista dos conservadores. Seria ele quem, com sucesso, conteria a situação. Inicialmente, João Alfredo defendeu um modelo de transição gradual baseado nas ideias engendradas pelos paulistas para evitar a fuga de escravos – ideias essas que envolviam uma promessa de liberdade, mas só depois de mais alguns anos de trabalho escravo, seguidos de vários outros de trabalho remunerado nas fazendas. Em abril de 1888, isso era muito pouco e vinha tarde demais. No fim, João Alfredo foi forçado a atender à reivindicação abolicionista por emancipação imediata, pela incessante pressão pública e privada exercida pelos abolicionistas, pela disseminação das fugas de escravos de

São Paulo para as províncias de Minas Gerais e do Rio de Janeiro e pelo colapso da resistência de todos, salvo os senhores de escravos mais comprometidos econômica e ideologicamente.

II : NABUCO NO PARLAMENTO

Como Nabuco se inseriu nessas fases, em que a política parlamentar e a mobilização política pública transformaram a escravidão numa dialética de repressão e radicalização? Os pais de Nabuco representavam tanto a elite fazendeira de Pernambuco quanto uma das mais ilustres famílias de políticos do Império, e ele havia recebido a formação privilegiada que seria de esperar. Como filho de um dos dois ou três mais poderosos líderes liberais quando o partido estava fora do poder, Nabuco aderiu à ala mais reformista do partido em fins da década de 1860. De 1868 a 1878, quando o partido era uma minoria de oposição na Câmara, ele aparentemente descartou a possibilidade imediata de fazer carreira política. Em vez disso, seguiu uma inabalável paixão pela literatura e pelas artes. Publicou obras de sucesso e ocupou postos diplomáticos na Europa e nos Estados Unidos, onde seu gosto pelo refinamento cultural e suas afinidades com a alta sociedade foram fortalecidos e burilados. Também cultivou uma considerável reputação como galanteador e esteve muito perto de se casar com a atraente herdeira de uma das mais ilustres famílias de fazendeiros de café da época. Estava num círculo no qual se sentia, em muitos aspectos, inteiramente realizado. Faltava apenas uma coisa: a possibilidade de alcançar a glória política, a que ele e sua família tanto aspiravam.

Em 1878, com a morte de seu pai e na esteira do retorno dos liberais ao poder, Nabuco abandonou a diplomacia para voltar ao Brasil. Parece claro que fez isso com relutância, como um sacrifício em nome do que era esperado dele, abrindo mão de sua vida refinada e romântica no exterior para perseguir os louros políticos para os quais havia sido preparado. Para ele, pessoalmente, as únicas políticas que tinham encanto eram aquelas associadas a reformas drásticas. Embora, como muitos, Nabuco aparentemente tivesse aceitado a Lei do Ventre Livre de 1871 como o fim da reforma abolicionista no Brasil, o patente fracasso dessa lei no decorrer da década de 1870, bem como o repúdio a ela por parte da maioria liberal em 1878, jogou a causa abolicionista em seus braços de novo. Digo "de novo" porque, na juventude, Nabuco havia se tornado um fervoroso defensor da causa, escrevendo sobre a questão e apoiando com grande entusiasmo o papel crucial de seu pai na aprovação da legislação abolicionista. Agora, em 1879, Nabuco seguiu rapidamente a deixa de Jerônimo Sodré Pereira e rompeu com a liderança moderada do Partido Liberal ao pleitear uma nova reforma emancipacionista. Embora Nabuco jamais viesse a se sentir atraído pelo poder político, pelas campanhas eleitorais e pelas negociações de bastidores, a abolição – uma causa nobre e a principal reforma numa série de reformas correlacionadas que ele e seus aliados almejavam – iria se tornar sua maior paixão e, até hoje, a causa pela qual ele é mais respeitado por seus compatriotas.

Para entender a rápida ascensão de Nabuco à posição de líder dos abolicionistas no Parlamento, no entanto, é preciso levar em conta mais do que uma formação familiar adequada, um forte comprometimento pessoal e uma grande identificação com a causa. O que distinguia Nabuco de outros membros da minoria reformista do Partido Liberal – de homens como Rodolfo Dantas, Rui Barbosa, Jerônimo Sodré Pereira, todos eles reformistas bem-relacionados e comprometidos com a causa? Os registros contemporâneos deixam claro que a liderança de Nabuco entre eles e, depois, em todo o Império como figura pública deveu-se a uma combinação singular de fatores. Embora inegavelmente sua liderança tenha a princípio derivado, em parte, do fato de ser filho de quem era, ela se deveu principalmente a qualidades pessoais – afinal, ele não era o único filho de seu pai, mas o mais novo de três filhos. Em primeiro lugar, a postura de Nabuco transmitia uma agradável confiança. Mimado por sua madrinha, com quem e com cujos escravos domésticos viveu sozinho, como o centro das atenções numa fazenda pernambucana, até a idade de oito anos, Nabuco teve uma base sólida de afeição e adulação. Ao se reunir à família no Rio, apesar de não ser um aluno particularmente bem-sucedido, Nabuco atraiu atenção por sua verve e suas ambições literárias – e isso numa época em que a ficção e a poesia eram amplamente lidas, admiradas e praticadas por estudantes da elite. O talento literário se somou a um dom para se apresentar e discursar em público. Um dos aliados de seu pai faz menção a ambos numa carta em que comentava sobre o triunfo de Nabuco, recém-saído da faculdade de direito, ao defender um escravo num caso que se tornou célebre. Políticos eram sensíveis a tais aptidões – elas eram essenciais para o sucesso e a liderança políticos. Essa era uma época em que a retórica e outros aspectos do discurso público eram em geral indispensáveis e amplamente admirados. Pessoas de todas as classes haviam crescido aprendendo a apreciar o sermão religioso, o poema e o discurso político como formas de enriquecimento cultural e entretenimento, dignas de respeito e deferência por si mesmas. Além disso, por mais superficial que isso possa parecer, Nabuco era e continuaria a ser um dos homens mais atraentes de seu círculo. Era extraordinariamente alto, dotado de feições europeias, olhos cativantes, um charme sofisticado e um gosto por roupas finas e caras. Sua aparência virava cabeças, mesmo na Europa; no mundo eurocêntrico da elite brasileira, ele causava uma impressão ainda vibrante em memórias do período. Seu colega Afonso Celso, por exemplo, relembrou a aparência e a presença de Nabuco em detalhes teatrais e concluiu que

> Tudo, em suma, cooperava para determinar e encarecer os seus inolvidáveis triunfos oratórios de então. Fascinava; os próprios adversários, que tamanhas superioridades irritavam, reconheciam-lhe e proclamavam-lhe o imenso valor. [...] Mal o presidente proferia a frase regimental: "Tem a palavra o Sr. Joaquim Nabuco", corria um calafrio pela assistência excitada; eletrizava-se a atmosfera.[8]

Em suma, bem-nascido, extraordinariamente eloquente e muito bem-apessoado, Nabuco ascendeu à liderança de forma quase imediata, entre seus pares do Parlamento, e essa liderança mostrou-se também duradoura.

III : NABUCO NO MOVIMENTO ABOLICIONISTA

Se esses fatores explicam o sucesso de Nabuco como líder abolicionista no Parlamento, o que explicaria seu sucesso no movimento mais amplo – principalmente depois que o movimento entrou em sua fase mais radical e popular a partir de 1881? Tal sucesso teve muito a ver com a cultura política da Monarquia. Desde as origens do regime, o Parlamento, em especial a Câmara, vinha exercendo, juntamente com os próprios imperadores, um papel crucial nas decisões e mudanças políticas. As mobilizações políticas das massas urbanas raramente haviam sido espontâneas; em geral, eram fomentadas e utilizadas por elementos da elite política, que tanto as canalizavam quanto as continham em prol de seus próprios objetivos. Elas haviam pontuado a história política como um sinal e como parte das crises políticas, mas não as haviam desencadeado. Quando transbordaram para áreas rurais, onde em algumas regiões perduraram por anos entre as massas rurais nas décadas de 1830 e 1840, foram mais perigosas, menos manejáveis e enfrentadas com implacável violência estatal. Desde 1848, no entanto, as mobilizações de massa de ambos os tipos haviam sido extremamente raras.[9]

Embora essa cultura política centrada no Parlamento e no monarca fosse súbita e ostensivamente desafiada pelas multidões urbanas na Revolta do Vintém, em 1880,[10] ela não havia sido eliminada nem substituída. Na verdade, o movimento abolicionista, tal como a Revolta do Vintém, se deu sob a liderança dos radicais da classe média culta e dos reformistas do Parlamento. De fato, Nabuco foi um dos reformistas envolvidos na Revolta do Vintém, assim como Patrocínio fora um dos radicais. A maior parte dos políticаmente ativos ainda supunha que, no fim, a mudança política seria realizada pelo monarca através de seu gabinete e por meio de legislação parlamentar. É importante entender que, tanto na Revolta do Vintém quanto no movimento abolicionista, a despeito da retórica radical e das táticas ilegais, a mobilização foi conduzida por figuras parlamentares ou por radicais da classe média urbana, esperando-se que a mobilização alcançasse a mudança através do governo parlamentar. As táticas tinham por intuito impressionar a Câmara, o monarca e o gabinete e pressionar todos eles – não havia nenhuma conspiração para organizar uma revolução popular que tomasse o poder. Mesmo os republicanos que abraçaram a causa abolicionista para minar a Monarquia parecem tê-lo feito como parte de sua estratégia eleitoral gradualista – o partido desejava enfraquecer a coesão e a reputação do regime vigente como parte de sua própria esperança de conquistar gradualmente o domínio eleitoral. Vale lembrar, ao refletir sobre isso, que a mudança de regime, quando ocorreu, não o fez através de um movimento revolucionário popular. Na verdade, a queda da Monarquia foi levada a cabo por um elemento à margem, um militante positivista do Partido Republicano, e pelos corpos de oficiais subalternos, inflamados em sua frustração pelo Partido Republicano, tendo sido um golpe – e um golpe de natureza inteiramente inédita na história da nação. No movimento abolicionista, a atividade ilegal incentivada e sustentada (p. ex., as "ferrovias subterrâneas" e as fugas de escravos para refúgios seguros) foi feita para libertar alguns escravos e, por fim, para forçar a Câmara e a Coroa a aceitar a abolição como um fato consumado e torná-la legal.

Nem o Parlamento nem o monarca e seu gabinete foram desprezados ou marginalizados pelo movimento abolicionista – ao contrário, eles foram alvejados pelo movimento como os derradeiros árbitros da questão. Assim sendo, o fato de Nabuco ser o líder parlamentar do movimento significava que seu papel era, coerentemente, encarado como vital.

Percebe-se isso nitidamente pela maneira como sua carreira e suas ações políticas foram emblemáticas e decisivas para mudanças ocorridas no curso do movimento mais amplo. Seu discurso inicial foi um dos dois primeiros a serem utilizados pelos radicais para legitimar e introduzir a questão na imprensa e nas ruas. O trabalho de Nabuco com os radicais para criar a mais importante das primeiras organizações abolicionistas em 1880, sua derrota eleitoral em 1881 e a publicação de seu célebre tratado, *O Abolicionismo* (1883), foram percebidos como divisores de águas no desenvolvimento e na propaganda do movimento. As drásticas tentativas de impedir sua reeleição em 1884, assim como seus triunfos eleitorais em 1885 e 1887, motivaram manifestações públicas, violência e oratória jornalística sem precedentes. Seus retornos ao Rio nessas ocasiões foram transformados nos mais entusiásticos e tumultuados triunfos. De fato, em sua carreira política, Nabuco foi não só o defensor do movimento na Câmara, mas um de seus mais admirados porta-vozes nas ruas e nos teatros. No Rio e no Recife, Nabuco demonstrou uma imensa capacidade de comover pessoas comuns em manifestações públicas ou nas galerias da Câmara – a ponto de tais pessoas, bem como outras figuras políticas, estarem dispostas a se sacrificar para que ele fosse eleito. Nabuco entendia isso; tinha consciência da relação vital entre o movimento nas ruas e o movimento no Parlamento e de seu papel em ambos, como a tinham outros, que com frequência o censuravam quando ele saía do país, ainda que continuasse a trabalhar pelo movimento no exterior.[11] Isso, claro, nos leva à questão mais ampla. Tanto na sua província quanto na nação, Nabuco, em 1884, era visto como o movimento em si mesmo. Suas vitórias nas eleições provinciais eram desforras do movimento; seus retornos ao Rio, triunfos do movimento. Nabuco era não só o líder mais proeminente do abolicionismo, como seu símbolo mais reconhecido. Em 13 de maio de 1888, o movimento triunfou e a princesa regente, cercada por um cortejo de abolicionistas e pelas massas inebriadas com a vitória, atravessou a multidão rumo ao Paço Imperial e lá entrou para assinar a Lei Áurea, pondo fim à escravidão brasileira. Depois que ela o fez, Patrocínio, emocionado, ajoelhou-se para agradecer a Isabel. Foi Nabuco quem foi até a janela que se debruçava sobre a massa extasiada para anunciar a notícia.[12]

Em 1906, quando ainda era estudante de direito no Recife, o poeta e diplomata Gilberto Amado testemunhou um dos maiores momentos da carreira de Nabuco. Foi na época em que, como primeiro embaixador do Brasil nos Estados Unidos, Nabuco voltou ao país conduzindo as delegações para a Conferência Pan-americana que iria se realizar no Rio de Janeiro.[13] Quando estavam a caminho da capital federal, as delegações pararam no Recife e desembarcaram. Naturalmente, esperava-se que Nabuco fizesse um pronunciamento público a respeito das delegações e da conferência. No entanto, não foi como o grande embaixador e pan-americanista que Nabuco foi recebido no Recife, mas sim como a encarnação do movimento abolicionista. Ao desembarcar, ele nem teve a chance de pôr os pés na terra. Como relembra Amado, Nabuco foi carregado do navio, nos ombros dos "pretos", pelos bairros do Recife até o Teatro Santa Isabel, um lugar sagrado para a história de suas campanhas no Recife, mais de vinte anos antes. No teatro, claramente comovido, Nabuco foi exato. Amado relembra a cena: "Nabuco, no palco do teatro, alçando o braço, disse, apontando para o recinto, que se concentrara num silêncio palpitante: 'Foi aqui que se fez... que *nós* fizemos a Abolição!'"[14]

NOTAS

1 A bibliografia tradicional inclui trabalhos como Maurilio de Gouveia, *História da escravidão* (Rio de Janeiro: Tupy, 1955) e fontes contemporâneas, como Cristiano Benedito Otoni, *Autobiografia* [c. 1890] (Brasília: Editora da Univ. de Brasília, 1983; Osório Duque-Estrada, *A abolição (esboço histórico): 1831–1888* (Rio de Janeiro: Leite Ribeiro & Maurillo, 1918); Afonso Celso, *Oito anos de parlamento* [1901], 2ª ed. (Brasília: Editora da Univ. de Brasília, 1981); Tobias Monteiro, *Pesquisas e depoimentos para a história* (Rio de Janeiro: Francisco Alves, 1913); Evaristo de Moraes, *A campanha abolicionista (1879–1888)* (Rio de Janeiro: Leite Ribeiro, Freitas Bastos, Spicer & Cia., 1924); Joaquim Nabuco, *Minha formação* (Rio de Janeiro: Garnier, 1900); J. M. Pereira da Silva, *Memórias do meu tempo*, 2 vols. (Rio de Janeiro: Garnier, 1895, 1896). No terceiro quarto do século XX, grandes estudiosos associados à Universidade de São Paulo fizeram uma reavaliação radi-

cal, deslocando o debate da esfera da história política para a dos fatores sociais e econômicos. Embora Otávio Ianni e os trabalhos mais antigos de Fernando Henrique Cardoso sejam citados com frequência, o foco no Rio e em São Paulo e seu papel icônico na literatura privilegiam o clássico de Emília Viotti da Costa, *Da senzala à Colônia* [1966], 2ª ed. (São Paulo: Ciências Humanas, 1982). Os três fazem parte da escola paulista, que teve um impacto dramático nas ciências sociais no pós-guerra; Viotti da Costa cita e resume os argumentos de outro mestre da escola, Florestan Fernandes, na sua análise da difícil situação dos libertos depois da abolição. Ver Fernando Henrique Cardoso, *Capitalismo e escravidão no Brasil meridional: o negro na sociedade escravocrata do Rio Grande do Sul* (São Paulo: DIFEL, 1962); Otávio Ianni, *As metamorfoses do escravo: apogeu e crise da escravatura no Brasil meridional* (São Paulo: DIFEL, 1962); Florestan Fernandes, *A integração do negro na sociedade de classes* (São Paulo: FFCL USP, 1964). Embora Viotti da Costa mencione sua contribuição, o trabalho de Paula Beiguelman *Formação política do Brasil* [1961], 2ª ed. (São Paulo: Pioneira, 1976) é de maneira geral ignorado; *sui generis*, o trabalho de fato leva a política histórica muito a sério, mas por alguma razão desconsidera a atuação não só dos afro-brasileiros, mas também dos abolicionistas, concentrando-se numa análise da história política como uma luta de poder entre instituições que representavam setores e interesses socioeconômicos maiores. Na esteira dos paulistas, estudiosos norte-americanos procuraram integrar a nova preocupação com a análise de classe e material a um enfoque do movimento como um fenômeno político (embora a compreensão que eles têm da história parlamentar como uma variável dependente, em relação a interesses materiais da elite e à política radical das ruas, enfraqueça suas análises). Entre esses trabalhos incluem-se Robert Conrad, *The Destruction of Brazilian Slavery: 1850–1888* (Berkeley: Univ. of Califórnia Press, 1972); Robert Brent Toplin, *The Abolition of Slavery in Brazil* (Nova York: Atheneum, 1975); Thomas H. Holloway, "Immigration and Abolition: The Transition from Slave to Free Labor in the São Paulo Coffee Zone", in *Essays Concerning the Socioeconomic History of Brazil and Portuguese India*, org. Dauril Alden e Warren Dean (Gainesville: Univ. of Florida Press, 1977), 150–77; e Rebecca Baird Bergstresser, "The Movement for the Abolition of Slavery in Rio de Janeiro, Brazil, 1880–1889", dissertação de doutorado, Stanford Univ., 1973. Richard Graham, particularmente em seus artigos da década de 1960 para a HAHR e em *Britain and the Onset of Modernization in Brazil: 1850–1914* (Cambridge: Cambridge Univ. Press, 1972), também precisa ser citado aqui por sua contribuição para a análise da influência inglesa no abolicionismo brasileiro e da emergência e do papel da classe média urbana. Tanto Conrad quanto Bergstresser criticam com competência a análise de Graham a esse respeito. Outro trabalho da década de 1970 que deve ser estudado é o de [Roger] Frank Colson, "The Destruction of a Revolution: Polity, Economy and Society in Brazil, 1750–1895" (dissertação de doutorado, Princeton Univ., 1979) – embora não aborde o movimento abolicionista, Colson trata das mudanças econômicas mais amplas e dos interesses conflitantes existentes na época. Como a crise financeira que se estendeu para além de meados da década de 1870 tingiu as preocupações e as políticas dos gabinetes e legislaturas, essa dissertação continua sendo indispensável para fundamentar nossa visão das questões. Na mesma linha, John Schulz, que nos deu uma revisão de sua dissertação num breve estudo intitulado *The Financial Crisis of Abolition: 1875–1901* (São Paulo: Instituto Fernand Braudel/FAAP, 1993), publicou recentemente um estudo bem mais extenso, *The Financial Crises of Abolition* (New Haven: Yale University Press, 2008). Simultaneamente a esses trabalhos, e desde então, uma ênfase crescente tem sido dada à atuação dos escravos, independentemente dos abolicionistas. Entre esses trabalhos incluem-se Warren Dean, *Rio Claro: A Brazilian Plantation System, 1820–1920* (Stanford: Stanford Univ. Press, 1976), cap. 5; e Donald Cleveland, Jr, "Slave Resistence and Abolitionism in Brazil: The Campista Case, 1879–1888", *Luso-Brazilian Review* 13:2 (1976): 182–93. O trabalho de Sidney Chalhoub *Visões da liberdade: uma história das últimas décadas de escravidão na Corte* (São Paulo: Companhia das Letras, 1990) utiliza vários processos criminais para demonstrar uma transição da escravidão à liberdade através da negociação e da resistência individual de afro-brasileiros. Os trabalhos de Maria Helena Pereira Toledo Machado, "From Slave Rebels to Strikebreakers: The Quilombo of Jabaquara and the Problem of Citizenship in Late Nineteenth-Century Brazil", *Hispanic American Historical Review* 86:2 (2006): 247–74, e *O plano e o pânico: os movimentos sociais na década da Abolição* (Rio de Janeiro: UFRJ/Edusp, 1994), discutem a atuação dos escravos a partir de uma problemática análise de contradições entre os interesses dos afro-brasileiros e dos abolicionistas na província de São Paulo. O trabalho de Carlos Eugênio Líbano Soares, *A negregada instituição: os capoeiras no Rio de Janeiro* (Rio de Janeiro: Prefeitura da Cidade do Rio de Janeiro, 1994), cap. 5, oferece um fascinante enfoque do papel dos capoeiras do Rio na luta abolicionista. Além da questão da atuação subalterna, outros caminhos foram abertos, p.ex., uma promissora tendência que investiga mudanças nas atitudes jurídicas e culturais que afetavam a escravidão e o abolicionismo e que é exemplificada por trabalhos como os de Joseli Maria Nunes, *Entre a mão e os anéis: a Lei dos Sexagenários e os caminhos da Abolição no Brasil* (Campinas:

Unicamp, 1999), e Eduardo Spiller Pena, *Pajens da Casa Imperial: jurisconsultos, escravidão e a Lei de 1871* (Campinas: Unicamp, 2001); há também novos trabalhos sobre abolicionismo nas províncias, entre os quais se incluem Roger A. Kittleson, *The Practice of Politics in Postcolonial Brazil: Porto Alegre, 1845–1895* (Pittsburgh: Univ. of Pittsburgh Press, 2006), e Dale Torston Graden, *From Slavery to Freedom in Brazil: Bahia, 1835–1900* (Albuquerque: Univ. of New Mexico Press, 2006). Dois úteis mapeamentos críticos da literatura sobre o assunto são Barbara Weinstein, "The Decline of the Progressive Planter and the Rise of Subaltern Agency: Shifting Narratives of Slave Emancipation in Brazil", in *Reclaiming the Political in Latin American History: Essays from the North*, org. Gilbert M. Joseph, 81–101 (Durham: Duke Univ. Press, 2001); e Ciro Flamarion S. Cardoso, "A abolição como problema histórico e historiográfico", in *Escravidão e abolição no Brasil: novas perspectivas*, org. Ciro Flamarion S. Cardoso (Rio de Janeiro: Zahar, 1988).

2 A bibliografia sobre Nabuco é extensa; ver Inalda Silvestre, "Bibliografia sobre Joaquim Nabuco", *Ciência & Trópico* (Recife) 2:1 (1974): 139–55, para os trabalhos realizados até inícios da década de 1970. A bibliografia arrolada na mais recente biografia de Nabuco, Angela Alonso, *Joaquim Nabuco* (São Paulo: Companhia das Letras, 2007), 343–52, é a mais extensa que já vi. É de Alonso a biografia popular a que me refiro, e se baseia numa extensa pesquisa de arquivos e fontes acadêmicas. Os outros trabalhos a que faço menção incluem Marco Aurélio Nogueira, *As desventuras do liberalismo: Joaquim Nabuco, a Monarquia e a República* (Rio de Janeiro: Paz e Terra, 1984); Richard Graham, "Joaquim Nabuco, Conservative Historian", *Luso-Brazilian Review*, 17:1 (1980), 1–16; Jeffrey D. Needell, "A Liberal Embraces Monarchy: Joaquim Nabuco and Conservative Historiography", *The Américas* 48:2 (1991), 159–79; e, em especial, a cuidadosa e detalhada história intelectual de Ricardo Salles, *Joaquim Nabuco: um pensador do Império* (Rio de Janeiro: Topbooks, 2002). Recentemente, Stephanie Dennison lançou *Joaquim Nabuco: Monarchism, Panamericanism and Nation-Building in the Brazilian Belle Époque* (Berna: Peter Lang, 2006), apresentando a carreira pós-abolicionista de Nabuco. De que eu tenha conhecimento, os únicos estudiosos que vêm procurando examinar a participação de Nabuco na luta abolicionista são Celso T. Castillo e eu, embora Leslie Bethell e José Murilo de Carvalho tenham concluído recentemente um estudo sobre as relações de Nabuco com abolicionistas ingleses.

3 Defendi o argumento de que o abolicionismo não teve um apoio público significativo até 1871 em *The Party of Order: The Conservatives, the State,*

and Slavery in the Brazilian Monarchy, 1831–1871 (Stanford: Stanford Univ. Press, 2006), cap. 6 e 7, mostrando como a historiografia que defende a opinião oposta se baseia em fontes tendenciosas e como contemporâneos, incluindo Nabuco, deixam clara a total inexistência, à época, de um apoio efetivo e organizado. Evaristo de Morais (um jornalista e abolicionista contemporâneo) considera que a decisão do gabinete Sinimbu de apoiar a escravidão no congresso de 1878 e outras decisões tomadas pelo gabinete foram cruciais para inflamar a oposição abolicionista. O consenso geral em torno da ineficácia da lei de 1871 é um lugar-comum em relatos contemporâneos e de historiadores.

4 Aqui, o autor assume, por cautela, uma posição relativamente conservadora e pressupõe a participação desses afro-brasileiros por especulação demográfica, i.e., parte do princípio de que seja razoável supor que os afro-brasileiros tenham sido atraídos para o movimento ao menos na mesma proporção em que constituíam a população livre do Rio, sem levar em conta uma possível resposta desproporcional motivada pelo despertar de uma solidariedade racial. A composição racial da população do Rio também é, obviamente, especulativa. O primeiro censo "confiável" de que dispomos indica que, em 1872, a população total era de 274.972 habitantes. Destes, 190.693 eram naturais do Brasil, dos quais 144.882 eram livres e, destes, 58.590 eram pessoas de cor (37.167 pardos; 21.423 negros), ou seja, 40% do total da população de brasileiros natos livres. Não é improvável, claro, que entre as pessoas mobilizadas houvesse não só pessoas de cor livres que simplesmente se comoveram, assim como os brancos, com o apelo romântico e combativo dos agitadores, mas também cativos. Afinal, muitos escravos urbanos, homens ou mulheres, trabalhavam sem supervisão nas ruas, e seus próprios interesses obviamente estavam em jogo. Se de fato participaram em número suficiente, eles podem ter contribuído para elevar o número de pessoas de cor a mais da metade do total de pessoas envolvidas. Sobre os dados do censo, ver *Recenseamento Geral do Brasil: 1872: Município Neutro* (Rio de Janeiro: Leuzinger, 1872), 60.

5 Pereira da Silva (2:281–83) lembra que a Câmara era composta de 67 liberais, 55 conservadores e três republicanos; Otoni (215–18) observa que os liberais antiabolicionistas eram aproximadamente 11. Como esses dissidentes, somados aos conservadores, perfazem um total de 66, é fácil entender por que os votos que derrubaram Dantas tiveram uma margem de vantagem tão pequena; de fato, Pereira da Silva (2:288–92)

lembra que o resultado do primeiro voto de confiança foi 50 a 50; o voto fatal (em 4 de maio de 1885) foi 52 a 50. Nota-se que, nessa votação, apenas oito dos liberais dissidentes votaram contra o gabinete e três conservadores votaram a favor, assim como dois republicanos. Pode-se facilmente imaginar a tensão e os motivos conflitantes.

6 Sobre a nomeação de Dantas, ver Pereira da Silva, *Memórias do meu tempo*, 2:272–76, 282; Otoni, *Autobiografia*, 200; Monteiro, *Pesquisa e depoimentos para a história*, 64–68; Moraes, *A campanha abolicionista*, 52–55. O genro de Dantas, Jerônimo Sodré Pereira, foi o primeiro deputado a levantar a questão da abolição na Câmara, em 5 de março de 1879, e foi uma figura-chave no início do movimento. O filho de Dantas, Rodolfo [Epifânio de Sousa] Dantas, então deputado, era muito amigo de Nabuco e mais amigo ainda de Rui Barbosa [de Oliveira], pupilo de seu pai e militante abolicionista desde a década de 1860. O próprio Rui é quem agora seria chamado para redigir o projeto da reforma que trazia o nome de Dantas. O apoio dos abolicionistas ao gabinete fica claro em Pereira da Silva, *Memórias do meu tempo*, 2: cap. 14 e 15, *passim*, principalmente 280–81; Duque-Estrada, *A abolição*, 158–60, 187; Moraes, *A campanha abolicionista*, 63–68, 79, 81–83; ver também Conrad, *The Destruction of Brazilian Slavery*, cap. 14, *passim*, tanto sobre esse apoio como sobre a significação da lei dos sexagenários (213–16); cf. Toplin, *The Abolition of Slavery in Brazil*, 102, sobre a lei. Conrad defende e fundamenta a tese de que a lei dos sexagenários foi rechaçada não só por considerar-se que ela feria um princípio (escravos eram propriedade privada, protegida por lei, e, portanto, não podiam ser tomados nem muito menos libertos sem ressarcimento), mas também porque libertaria a fração significativa de cativos que, embora na verdade fossem mais novos, haviam sido registrados como mais velhos, como se tivessem nascido antes de 1831, a fim de evitar as consequências de uma possível cobrança de cumprimento da lei que proibiu o tráfico de escravos africanos depois dessa data. Sobre as agruras eleitorais de Dantas, ver Otoni, *Autobiografia*, 215–18; Pereira da Silva, *Memórias do meu tempo*, 2:281–83; Moraes, *A campanha abolicionista*, 74–78. Tais fontes têm opiniões divergentes quanto a se houve ou não corrupção nas eleições para favorecer o gabinete; Otoni e Pereira da Silva afirmam que houve, Moraes e Monteiro que não houve. Em ambos os casos, principalmente se o gabinete de fato tentou influenciar o resultado, fica clara a rejeição dos votantes ao projeto. Otoni declara que a pressão eleitoral de Dantas tinha por objetivo conseguir uma maioria liberal, sem que tenha sido dada ênfase ao abolicionismo em si – Dantas aparentemente teria pressuposto

que uma maioria liberal o apoiaria por motivos partidaristas. Se foi esse o seu raciocínio, ele estava enganado. Sobre o projeto Saraiva, ver Pereira da Silva, *Memórias do meu tempo*, 2:297; Otoni, *Autobiografia*, 220–23; Duque-Estrada, *A abolição*, 163–69, 179; cf. Moraes, *A campanha abolicionista*, 94–95. Sobre a ascensão de Cotegipe, ver Otoni, *Autobiografia*, 220–24; Pereira da Silva, *Memórias do meu tempo*, 2:298–307; cf. Moraes, *A campanha abolicionista*, 94–95, 105, 122–23, 128.

7 Ver "A questão militar", in Monteiro, *Pesquisas e depoimentos para a história*, principalmente 123–24, 135–36, 143–61.

8 Afonso Celso, 66. As aspas internas são minhas.

9 Needell, *Party of Order*, cap. 2, 3, 4, *passim*, principalmente 87–90, 95–101.

10 Sobre a Revolta do Vintém, ver Bergstresser, 18–22; Sandra Lauderdale Graham, "The Vintem [sic] Riot and Political Culture: Rio de Janeiro, 1880", *Hispanic American Historical Review* 60:3 (1980), 431–49; e Thomas H. Holloway, *Policing Rio de Janeiro: Repression and Resistance in a 19th-Century City* (Stanford: Stanford Univ. Press, 1993), 259–61.

11 Todos os documentos citados a seguir estão abrigados no Instituto Joaquim Nabuco, em Recife. U. do Amaral a Joaquim Nabuco, Rio de Janeiro, 5 de julho de 1883, JNCPp318 doc6490; Nabuco a Meu distincto Correligionário, Rio, 18 de outubro de 1887, Cap5 doc 91; Luiz de Andrade a Nabuco, Rio de Janeiro, 24 de julho de 1887, CPq333 doc6786; V. de S. Salvador dos Mattosinhos a Joaquim Nabuco, Rio, 13 de dezembro de 1887, JNCPp337 doc6853. Ver também Nabuco, *Minha formação*, 252–58 e, para uma ideia do estilo popular de Nabuco, idem, *Campanha abolicionista no Recife: eleições 1884: discursos de Joaquim Nabuco*, 2ª ed. (Recife: Massangana, 1988 [1885]).

12 Evaristo de Moraes, 353.

13 Gilberto Amado, *Minha formação no Recife* (Rio de Janeiro: José Olympio, 1955), 118–20.

14 Ibid., 119, 120.

AGITAÇÃO ABOLICIONISTA, TRANSTORNOS POLÍTICOS: O RECIFE NA VÉSPERA DA CAMPANHA ABOLICIONISTA

Celso Castilho

> As conferências no [Teatro] Santa Isabel, as doutrinas enunciadas, provam a evidência, que os candidatos abolicionistas querem a ruína do país, a miséria para numerosas famílias; o estabelecimento da República, ou melhor, o comunismo com a democratização da propriedade. (Carta ao *Diário de Pernambuco*, novembro de 1884)

> Os discursos que proferi no Recife em 1884–1885, pronunciados no Teatro Santa Isabel, esses são o melhor da minha vida. (Joaquim Nabuco, *Minha formação*, 1900)

A campanha eleitoral de Joaquim Nabuco em 1884 para representar Recife, primeiro distrito de Pernambuco, deu origem a um desses raros exemplos em política em que o *processo* se tornou sustentavelmente mais importante que o *desfecho*. Embora em circunstâncias dúbias, uma comissão eleitoral anulou a clara vitória de Nabuco, por causa de confusões na votação e alegações de fraude. Apesar da "derrota", a campanha permanece como importante ponto de inflexão na trajetória da mobilização contra a escravidão no Recife, pelo modo como Nabuco galvanizou em torno da eleição setores das massas urbanas antes desconectados. Logo depois, a publicação de *A campanha abolicionista no Recife, eleições de 1884*, uma coletânea de 12 dos 23 discursos que Nabuco fez por todo o Recife entre outubro e dezembro de 1884, revelou-se um instrumento de propaganda abolicionista para o movimento em curso para dar fim à escravidão; porém, enquanto registro histórico das atividades antiescravidão no Recife, o livro engrandeceu o papel da campanha em relação a outros acontecimentos essenciais, do começo de 1884, que prepararam o cenário para a hoje famosa "campanha abolicionista".[1]

A campanha abolicionista esclarece como Nabuco defendeu o abolicionismo, contido pelas exigências práticas de uma eleição, e dá destaque ao papel fundamental de José Mariano (José Mariano Carneiro da Cunha, 1850–1912) que, como candidato pelo segundo distrito, fez parceria com Nabuco e com ele orquestrou as "campanhas abolicionistas" de 1884. Alguns discursos também denotam influência de outros contemporâneos, como André Rebouças (1838–1898), o professor negro de engenharia cujas ideias pela reforma agrária inspiraram Nabuco a mencionar essa perspectiva num de seus discursos em público.[2] Sabia-se que os discursos de Nabuco, traço central e inovador da campanha, atraíam centenas e às vezes até milhares de pessoas a várias praças da cidade e ao Teatro Santa Isabel. No interior do teatro, de fato, ainda hoje há uma placa que diz: "Aqui ganhamos a causa abolicionista".

Claro está que a fama de Nabuco e sua primorosa oratória responsabilizaram-se em grande parte por mobilizar homens e mulheres em números sem precedentes. A campanha vibrante e altamente explosiva fascinou a vida da cidade no final de 1884 e por ele foi ternamente lembrada em suas memórias de 1900;[3] no entanto, a campanha não representou uma manifestação isolada no arco do ativismo local antiescravidão. Coube-lhe, isto sim, polarizar campos sociais e políticos sobre a questão da emancipação, e esse aumento das tensões deve ser compreendido em contexto com outros dois grandes acontecimentos antiescravidão no começo de 1884: a comemoração pelo povo, em 25 de março de 1884, da abolição da escravidão no Ceará, e a convocação de um congresso de produtores de cana em julho de 1884. Os dois eventos – este em reação àquele – não só aguçaram a beligerância, como também mostraram novas formas de mobilizar-se e expressar opiniões políticas. É a uma análise desses dois episódios fundamentais que se dedica este ensaio, com a intenção de fornecer uma perspectiva mais ampla sobre a dinâmica do ativismo antiescravidão no Recife, nos meados da década de 1880.

I : 25 DE MARÇO DE 1884, UM DIVISOR DE ÁGUAS NA ESCRAVIDÃO BRASILEIRA

Os festejos de 25 de março de 1884 no Recife, para comemorar a abolição da escravidão no Ceará, deixaram marca indelével na paisagem política local. Homens, mulheres e crianças reuniram-se antes do nascer do sol em uma praça central para participar de uma parada abolicionista, a primeira do tipo a realizar-se na capital da província de Pernambuco. "O maior ajuntamento", notou um observador, ia da praça ao posto do telégrafo; "organizados como que em batalhões, [eles] desfilaram pela rua do Imperador, cantando hinos patrióticos e lançando 'vivas' à liberdade".[4] Ao chegarem ao posto do telégrafo, os líderes do movimento pernambucano enviaram mensagens para seus correligionários abolicionistas do Ceará e do Rio de Janeiro, bem como ao imperador Pedro II, dando parte de seu contentamento com a notícia de que a escravidão tinha sido abolida na vizinha província do Ceará. A multidão voltou a pé, atravessando a região de Santo Antônio, para a praça central, onde havia faixas penduradas nas principais entradas. Uma delas dizia: "Glória aos jangadeiros do Ceará/Viva 25 de março de 1884".[5] A parada se expôs "aos olhos de todos, abrindo-se ao mais vasto espectro possível de significado e interpretação". Foi uma ação política inovadora, na qual pessoas comuns, no dia a dia, atingiram fins práticos e simbólicos.[6]

Ao todo, quase duas mil pessoas participaram do dia inteiro de festejos no Recife, que incluiu recitais de música e leituras de poesia no Teatro Santa Isabel, ao meio-dia, e culminou com uma celebração ao ar livre, na praça central, ao cair da noite.[7] Após a parada matinal, os festejos de 25 de março concentraram-se no Teatro Santa Isabel, com longa sequência de atrações musicais. Nos intervalos, distintos membros do movimento abolicionista comandavam o palco. Entre outros, Antônio de Barros Sobrinho, presidente do Club Abolicionista, Manoel Gomes de Matos, da Sociedade Nova Emancipadora, e José Mariano, o político mais popular do Recife, proferiram discursos. A entrega de 71 certificados de alforria foi um coroamento à altura dessa tarde momentosa em Pernambuco.[8] O teatro, como em tantas outras ocasiões do começo da década de 1880, mais uma vez abriu espaço para centenas de pessoas participarem coletivamente de alforrias, faceta básica na construção de um amplo movimento popular.

O dia culminou com a celebração ao ar livre no principal jardim do centro da cidade. Francisco Augusto Pereira da Costa (1851–1923), o cronista e historiador do século XIX, notou que pelas cinco da tarde a praça verdejante já transbordava de gente – hora e meia antes da anunciada para o início das festividades. Lampiões a gás em postes improvisados e a decoração floral do palanque chamaram sua atenção, tal como uns cartõezinhos distribuídos pela comissão organizadora com um C e um L entrelaçados, que ali estavam por "Ceará Livre". "Esses detalhes podem parecer de pouca importância", escreveu ele, "mas o simbolismo do C e do L nos lembravam o lema 'Independência ou Morte' dos nossos antepassados nas lutas por nossa emancipação política".[9] A capacidade de ligar os eventos que diziam respeito ao Ceará à história pernambucana indicava como os sentidos locais do 25 de março podiam ser amoldados. Ao sintetizar os acontecimentos do dia, as observações de Pereira da Costa evocavam a importância dupla, local e regional, que essa data assumia: "Foi uma celebração esplêndida, faustosa e retumbante, quer pela ocasião, quer pelo fato em si".[10] Embora disso não se fale em relatos da época, é bem possível que escravos tenham participado dos eventos do dia e também que sua busca de liberdade por canais legais e extralegais aumentasse com a crescente agitação do movimento abolicionista.[11]

A natureza pública das festividades de 25 de março salientava a centralidade dos espaços urbanos para a articulação da política antiescravidão, tática que, como sugere o historiador Roger Kittleson, "... mudou o caráter de tais espaços públicos – moralizando-os ou feminizando-os..." De fato, a organização de atividades públicas contra a escravidão punha em realce as facetas "humanitárias" ou "sentimentais" do abolicionismo, ao afastar estrategicamente o movimento do reino mais combativo (e masculino) da política legislativa.[12] As formas de ativismo antiescravidão foram assim integrantes da produção – e não só da apresentação – de um discurso político que, acrescentando-o a seus suportes abolicionistas, também instava a um repensar dos parâmetros da cidadania.[13]

As reações a um Ceará "livre" manifestaram-se igualmente muito além do Recife.[14] No Rio de Janeiro, capital do país, calculou-se que quase dez mil pessoas aderiram às comemorações, participando de marchas, eventos teatrais e comícios.[15] Aglomerações consideráveis reuniram-se também e comemoraram em público em capitais do Norte e Nordeste, nas províncias do Amazonas, Bahia e Paraíba.[16] Na França, Inglaterra e Estados Unidos, a notícia sobre o Ceará despertou o mesmo interesse. Em Paris, num jantar patrocinado por advogados contra a escravidão, Victor Hugo e o jornalista e abolicionista negro José do Patrocínio (1854–1905) falaram efusivamente sobre o movimento abolicionista no Ceará.[17] Em Londres, Joaquim Nabuco organizou um banquete com membros da legação do Brasil, evento pleno de importância simbólica pelo fato de funcionários do governo celebrarem um acontecimento que contestava o direito constitucional de possuir escravos. Em Filadélfia, ao receber a notícia sobre o Ceará, um periódico afro-americano exclamou: "A escravidão no Brasil está nos estertores da morte".[18]

As festividades de 25 de março constituíram o maior evento abolicionista do começo da década de 1880 no Recife, município onde cerca de 10% da população de 115 mil habitantes permanecia escravizada na década que precedeu a abolição.[19] O bloqueio de uma via parlamentar para alcançá-la, em agosto de 1880, deu mais vigor aos esforços locais antiescravidão.[20] Duas sociedades abolicionistas foram fundadas em setembro e outubro de 1880 e, às vésperas do 25 de março de 1884, um total de 18 grupos abrigava o núcleo central do movimento. Nesse núcleo, 14 das sociedades abolicionistas tinham vínculos com a Faculdade de Direito do Recife, uma das duas instituições do gênero durante o Império brasileiro.[21] Por meio de diversos atos públicos e de iniciativas como campanhas de coleta de fundos para alforriar escravos, o teatro e as feiras abolicionistas, os estudantes de direito desempenharam papel fundamental para ampliar o perfil do movimento, criando vínculos entre diferentes setores da sociedade.[22] Pressões locais, por sua vez, forçaram o governo da província a se voltar afinal, em 1883, para o crescente debate sobre a emancipação dos escravos e, embora já existisse um fundo nacional de emancipação como mecanismo para acelerá-la, as autoridades pernambucanas criaram seu próprio fundo como parte de uma resposta em grande parte simbólica às iniciativas locais.[23] Por conseguinte, a reação do povo à declaração de um Ceará "livre" não chegou a ser um despertar integral – já que, em menor escala, mobilizações contra a escravidão haviam ocorrido previamente na capital da província, desde o começo da década de 1880.

Celebração antiescravidão que só seria ultrapassada em escala pela euforia do 13 de maio de 1888 (Dia da Abolição), as festividades de 25 de março, bem como o livro de Pereira da Costa sobre os fatos – *Pernambuco ao Ceará* –, fomentaram um repensar da política antiescravista no Recife.[24] Como acentua o antropólogo Frank Manning acerca das celebrações, elas "são parte distintiva do repertório cultural, pela qual as pessoas se dão conta da situação em que estão,... e não só representam como também promovem processos políticos dinâmicos..."[25] O livro de Pereira da Costa, de fato, investiu o discurso abolicionista de uma dimensão "histórica". Em seu prefácio, ele invoca as revoltas de 1800, 1817 e 1824, que tinham tido a independência em mente, para ilustrar a genealogia pernambucana de lutas pela liberdade. Pereira da Costa reitera particularmente que os líderes da revolta de 1817 apoiavam a abolição gradual da escravidão, convicção antiescravista que sempre foi atenuada por historiadores, embora seja discurso que permaneceu popular no imaginário local durante o fim do século XIX.[26] Ele também narrou a vívida cena de 1869 com Pedro de Araújo Beltrão, que deu liberdade aos filhos não nascidos dos escravos dele e de sua família durante um discurso na assembléia provincial de Pernambuco.[27] A evocação de uma longa tradição de resistência antiescravidão legitimava assim o chamamento ao ativismo da década de 1880; mais tarde, quando relembrar o passado revolucionário de Pernambuco como fonte de inspiração antiescravista se tornar lugar-comum para os oradores abolicionistas de 1887 e 1888, note-se que eles estavam recorrendo a uma convenção retórica nascida do 25 de março de 1884.

As implicações imediatas do 25 de março entrelaçaram-se com um sem-fim de editoriais e artigos de opinião que apareceram na imprensa e que as moldavam. Os jornais já não podiam, depois do 25 de março, ficar polidamente a favor da "ideia" sem apoiar a "aplicação" de medidas abolicionistas; as reações aos festejos obrigaram a imprensa a tomar posição e, ao fazê-lo, a aguçar o teor dos debates antiescravidão. De modo geral, as discussões na imprensa enfatizavam três pontos: a significação simbólica do 25 de março, as consequências que os acontecimentos cearenses podiam ter para Pernambuco e a controvérsia sobre como aconteceu realmente a abolição no Ceará.[28]

A abolição da escravidão no Ceará foi decretada em um dos três feriados nacionais então existentes, o 25 de março, dia em que o Brasil promulgou a Constituição de 1824.[29] Era um gesto audacioso, marcar e celebrar a virada abolicionista no Dia da Constituição, dada a maneira explícita como a carta protegia os "direitos de propriedade", ou escravidão.[30] O *Jornal do Recife* disse em editorial que "a celebração de hoje [25 de março] finalmente emendou um princípio de igualdade que foi inscrito na Constituição há sessenta anos atrás".[31] Outro jornal, *A Tribuna*, foi mais longe, afirmando que "uma disposição central da Constituição [a igualdade] não é mais uma farsa [no Ceará], como o tem sido há mais de meio século por todo o resto do Império".[32] Em discurso na noite de 25 de março, Manoel Gomes de

Matos, da Nova Emancipadora, declarou: "... no Ceará, tornou-se verdade que todos são iguais perante a lei – uma mentira solenemente proclamada durante sessenta anos".[33] O *Diário de Pernambuco*, mesmo sabendo não ser bem este o caso, escreveu que "o Ceará conseguiu abolir a escravidão sem violar qualquer preceito da lei de abolição gradual de 1871".[34] Ao fazer vista grossa para os meios violentos e "ilegais" que aceleraram o fim da escravidão no Ceará, a imprensa justificava o desfecho, despertando sem dúvida a ira dos senhores de escravos de Pernambuco, que já tinham notado um brusco aumento nas fugas de escravos para o novo refúgio ao norte.

A imprensa também utilizou o caso do Ceará como um meio para fomentar a discussão sobre o abolicionismo em Pernambuco. O *Echo de Palmares*, jornal do Sul de Pernambuco, deu ênfase ao tema das iniciativas "locais", ou da província, ao discutir o caso do Ceará: "O Ceará está livre! E a história nos diz que a abolição começou nos Estados Unidos pelas ações de cada estado por si".[35] *O Rebate*, jornal republicano, também acentuou a centralidade da ação local dentro da luta mais ampla contra a escravidão, declarando ao referir-se ao Ceará: "Este grande movimento deve-se exclusivamente à iniciativa popular. Quase nada fez o governo em favor da emancipação dos escravos".[36] Detalhes sobre como o processo se desenvolveu realmente no Ceará foram narrados em *25 de Março*, publicação impressa uma só vez e distribuída pela Caixa Emancipadora Pedro Pereira, sociedade abolicionista que reunia estudantes cearenses de direito em Recife.[37] Ao colocar questões mais amplas sobre a mobilização antiescravidão, os jornais ativavam a vida política local, sublinhando que a campanha abolicionista na província de Pernambuco podia e deveria capitanear o esforço para acabar com a escravidão.

Os produtores de cana, por sua vez, reagiram prontamente a esse afluxo de apoio a mais ações contra a escravidão em Pernambuco. Cartas aos jornais demonstraram esforços variados de postergar e obstruir a abolição, fosse enfatizando as necessidades de indenização, fosse acentuando a correlação entre abolicionismo e desordem social ou minimizando o papel do ativismo popular no fim dado à escravidão no Ceará. Não era de surpreender, portanto, que a Associação dos Produtores de Cana de Pernambuco declinasse do convite para participar das festividades de 25 de março. Em carta à comissão organizadora, a associação expôs as preocupações que tinha com as ramificações destrutivas de um Ceará "livre". E objetou que a "criação de um novo Canadá, uma terra prometida como já a chamam, ameaça tornar nulas as leis que ainda protegem, em nosso país, a propriedade de escravos".[38] Os desesperados apelos aos aspectos legais da questão com certeza se referem ao problema da indenização. Um fazendeiro mostrou-se indignado porque a imprensa considerava os produtores de Pernambuco relativamente atrasados por se negarem a libertar seus escravos. "Acreditam", escreveu ele, "que poderíamos aguentar o impacto [da emancipação sem indenização], quando os opulentos plantadores britânicos do Caribe receberam 600$000 por cada escravo em 1834, indenização que, além do mais, era muito generosa para a época".[39] Os produtores de cana cuidaram também de espalhar medo das consequências do "abolicionismo carnavalesco", expressão usada comumente por eles para caracterizar o comportamento "caótico" dos abolicionistas.[40] Por exemplo: em carta publicada pelo *Diário de Pernambuco*, um produtor tentou ilustrar as consequências ruinosas da abolição descrevendo um episódio supostamente ocorrido na assembleia legislativa da Louisiana após a guerra civil americana. Citou um político negro que, segundo constava, teria dito na assembleia: "Agora chegou a vez de vocês. Vocês agora terão de trabalhar. Vamos tomar as suas terras".[41] "Por certo", moralizava o brasileiro, "ninguém quer ver nosso país em tal pobreza e desgraça".[42]

Entrementes, os senhores de escravos pernambucanos sentiram também necessidade de repudiar com veemência a descrição favorável do papel do movimento abolicionista para o fim da escravidão no Ceará. Um artigo de opinião afirmava que "não há nada a imitar do Ceará".[43] Seu autor insistia que "o Ceará, já empobrecido pela seca, só se decidiu heroicamente a libertar seus escravos depois de se ter desfeito dos que eram mais valiosos".[44] Esse modo de ver coincidia com sentimentos expressos por outro produtor que escreveu: "O Ceará, verdade seja dita, não libertou seus escravos, mas vendeu-os para o Sul, e a bom dinheiro".[45] Tais hipóteses não eram totalmente infundadas, mas também não diziam tudo. A chegada de uma seca devastadora no final da década de 1870, associada a uma economia combalida, forçou grandes e pequenos proprietários de escravos do Ceará a liquidar seus ativos (escravos) pelo comércio escravista entre províncias. Contudo, o *Diário de Pernambuco* informou, baseado em dados da secretaria de Agricultura do Ceará, que, dos cerca de 30 mil escravos ainda no Ceará em 1880, metade tinha sido libertada pela campanha abolicionista.[46] O contexto econômico certamente exerceu influência sobre a dinâmica do processo emancipatório, no entanto restam importantes dimensões sociais e políticas da complexa história da abolição no Ceará que os produtores pernambucanos quiseram silenciar e ainda cabe aos historiadores analisar na íntegra.

A agitação nas ruas e na imprensa sobre as implicações de um Ceará tornado livre instaurou-se também na arena legislativa de Pernambuco, pois os festejos de 25 de março coincidiram com uma sessão da assembléia provincial, o que atiçou ainda mais a discussão sobre o papel do governo no processo de emancipação. A um modo revelador, ocorreu significativa mudança na conformação do debate antiescravidão, já que a abolição no Ceará alargava o espectro da pauta abolicionista. Antes de 1884, o ponto de referência que partidos políticos, associações e indivíduos usavam para tomar posição sobre a abolição centrava-se na lei de abolição gradual de 1871. Ou seja, os abolicionistas do começo da década de 1880 viam a lei de 1871 como um ponto de partida para o ataque à instituição da escravidão e, embora depreciando os insignificantes resultados do fundo nacional de emancipação, a maioria das sociedades abolicionistas empregou essa tática – com fundos privados de emancipação – que refletia a lógica baseada na compensação da lei de 1871. Os contrários à abolição, no entanto, insistiam que os senhores de escravos deveriam ditar o processo de libertação e denunciavam a intervenção do governo em questões de "propriedade privada". Mas a partir de 25 de março de 1884 surgiu uma posição nova, mais radical, e a vanguarda do movimento abolicionista passou a rejeitar cada vez mais o direito legal à escravatura. A opção pela ação direta para libertar escravos tornou-se bem mais plausível após 1884, alterando a significação da lei de abolição gradual de 1871. É interessante notar que os que antes tinham resistido à sua aplicação e entravado seus efeitos insistiam agora que a lei de 1871 e não o exemplo cearense é que deveria indicar os rumos da abolição. As consequências da libertação no Ceará modificaram assim os modos de discutir a abolição pelo Brasil afora, ainda que as repercussões imediatas do fato tenham sido mais sentidas em Pernambuco do que, digamos, em São Paulo, devido à proximidade geográfica das duas províncias e à extensão dos vínculos que uniam seus movimentos abolicionistas.

Quase de imediato se tornaram patentes as configurações do debate abolicionista pós–25 de março, quando a adoção de uma proposta, quanto ao mais, modesta, para corrigir o funcionamento do fundo provincial de emancipação desencadeou paixões inflamadas. O governo da província de Pernambuco tinha criado uma loteria especial para financiar o fundo de emancipação, por ele autorizado em 1883, e o deputado José Maria de Albuquerque Melo apresentou um projeto para mudar a estrutura de pagamento dos prêmios.[47] Pela ideia de Melo, mais bilhetes seriam postos à venda, decrescendo ao mesmo tempo a porcentagem dos bilhetes premiados; tal estratégia reduzia o valor total a ser pago, e isso deixava mais dinheiro para o fundo provincial de emancipação.[48] A proposta não era tão importante, por certo, mas causou reações exaltadas, dado o contexto politicamente explosivo de março de 1884.

O líder dos conservadores na assembleia, deputado Olympio Marques, tomou a proposta de Melo como um momento propício para forçar uma discussão mais ampla sobre as ações do governo da província à luz dos acontecimentos de 25 de março. Crítico desabrido da crescente maré abolicionista no Ceará, e participante do congresso da Associação dos Produtores de Cana em 1878, Marques se sentiu ofendido porque alguns deputados provinciais tinham assinado seus nomes no livro comemorativo do 25 de março como se estivessem representando oficialmente a assembleia.[49] O primeiro a aparecer, entre esses nomes, era o de José Maria de Albuquerque Melo, o autor do projeto recém-apresentado. Olympio Marques também fez objeção à "glorificação do menosprezo e desrespeito da lei" que as festividades, a seu ver, apoiavam.[50] A intervenção inicial de Marques deixa claro que ele condenava veementemente as celebrações públicas de 25 de março de 1884.

Sua crítica, ao prolongar-se, também elucidava e reconstituía termos do debate abolicionista.[51] Marques, defensor de uma versão de abolicionismo baseada em indenizações, declarou: "Sou abolicionista, mas um abolicionista [que age] de acordo com a lei".[52] Mais especificamente, disse ainda: "Só entendo como abolicionista quem liberta o seu ou os seus escravos e arca com o prejuízo; mas, para libertar o que não é meu, à expensa dos outros, desse modo eu não sou abolicionista; não pertenço a esta seita".[53] Como exemplo, ele expôs seu próprio caso, o de alguém que libertava seus escravos "quando as circunstâncias permitiam", mas repetiu que não queria libertar o que não lhe pertencia.[54] "Por isso é que eu", reafirmou, "não sou um abolicionista como os do Ceará, e por isso não quis estar presente quando esta assembleia foi convidada para as festividades [de 25 de março]".[55] Basicamente Marques fazia diferença entre duas versões de abolicionismo, contrapondo a Lei do Ventre Livre, a de 1871, ao exemplo recente do Ceará. Ele também lembrou à assembleia ser de conhecimento geral que escravos tomados de seus donos eram mandados para o Ceará, insistindo que o que "em Pernambuco e em todo o Brasil era considerado crime não podia ser visto, no Ceará, como virtude".[56] No entanto, apesar de sua irrestrita condenação ao que tinha ocorrido no Ceará e de seu desprazer com os acontecimentos locais de 25 de março, Marques mesmo assim apoiou Melo, dizendo que o projeto do colega era uma "manifestação de certo grau de respeito pelos direitos de propriedade em Pernambuco".[57] A necessidade de "respeitar os direitos de propriedade", entre 1884 e 1888, tornar-se-ia um conhecido refrão dos setores antiabolicionistas.

II : A REAÇÃO DOS PRODUTORES DE CANA: O CONGRESSO AGRÍCOLA DE 1884

Em julho de 1884, os produtores de cana de Pernambuco convocaram um encontro no Recife que seria uma resposta, nas palavras de um organizador, às "hordas de abolicionistas, esses aventureiros imprudentes que incitam escravos a exterminar seus donos".[58] Outro anúncio do evento, impresso nos jornais, exaltava a importância de "sermos unidos como um só homem" em face do "abolicionismo intransigente".[59] Capitaneado por líderes da região sulina e canavieira de Escada e Ipojuca, o congresso ocorreu em 17 e 18 de julho e recebeu produtores de toda a província, bem como homens da "elite política, intelectual e empresarial".[60] O lugar, o momento e a dinâmica do encontro foram significativos, porque punham às claras a resistência nada ambígua que havia no Nordeste do Brasil ao abolicionismo.[61]

O encontro dos produtores ocorreu em meio a importantes mudanças nas políticas local e nacional de antiescravidão. Em junho de 1884, a nomeação de Manoel Pinto de Souza Dantas (1831–1894), um senador da Bahia, para chefiar o novo gabinete, alarmou os emancipacionistas, aqueles que, relutantemente aceitando o destino traçado da escravidão, insistiam num processo gradual e baseado em compensações, tal como definido pela lei de 1871. Sem demora, exatamente no nono dia de seu mandato, o ministério de Dantas viu-se enredado em problemas, porque seu filho, o deputado Rodolfo Dantas (1854–1901), apresentou na Câmara um projeto pela emancipação imediata e *sem compensações* de todos os escravos com mais de 60 anos de idade. Noventa e nove deputados o assinaram, causando uma crise política. A controvérsia girava em torno das implicações de um projeto de emancipação patrocinada pelo governo, mas não baseada em compensações, se bem que na realidade mais de 80% da população escravizada não seriam atingidos. No entanto, a contenda parlamentar de meados de 1884 desagradava aos proprietários de escravos, porque novas propostas de abolição punham em jogo a noção sacrossanta de abolição com compensações.

Assim como dividiu o Parlamento, a questão da abolição se tornou ponto focal em debates por diferentes partes do Brasil, em 1884. A ideia de que um governo provincial, ou até mesmo municipal, podia (e devia) agir em relação à questão vinha se impondo desde o começo da década. Desde julho de 1883, por exemplo, 17 dos 56 municípios do Ceará já não tinham mais escravos. Do mesmo modo, o município de Mossoró no Rio Grande do Norte, separado do Sul do Ceará pelo rio Jaguaribe, aboliu a escravidão em setembro de 1883. Depois de o Ceará ter libertado seus escravos em março de 1884, o governo do Amazonas, em junho de 1884, destinou trezentos contos (300:000$000) para comprar a liberdade dos seus. A campanha foi encetada por Theodureto Souto (1842–1893), natural do Ceará, que desde 1882 era presidente da província do Amazonas. É importante notar que Souto começou criando impostos especiais para financiar o fundo provincial do Amazonas já em 1882 e, com a proibição de que novos escravos entrassem na província, ele foi capaz de comprar a liberdade das poucas centenas de escravos remanescentes no Amazonas. Souto fixou tetos para os preços de escravos na província, cujo governo pôde assim realizar sua meta com a verba alocada de trezentos contos. Sua persistência na questão claramente o distingue dos outros presidentes de províncias de sua época.[62]

Porto Alegre, capital da província do Rio Grande do Sul, declarou-se cidade "livre" em setembro de 1884, ao passo que outras importantes cidades brasileiras fixaram áreas "livres" dentro de seus próprios limites. No Rio de Janeiro, os abolicionistas fizeram uma campanha de quarteirão em quarteirão, libertando primeiramente as ruas que abrigavam as impressoras dos mais influentes jornais abolicionistas da cidade. Em São Paulo, estudantes de direito também decretaram como áreas "livres" as ruas no entorno da faculdade.[63] Tomadas em seu conjunto, essas iniciativas locais representaram pequenas brechas na estrutura da escravidão brasileira. A população de escravos do Brasil ainda era de mais de 1,2 milhão em 1884, mas já estava claro, pelo caos no Parlamento e a abundância de campanhas abolicionistas locais, que os senhores de escravos, a partir de meados da década de 1880, travavam uma batalha não só no Parlamento, mas também nas ruas. As várias vitórias que movimentos abolicionistas pelo Brasil afora diziam ter obtido em 1884 contrastavam, todavia, com o que se deu em Pernambuco. Malgrado o grande apoio popular ao abolicionismo, como demonstrado pela sucessão de performances culturais e a resposta ao 25 de março de 1884, a elite dos produtores de cana conseguiu sufocar as iniciativas para estabelecer territórios "livres" dentro dos limites de Pernambuco.

A urgência com que foi convocado o encontro dos produtores de cana, não obstante, derivou da dinâmica local, principalmente da atmosfera exaltada do 25 de março. Membros da diretoria da Associação dos Produtores de Cana deixaram isso bem claro durante uma reunião preparatória no começo de junho de 1884, quando o presidente em exercício referiu-se às "festividades de 25 de março" como o impulso para organizar o congresso.[64] Mais tarde, em seu discurso na abertura do evento, Inácio de Barros Barreto tornou explícitas a "apreensão que rodeou o encontro, a tensão criada pelos fatos de 25 de março".[65] Evidentemente ansiosos quanto à mudança de maré na opinião pública, era também curioso que os produtores de cana expressassem suas motivações e preocupações em termos dos interesses nacionais. Enquanto as sociedades abolicionistas foram bem-sucedidas nos discursos onde antiescravidão e nacionalidade se fundiam, os produtores de cana construíram sua visão particular de nação, onde a preservação da economia agrícola era questão vital para todos os brasileiros. Num artigo de opinião, um produtor lembrou a funcionários do governo que eles eram "*delegados da nação* [em itálico no original]... e estavam obrigados a defender os direitos de todos os brasileiros". Os "direitos" aos quais ele se referia resumiam-se aos direitos de propriedade, ou escravidão, sendo esclarecedor que os produtores de cana mesclassem seus interesses financeiros com as "fontes da riqueza nacional", uma articulação de brasilidade pouco propensa a encontrar ressonância na grande maioria da população.[66]

Expondo-a para todo o público leitor, malgrado os meios tons de exclusão, a Associação dos Produtores de Cana publicou uma cópia de seu convite para o encontro de julho de 1884 no jornal dos registros de Recife, o *Diário de Pernambuco*. Estampado duas semanas antes do congresso, o comunicado mencionava bem mais do que uma simples reunião, sinalizava toda uma reação à "inquietante situação do comércio e agricultura, causada pelas demandas do abolicionismo intransigente".[67] A essa altura, os produtores optaram por uma resposta "visível", sendo sua decisão de publicar o convite um reflexo da importância da imprensa no desenrolar dos debates sobre a abolição. Um aviso no jornal não seria estratégia previsível, pois decerto havia outros meios disponíveis, mais violentos, de contrapor-se aos ímpetos abolicionistas. O comunicado era para que todos vissem, a um modo revelador, mas não era um convite extensivo ao público. Para o evento no salão nobre da Associação Comercial de Recife, só uma camada seleta da sociedade recebeu convites formais, nela incluídos os que eram membros das associações rurais municipais ou da própria Associação Comercial, ou ainda os que receberam convites de alguém que pertencia a uma delas. "Para entrar no congresso", informava o aviso publicado, "deve-se apresentar à porta do prédio a respectiva carta de convite".[68] O local e as convenções pelas quais se regeu o encontro lançam luz sobre os mecanismos da política formal no Recife na década de 1880, assim como acentuam o contraste com a dinâmica da mobilização abolicionista e suas dimensões comparativamente mais participantes.

As conclusões do congresso dos produtores, publicadas quase na íntegra nas semanas seguintes ao encontro de meados de julho, reabriram as brechas provocadas pelo 25 de março e o debate sobre emancipação sem compensações. A publicação dos discursos dos principais porta-vozes da Associação dos Produtores de Cana pelo

Diário de Pernambuco ocorreu ao mesmo tempo em que o *Jornal do Recife*, simpático ao abolicionismo, publicava também extensas matérias sobre o encontro. Nos dois importantes jornais, veio assim à tona uma vertiginosa sucessão de artigos, cada qual a defender seu lado na discussão em pauta: se era a lei da abolição gradual de 1871 ou o exemplo do Ceará que representava o melhor modo de emancipação. Logo acima do discurso do barão de Muribeca (Manuel Francisco de Paula Cavalcanti, 1804–1894)) no *Diário de Pernambuco*, por exemplo, o leitor é informado de que Muribeca respondia a uma intervenção incendiária antes feita por Manuel Gomes de Matos – um abolicionista rico que pôde participar do congresso por integrar a diretoria da Associação Comercial de Recife. O discurso de Muribeca, após uma referência inicial aos "turbulentos ventos políticos", enaltecia uma via legal, ou seja, com compensações, para a emancipação[69] e reiterava o compromisso da associação com a lei de 1871 – uma posição que Gomes de Matos evidentemente questionou, já que não só Muribeca mas também outros oradores pediram para a reforçar e aclarar.[70] Como os romances em folhetins da época, os discursos e comentários sobre o congresso foram publicados em blocos que continuaram aparecendo na imprensa quase um mês depois do evento. Os jornais, em suma, insuflaram os debates antiescravidão em meados de 1884, exacerbando uma divisão que se tornava cada vez mais óbvia.

PROFUNDAS MUDANÇAS NO TEOR e na dinâmica dos debates antiescravidão ocorreram em 1884. A abolição da escravidão na província do Ceará repercutiu profundamente através do Brasil e teve efeito acentuado para reconfigurar os parâmetros dos debates no Recife. As celebrações abolicionistas locais em 25 de março ultrapassaram, em escala e escopo, todas as outras festividades no mesmo espírito do início da década de 1880; mas a essas reagiu de igual modo a Associação dos Produtores de Cana, que até então tinha mantido em público uma posição deliberadamente ambígua sobre a abolição. Um novo quadro polarizado veio a estruturar os debates em meados de 1884, e os jornais desempenharam um papel vital para delinear os dois campos. Por esse meio os produtores reagiram, pela primeira vez, como parte de uma identidade coletiva. E foi também no interior desse fórum que mudou o tom dos debates, evoluindo dos argumentos abolicionistas "humanitários", adotados no começo da década, para a acerba linguagem de antagonismo que caracterizou os debates nos últimos meses de 1884.

De modo geral, a análise desses dois grandes eventos do começo de 1884 serve para pôr os acontecimentos mais famosos do ano – as campanhas parlamentares "abolicionistas" – numa perspectiva mais ampla. Por mais de um século, a historiografia sobre o abolicionismo brasileiro exaltou o papel de Joaquim Nabuco no movimento contra a escravidão, e estudos sobre Pernambuco, sua província natal, invariavelmente reproduzem um retrato heroico de sua campanha em 1884.[71] Embora sua decisão de concorrer ao Parlamento como representante do Recife, no final de 1884, certamente tenha dado visibilidade nacional à cidade portuária do Nordeste, resta aos historiadores o imperativo de considerar e integrar de todo o contexto político local antes de sua chegada. A abordagem de confronto, sem compromissos, da campanha de Nabuco diferia da de outros contextos eleitorais na recente história brasileira, sem dúvida, mas o dinamismo, as tensões e os choques que caracterizaram seu esforço devem também ser compreendidos como produtos de um processo de polarização que subterraneamente já acontecia no Recife – e que em 25 de março de 1884, numa aurora do outono, se cristalizou.

NOTAS

1 Joaquim Nabuco, *A campanha abolicionista no Recife, eleições de 1884*. Rio de Janeiro: G. Leuzinger & Filhos, 1885. Mas todas as referências seguintes são feitas à edição de 1988, publicada pela Editora Massangana no Recife.

2 Nabuco, *Campanha abolicionista*, 52. O discurso ocorreu em 5 de novembro de 1884 na praça principal do bairro de São José.

3 Joaquim Nabuco, *Minha formação*. Rio de Janeiro: H. Garnier, 1900. Todas as referências são a Nabuco, *Minha formação*, 13ª ed., introd. Evaldo Cabral de Mello. Rio de Janeiro: Topbooks, 1999, 157.

4 Francisco Augusto Pereira da Costa, *Pernambuco ao Ceará: O dia 25 de março* [1884]. 2ª ed. Fortaleza: Secretaria de Cultura, 1984, 11. O mais importante historiador de Pernambuco no século XIX, Pereira da Costa foi incumbido pelo movimento abolicionista de escrever a história desse dia do evento. Seu livro incluía recortes de jornais sobre o 25 de março e algumas observações pessoais. Uso o texto de Costa como fonte para os festejos do dia, mas também como documento de um momento particular do ativismo brasileiro antiescravidão.

5 Costa, *Pernambuco ao Ceará*, 13.

6 Susan G. Davies, *Parades and Power: Street Theater in Nineteenth-Century Philadelphia*. Filadélfia: Temple University Press, 1986, 13.

7 *Folha do Norte* (Recife), 26 de março de 1884, 1.

8 Costa, op. cit., 15.

9 Costa, op. cit., 18.

10 Costa, op. cit., 19.

11 Apesar de não estar no foco deste ensaio, o papel da atuação dos escravos foi central não só na formulação de estratégias legais abolicionistas, como buscar liberdade nos tribunais ou em acordos de alforria com os donos, mas também no desenvolvimento da "ferrovia subter-

rânea" que funcionou entre Pernambuco e o Ceará de 1884 a 1888. Os escravos tiveram pois uma participação decisiva nas mudanças na cultura política local, sendo suas ações um componente básico de amplas mobilizações, como a ocorrida em 25 de março de 1884. Analiso como os escravos foram catalisadores do ativismo político abolicionista in Celso Castilho, "Abolitionism Matters: The Politics of Antislavery in Pernambuco, Brazil, 1869–1888". Tese de doutorado, University of California, Berkeley, 2008, cap. 2. Meu trabalho sobre mudanças na prática política foi influenciado por uma emergente reconceitualização da história política que considera em conjunto as arenas formais e informais da política. Na área brasileira, devo principalmente a: Sandra Lauderdale Graham, "The Vintém Riot and Political Culture: 1880", *Hispanic American Historical Review* 60:3 (1980), 431–49; Sidney Chalhoub, *Visões da liberdade: uma história das últimas décadas da escravidão na corte*. São Paulo: Companhia das Letras, 1990; Roger Kittleson, *The Practice of Politics in Postcolonial Brazil: Porto Alegre, 1845–1895*. Pittsburgh: University of Pittsburgh Press, 2006; José Murilo de Carvalho, "As conferências do Rio de Janeiro: novo espaço de debate", in *Nação e cidadania no Império: novos horizontes*, José Murilo de Carvalho (org.). Rio de Janeiro: Civilização Brasileira, 2007, 19–41; Thomas Holloway, "The Defiant Life and Forgotten Death of Apulco de Castro: Race, Power, and Historical Memory", *Estudios Interdisciplinares de América Latina y El Caribe* 19:1 (jan.-jun. 2007), http://www1.tau.ac.il/eial/; Maria Tereza Chaves de Melo, *A República consentida: cultura democrática e científica do final do Império*. Rio de Janeiro: ANPUH, 2007. Ver também estas notáveis obras sobre a história política do século XIX na América espanhola que, de diferentes maneiras, criaram novas bases para a compreensão do comportamento político do povo, de sua ação e cultura na América Latina daquela época: Hilda Sabato, *The Many and the Few: Political Participation in Republican Buenos Aires*. Stanford: Stanford University Press, 2001; James Sanders, *Contentious Republicans: Popular Politics, Race, and Class in Nineteenth-Century Colombia*. Durham: Duke University Press, 2004; Nils Jacobsen e Cristóbal Alvojín de Losada (orgs.), *Political Cultures in the Andes, 1750–1950*. Durham: Duke University Press, 2005; Peter Guardino, *The Time of Liberty: Popular Political Culture in Oaxaca, 1750–1850*. Durham: Duke University Press, 2005.

12 Roger Kittleson, "'Campaign all of Peace and Charity'": Gender and the Politics of Abolitionism in Porto Alegre, 1879–1888", *Slavery and Abolition* 22:3 (2001), 100.

13 Para análises dos espaços públicos urbanos locais como lugares para a transformação dos sentidos de cidadania, ver Camilo Trumper, "*A ganar la calle:* The Politics of Public Space and Public Art in Santiago Chile, 1970–1973". Tese de doutorado, University of California, Berkeley, 2008, vii; James Holston e Arjun Appadurai, "Cities and Citizenship", *Public Culture* 8:2 (1996), 188.

14 O estudo da abolição no Ceará foi feito pela última vez na década de 1950, e o tema merece renovada atenção. É preciso também que os historiadores compreendam melhor o que significava declarar "área livre" um território, não importa quão pequeno, nem se de cidade ou província. A manutenção de escravos permaneceu como um direito constitucional até 1888, e assim tais declarações refletiam mais uma vontade local do que uma mudança na legislação nacional. Só uma outra província (o Amazonas) declararia a escravidão abolida antes de 1888, embora várias cidades pelo Brasil afora dessem muita divulgação a esses acontecimentos, como Porto Alegre (1884), Santos (1886) e São Paulo (fevereiro de 1888).

15 Mello, *República consentida*, 27–28. Para descrição detalhada de uma procissão abolicionista feita na véspera, em 23 de março de 1884, ver *Diário de Pernambuco* (Recife), 1º de abril de 1884, 3.

16 No Amazonas, as atividades centraram-se na encenação da peça *Mãe*, de José de Alencar. *Diário de Pernambuco* (Recife), 16 de abril de 1884, 2. Para as grandes demonstrações em Salvador (Bahia), ver Jailton Lima Brito, *A abolição na Bahia*. Salvador: EDUFBA, 2003, 67, e Dale Graden, *From Slavery to Freedom in Brazil: Bahia, 1835–1900*. Albuquerque: University of New Mexico Press, 2006, 167–69. Uma combinação de marchas, banquetes e performances teatrais também marcou as festividades na Paraíba. *Diário de Pernambuco* (Recife), 10 de abril de 1884, 2.

17 Evaristo de Moraes, *A campanha abolicionista, 1879–1888* [1924,] 2ª ed. Brasília: Editora da Universidade de Brasília, 1986, 188–189.

18 *The Christian Recorder* (Philadelphia), April 17, 1884, in the African American Newspapers: The 19th Century Online Database, http://www.accessible.com/acessible/print?AADocList=1&AADocStyle=STYLED&AA StyleFile=&AABeanName=toc1&AANextPage=/printFullDocFromXML.jsp&AACheck=1.8.1.0.1 (acessado em 15 de abril de 2009).

19 *Recenseamento da População de Pernambuco...* 1872, 214–218. Usei dados do censo imperial de 1872, ciente de que essa enumeração era menos exata que o censo de escravos ordenado pela Lei do Ventre Livre, em 1871, e realizado em 1873. Os dados de 1873 referentes a Pernambuco ainda têm de ser localizados por historiadores. Para uma visão mais ampla da população de escravos no século XIX, ver Castilho, "Abolitionism Matters", 43, 45, 47.

20 Refiro-me à tática de obstrução, tanto por conservadores quanto por liberais, quando Joaquim Nabuco, deputado por Pernambuco, tentou a aprovação de um projeto que acabaria com a escravidão em dez anos, ou seja, em 1890. Seu projeto nunca chegou a ser votado e nenhum dos poucos deputados que o apoiavam (apenas cinco) conseguiu se reeleger em 1881. Uso esta referência para sugerir como era poderosa, no Parlamento, a oposição ao antiescravismo.

21 Para a interseção do ativismo estudantil e antiescravidão no Recife, ver Andrew J. Kirkendall, *Class Mates: Male Student Culture and the Making of a Political Class in Nineteenth-Century Brazil*. Lincoln: University of Nebraska Press, 2002, 144.

22 A dinâmica da movimentação social abolicionista é explorada in Celso Castilho e Camillia Cowling, "Funding Freedom, Popularizing Politics: Abolitionism and Local Emancipation Funds in 1880s Brazil", *Luso-Brazilian Review*, no prelo.

23 Tanto o fundo nacional quanto o provincial foram medidas ineficazes para reduzir a população de escravos. O fundo nacional, criado como parte da lei de abolição gradual de 1871, libertou menos de 1% da população de escravos em sua primeira década de existência. O fundo provincial, entrementes, operou de 1883 a 1885 e libertou menos de 200 escravos, dentre os quase 40 mil que em 1887 ainda compunham a população de escravos na província. Castilho, "Abolitionism Matters", 266.

24 Na historiografia brasileira, Eduardo Silva escreveu original ensaio que se centra nos significados das celebrações do 13 de maio. No mais, a relação entre celebrações e política – especificamente no tocante à abolição – permanece inexplorada pelos historiadores. Ver Eduardo Silva, "Law, Telegraph and Festa: A Revaluation of Abolition in Brazil", in *Pour l'histoire du Brésil: Hommage à Katia de Queirós Mattoso*. Paris:

L'Harmattan, 2000, 451–62. Para um interessante paralelo com os Estados Unidos, quanto à significação das celebrações antiescravistas nas análises das políticas de escravidão e da cultura política durante a era das reformas, ver Julie Roy Jeffrey, "'No Ocurrence in Human History is More Deserving of Commemoration Than This': Abolitionist Commemorations of Freedom", in *Prophets of Protest: Reconsidering the History of American Abolitionism*, (org.) Timothy Patrick McCarthy e John Stauffer. Nova York: The New Press, 2006, 200–219; e Jeffrey Kerr Ritche, *Rites of August First: Emancipation Day in the Black Atlantic World*. Baton Rouge: Louisiana State University Press, 2007.

25 Frank E. Manning (org.). "Prelude", in *The Celebration of Society: Perspectives on Contemporary Cultural Performance*. Bowling Green: Bowling Green University Popular Press, 1983, x, 29.

26 Para estudos recentes sobre as relativamente poucas perspectivas para uma abolição gradual da escravidão em 1817, ver Jeffrey Mosher, *Political Struggle, Ideology, and State Building: Pernambuco and the Construction of Brazil, 1817–1850*. Lincoln: University of Nebraska Press, 2008, 30–38; e Marcus J.M. Carvalho, "O outro lado da independência: quilombolas, negros e pardos em Pernambuco, Brazil, 1817–23", *Luso-Brazilian Review* 43:1 (2006), 3–6. Carvalho sugere, contudo, que as decisões das elites locais para armar escravos criaram cenários novos de que os escravos se valeram para conquistar sua liberdade, juntando-se, por exemplo, aos quilombos.

27 Costa, *Pernambuco ao Ceará*, 9.

28 O papel da imprensa nas mudanças ocorridas na cultura política do século XIX está por ser estudado. Um livro da época sublinha a maior visibilidade dos jornais nas ruas de Recife nas décadas de 1870 e 1880. Alfredo de Carvalho, *Estudos pernambucanos*. Recife: Cultura Acadêmica, 1907.

29 Sobre as celebrações dos feriados nacionais, ver Hendrik Kraay, "Definindo nação e estado: rituais cívicos na Bahia pós-Independência, 1823–1850", *Topoi* 3 (2001); Lilia Moritz Schwarcz, *The Emperor's Beard: Dom Pedro II and the Tropical Monarchy of Brazil*, trad. John Gledson. Nova York: Farrar, Straus, and Giroux, 2004, 191–96. Os outros dois feriados nacionais oficialmente reconhecidos eram o 7 de Setembro (Dia da Independência) e o 2 de Dezembro (aniversário de dom Pedro II).

30 Sobre a reconciliação de liberdade, escravidão e cidadania na Constituição de 1824, ver Márcia Regina Berbel e Rafael de Bivar Marquese, "The Absence of Race: Slavery, Citizenship, and pro-Slavery Ideology in the Cortes of Lisbon and Rio de Janeiro Constituent Assembly, 1821–24", *Social History* 32:4, 2007, 415–33; Linda Lewin, *Surprise Heirs II: Illegitimacy, Inheritance Rights, and Public Power in the Formation of Imperial Brazil, 1822–1889*, vol. 2. Stanford: Stanford University Press, 2003, 16, 21.

31 Costa, *Pernambuco ao Ceará*, 67.

32 Costa, op. cit., 110.

33 Costa, op. cit., 38.

34 Costa, op. cit., 51.

35 Costa, op. cit., 169.

36 Costa, op. cit., 133.

37 Costa, op. cit., 216.

38 Costa, op. cit., 86.

39 *Diário de Pernambuco* (Recife), 9 de abril de 1884, 4. Ver também outra carta de fazendeiro sobre o problema da indenização, *Diário de Pernambuco* (Recife), 6 de abril de 1884, 4.

40 *Diário de Pernambuco* (Recife), 18 de maio de 1884, 4.

41 Idem.

42 Ibid.

43 *Diário de Pernambuco* (Recife), 19 de abril de 1884, 3.

44 Idem.

45 *Diário de Pernambuco* (Recife), 19 de abril de 1884, 4.

46 *Diário de Pernambuco* (Recife), 16 de outubro de 1884, 2.

47 José Maria de Albuquerque Melo, 31 de março, AAPP 1884: 1, 260.

48 Para uma comparação entre o projeto e a estrutura de pagamento existente, ver *Diário de Pernambuco* (Recife), 24 de setembro de 1884, 2.

49 Ao longo de vinte páginas, Pereira da Costa reproduziu as listas com os nomes de todos que assinaram o livro comemorativo. Costa, *Pernambuco ao Ceará*, 256.

50 Olympio Marques, 31 de março, AAPP 1884: 1, 263.

51 Marques não foi o único deputado provincial senhor de escravos a endossar bruscamente a lei de abolição gradual de 1871. Na legislatura de 1884, outros membros da assembleia, como Aristarco Lopes e o barão de Nazaré, também se viram a exaltar as virtudes da lei de 1871, numa reversão de seus comentários públicos antes de 1884. Aristarco Lopes, 14 de abril, AAPP 1884: 1, 304. Barão de Nazaré (Silvino Guilherme de Barros, 1834–1903), 13 de maio, AAPP 1884: 1 (apêndice), 63.

52 Olympio Marques, 31 de março, AAPP 1884: 1, 261.

53 Olympio Marques, 31 de março, AAPP 1884: 1, 262.

54 Olympio Marques, idem.

55 Olympio Marques, ibid.

56 Olympio Marques, 31 de março, AAPP 1884: 1, 263.

57 Olympio Marques, idem.

58 *Diário de Pernambuco* (Recife), 8 de junho de 1884, 2.

59 *Diário de Pernambuco* (Recife), idem.

60 *Diário de Pernambuco* (Recife), 18 de julho de 1884, 2. Sobre as associações agrícolas, ver Peter Eisenberg, *The Sugar Industry in Pernambuco, 1840–1910: Modernization Without Change*. Berkeley: University of California Press,

1974, 168–70. Apesar de o congresso só ter durado dois dias, o *Diário de Pernambuco* republicou discursos até o começo de agosto.

61 Na Bahia, produtores de cana também se organizaram e formaram associações em reação a mudanças nas políticas antiescravidão. Brito, *Abolição na Bahia*, 213, 217–23; Wlamyra R. de Albuquerque, *O jogo da dissimulação: abolição e cidadania negra no Brasil*. São Paulo: Companhia das Letras, 2009, 100.

62 Osório Duque-Estrada, *A Abolição: esboço histórico, 1831–1888*, introd. Rui Barbosa. Rio de Janeiro: Leite Ribeiro & Maurillo, 1918, 127–28. Resultados de recente pesquisa sobre a abolição no Amazonas acham-se em Abrahim Baze, "Theodureto Souto, o abolicionista", *Portalamazonia.globo.com*, 10 set. 2003, http://portalamazonia.globo.com/detalhe-artigo

63 Robert Conrad, *The Destruction of Brazilian Slavery, 1850–1888*. Berkeley: University of California Press, 1972, 196.

64 *Diário de Pernambuco* (Recife), 10 de junho de 1884, 2.

65 *Diário de Pernambuco* (Recife), 17 de julho de 1884, 2.

66 *Diário de Pernambuco* (Recife), 8 de junho de 1884, 2.

67 *Diário de Pernambuco* (Recife), 2 de julho de 1884, 2.

68 *Diário de Pernambuco* (Recife), idem.

69 *Diário de Pernambuco* (Recife), 29 de julho de 1884, 2.

70 Ver as observações de Henrique Milet, por exemplo. *Diário de Pernambuco* (Recife), 30 de julho de 1884, 3.

71 Para uma crítica das historiografias sobre a abolição centradas em Nabuco, ver Célia Maria Azevedo, "Quem precisa de São Nabuco?" *Estudos Afro-Asiáticos*, 23:1 (janeiro/junho 2000), 84–97.

BIBLIOGRAFIA

ALBUQUERQUE, Wlamyra R. de. *O jogo da dissimulação: abolição e cidadania negra no Brasil.* São Paulo: Companhia das Letras, 2009.

AZEVEDO, Célia Maria. "Quem precisa de São Nabuco?" *Estudos Afro-Asiáticos* 23:1 (2000), 84–97.

BERBEL, Márcia Regina and Rafael de Bivar Marquese. "The Absence of Race: Slavery, Citizenship, and Pro-Slavery Ideology in the Cortes of Lisbon and the Rio de Janeiro Constituent Assembly, 1821–24".

Social History, 32: 4 (2007), 415–33.

BRITO, Jailton Lima. *A abolição na Bahia.* Salvador: EDUFBA, 2003.

CARVALHO, Alfredo de. *Estudos Pernambucanos.* Recife: Cultura Acadêmica, 1907.

CARVALHO, José Murilo de. "As conferências do Rio de Janeiro: novo espaço de debate", in *Nação e cidadania no Império: novos horizontes,* (org.) José Murilo de Carvalho. Rio de Janeiro: Civilização Brasileira, 2007, 19–41.

CARVALHO, Marcus J.M. "O outro lado da independência: quilombolas, negros e pardos em Pernambuco, Brazil, 1817–23". *Luso-Brazilian Review* 43:1 (2006), 1–30.

CASTILHO, Celso. "Abolitionism Matters: The Politics of Antislavery in Pernambuco, Brazil, 1869–1888". Tese de doutorado, Universidade da Califórnia, Berkeley, 2008.

_____ e Camillia Cowling. "Funding Freedom, Popularizing Politics: Abolitionism and Local Emancipation Funds in 1880s Brazil". *Luso-Brazilian Review,* no prelo.

CHALHOUB, Sidney. *Visões da liberdade: uma história das últimas décadas da escravidão na corte.* São Paulo: Companhia das Letras, 1990.

CONRAD, Robert. *The Destruction of Brazilian Slavery, 1850–1888.* Berkeley: University of California Press, 1972.

COSTA, Francisco Augusto Pereira da. *Pernambuco ao Ceará: O dia 25 de março* [1884]. 2ª ed. Fortaleza: Secretaria de Cultura, 1984.

DAVIS, Susan G. *Parades and Power: Street Theater in Nineteenth-Century Philadelphia.* Filadélfia: Temple University Press, 1986.

DUQUE-ESTRADA, Osório. *A abolição: esboço histórico, 1831–1888.* Introd. Rui Barbosa. Rio de Janeiro: Leite Ribeiro & Maurillo, 1918.

EISENBERG, Peter. *The Sugar Industry in Pernambuco, 1840–1910: Modernization Without Change.* Berkeley: University of California Press, 1974.

GRADEN, Dale. *From Slavery to Freedom in Brazil: Bahia, 1835–1900.* Albuquerque: University of New Mexico Press, 2006.

GRAHAM, Sandra Lauderdale. "The Vintem Riot and Political Culture: Rio de Janeiro, 1880". *Hispanic American Historical Review* 60:3 (1980), 431–49.

GUARDINO, Peter. *The Time of Liberty: Popular Political Culture in Oaxaca, 1750–1850*. Durham: Duke University Press, 2005.

HOLLOWAY, Thomas. "The Defiant Life and Forgotten Death of Apulco de Castro: Race, Power, and Historical Memory". *Estudios Interdisciplinarios de América Latina y el Caribe* 19:1 (2007), http://www1.tau.ac.il/eial/.

HOLSTON, James and Arjun Appadurai. "Cities and Citizenship", *Public Culture* 8: 2 (1996), 187–204.

JACOBSEN, Nils and Cristóbal Alvojín de Losada, (orgs.). *Political Cultures in the Andes, 1750–1950*. Durham: Duke University Press, 2005.

JEFFREY, Julie Roy. "'No Occurrence in Human History is More Deserving of Commemoration Than This': Abolitionist Commemorations of Freedom", in *Prophets of Protest: Reconsidering the History of American Abolitionism*, (orgs.) Timothy Patrick McCarthy e John Stauffer. Nova York: The New Press, 2006, 200–219.

KIRKENDALL, Andrew J. *Class Mates: Male Student Culture and the Making of a Political Class in Nineteenth-Century Brazil*. Lincoln, Nebraska: University of Nebraska Press, 2002.

KITTLESON, Roger. *The Practice of Politics in Postcolonial Brazil: Porto Alegre, 1845–1895*. Pittsburgh: University of Pittsburgh Press, 2006.

_____. "'Campaign all of Peace and Charity': Gender and the Politics of Abolitionism in Porto Alegre, 1879–1888". *Slavery and Abolition*, 22: 3 (2001), 83–108.

KRAAY, Hendrik. "Definindo nação e estado: rituais cívicos na Bahia pós-Independência, 1823–1850." *Topoi* 3 (2001), 63–90.

LEWIN, Linda. *Surprise Heirs II: Illegitimacy, Inheritance Rights, and Public Power in the Formation of Imperial Brazil, 1822–1889*, vol. 2. Stanford: Stanford University Press, 2003.

MANNING, Frank E., (org.). "Prelude," in *The Celebration of Society: Perspectives on Contemporary Cultural Performance*. Bowling Green: Bowling Green University Popular Press, 1983.

MELLO, Maria Tereza Chaves de. *A República consentida: cultura democrática e científica do final do Império*. Rio de Janeiro: ANPUH, 2007.

MORAES, Evaristo de. *A campanha abolicionista, 1879–1888* [1924]. 2ª ed. Brasília: Editora da Universidade de Brasília, 1986.

MOSHER, Jeffrey. *Political Struggle, Ideology, and State Building: Pernambuco and the Construction of Brazil, 1817–1850*. Lincoln: University of Nebraska Press, 2008.

NABUCO, Joaquim. *A campanha abolicionista no Recife, eleições de 1884*. Rio de Janeiro: G. Leuzinger & Filhos, 1885.

_____. *Minha formação* [1900]. Introd. Evaldo Cabral de Mello. 13ª ed. Rio de Janeiro: Topbooks, 1999.

RITCHE, Jeffrey Kerr. *Rites of August First: Emancipation Day in the Black Atlantic World*. Baton Rouge: Louisiana State University Press, 2007.

SABATO, Hilda. *The Many and the Few: Political Participation in Republican Buenos Aires*. Stanford: Stanford University Press, 2001.

SANDERS, James. *Contentious Republicans: Popular Politics, Race, and Class in Nineteenth-Century Colombia*. Durham: Duke University Press, 2004.

SCHWARCZ, Lilia. *As barbas do imperador*. São Paulo: Companhia das Letras, 1998.

SILVA, Eduardo. "Law, Telegraph, and Festa: A Revaluation of Abolition in Brazil," in *Pour l'histoire du Brésil: Hommage à Katia de Queirós Mattoso*. Paris: L' Harmattan, 2000, 451–62.

TRUMPER, Camilo. "*A ganar la calle*: The Politics of Public Space and Public Art in Santiago Chile, 1970–1973". Tese de doutorado, Universidade da Califórnia, Berkeley, 2008.

JOAQUIM NABUCO, O ADVOGADO, E THOMAZ, O ESCRAVO: PERSPECTIVAS LOCAIS, NACIONAIS E COMPARATIVAS SOBRE ANTIESCRAVIDÃO E PENA DE MORTE

Peter M. Beattie

Em 1869, "o quartanista de direito Joaquim Aurélio Barreto Nabuco de Araújo" apresentou-se para defender o escravo Thomaz no Tribunal da Relação, a instância regional de apelação em Recife.[1] Da parte de um jovem estudante, era um gesto audacioso, porque Thomaz se fizera alvo de invectivas públicas pela prática de dois assassinatos e uma ousada fuga da prisão, que espalhou pânico pelas ruas do Recife. A primeira experiência de Nabuco como advogado num julgamento levou-o a redigir um manuscrito, *A escravidão*, que ele nunca terminou e só foi publicado postumamente.[2] Mais tarde ele se tornaria um dos mais famosos políticos e abolicionistas do Brasil. *A escravidão* permite um vislumbre de como a defesa de Thomaz solidificou a aversão de Nabuco por três instituições brasileiras: o açoitamento, a pena de morte e a escravidão. Ao mesmo tempo, o texto oferece um ponto de observação privilegiado para abarcar um panorama comparativo da relação entre os movimentos contra a escravidão e contra a pena de morte no Brasil e através do mundo atlântico.[3]

O estudo da oposição à pena de morte no Brasil acha-se de muitos modos em situação análoga à do assunto na historiografia dos Estados Unidos. Como observa David Brion Davis: "O interesse pela história do feminismo, da temperança, do abolicionismo e do utopismo americanos obscureceu o fato de o movimento para abolir a pena de morte ter sido, para a geração que precedeu a Guerra Civil, uma importante iniciativa reformista que deu ensejo a discussões violentas sobre a fonte última de justiça, o grau de responsabilidade humana, a falibilidade da Justiça, o progresso ou declínio da sociedade, as origens metafísicas do bem e do mal e a autoridade da Bíblia".[4] Davis observa ainda que essa omissão é intrigante porque muitos estados livres do Norte tiveram êxito em limitar ou abolir por completo a pena de morte antes da Guerra Civil. Davis compara os movimentos americanos contra a pena de morte aos surgidos na Grã-Bretanha, França, Rússia, Áustria, Itália, entre outros países, mas não considera os movimentos pioneiros e mais bem-sucedidos da América Latina. O que é estranho, pois um estudioso da luta internacional contra a pena de morte define as nações da América Latina como a "vanguarda" desse movimento. A omissão de Davis, entretanto, é sintomática da desatenção benigna à história do Atlântico Sul, até mesmo por parte de um proeminente arquiteto da história intelectual "atlântica".[5]

No Brasil, a pena capital legalmente sancionada chegou a um fim *de facto* em 1876 e, por lei, em 1889, ao passo que a escravidão só foi abolida totalmente em 1888. Por que esteve o Brasil entre os primeiros países do mundo a abolir a pena de morte, se foi a última nação independente do hemisfério ocidental a extinguir a servidão? O julgamento de Thomaz e a vida e a literatura de Joaquim Nabuco fornecem pistas para aclarar o paradoxo e demonstram como e por que os movimentos contra a escravidão e a pena de morte interligaram-se de maneira ímpar. Como sustentei alhures, a oposição do imperador Pedro II à pena de morte foi fundamental para sua abolição *de facto* em 1876, mas aqui se investiga como um círculo de outros intelectuais e políticos, entre os quais se destacava Nabuco, a ela se opôs como parte de um esforço para promover os direitos humanos no Brasil e lustrar a imagem internacional de seu país.[6]

I : O JULGAMENTO DO ESCRAVO THOMAZ E A *ESCRAVIDÃO*

A transcrição do julgamento de Thomaz e *A escravidão* revelam muitas das circunstâncias que levaram este escravo a cometer atos de violência, embora sejam insuficientes quanto a outros detalhes. A transcrição não inclui, por exemplo, a documentação que normalmente se encontra nos registros dos tribunais de apelação, como os argumentos de Nabuco em favor de seu cliente e as transcrições do julgamento prévio do réu. Felizmente, Nabuco sintetiza sua defesa de Thomaz em *A escravidão*, mas a narrativa que ele faz, como sustentarei, deve ser lida com restrições. Em si mesma ela é fascinante, porque mostra como um jovem intelectual chegou a formular argumentos contra a escravidão relacionada à pena de morte. Muitos desses argumentos serão desenvolvidos e publicados em seu clássico *O Abolicionismo* em 1883.[7]

De acordo com seu depoimento, Thomaz era filho do escravo Matheus e nasceu em Olinda, onde foi criado e continuou a viver com sua dona, Anna Barbosa da Silva. Thomaz declarou ter 27 anos durante seu interrogatório na polícia e, depois, em juízo, 38 (o que pode ter sido um erro do escrevente). Em *A escravidão*, Nabuco o descreve como um rapaz de 25 anos que talvez tivesse a idade dele quando cometeu seu primeiro crime. Thomaz informou que era analfabeto e solteiro e, quando perguntado pela profissão, em três ocasiões respondeu cada vez de um modo: da primeira, disse simplesmente que "vivia com sua dona em Olinda"; da segunda, que "trabalhava na plantação com sua dona" e, da terceira, que "era fogueteiro". Não há razão para crer que as três assertivas não fossem verdadeiras, pois pouca razão havia para Thomaz deturpar os fatos.[8]

Embora a transcrição do julgamento de Thomaz não inclua detalhes sobre seu primeiro homicídio e condenação, Nabuco apresenta uma interpretação de tais fatos em *A escravidão*. Retrata-o, antes de tudo, como um escravo que desfrutava da total confiança de sua dona: "Circunspecto, frugal, humilde, cheio de brio, ele gozava de excelente reputação na vizinhança. Criaram-no como homem livre e, por conseguinte, ele havia adquirido bons instintos. Ninguém lhe falava de escravidão. Ele trabalhava para sua patroa e para seu sustento de modo dedicado e consciencioso. Chamavam-no, em Olinda, de 'seu Thomaz'".[9] Como demonstra Marcus Carvalho, muitos escravos que viviam e trabalhavam independentemente em Recife e Olinda no século XIX ("escravos a ganho") não raro posavam de homens livres, e às vezes assim eram tomados, mas para Nabuco foi a própria dona que criou Thomaz como se "fosse livre".[10] Segundo Nabuco, até os vizinhos se referiam a ele como "seu" Thomaz, forma respeitosa de tratamento que já implicava liberdade. Contudo, é difícil acreditar na afirmativa de Nabuco de que ninguém jamais falava a Thomaz de sua escravidão. Ele tinha consciência, sem dúvida, da própria condição. Na transcrição do julgamento, deu seu nome como "Thomaz, o escravo", não como "seu Thomaz", e afirmou claramente viver com sua dona.

Por que era importante para Nabuco enfatizar que Thomaz tinha sido criado e tratado como homem livre? Parece provável que nessa narrativa as críticas de Nabuco à escravidão se encaixassem melhor. Sua interpretação dá a entender que, se Thomaz não tivesse sido sujeitado a degradantes castigos corporais e outras humilhações comuns da servidão, então ele, ao contrário da maioria dos escravos, não seria dominado pelo vício. Tudo mudou, no entanto, quando uma autoridade local não nomeada mandou açoitá-lo em público, humilhação que transformou Thomaz numa "fera", como diz Nabuco.[11] O castigo era de estranhar porque os pelourinhos, os postes oficiais de açoitamento em público, tinham sido retirados das praças das cidades, por todo o Brasil, na década de 1830. Escravos continuavam a ser açoitados pelas autoridades por diferentes crimes e ofensas, mas a punição normalmente não era aplicada em público. Mesmo assim é bem possível que uma autoridade abusasse de seu poder para punir Thomaz de um modo que seria ainda mais humilhante por não ser mais comum.

Fossem quais fossem os fatos ligados ao incidente, Nabuco utilizou-o para pôr em ação um de seus tropos antiescravidão prediletos: a associação das punições cruéis e desumanidade da escravidão à preponderância alegada de vícios entre escravos. Como ele mesmo diz: "Profundamente aviltante, este castigo só serve para destruir o resto de pudor que uma natureza escrava possa ter. E quando este pudor se gasta, redobra; torna-se em uma paixão, em um desejo ardente e insaciável de vingança, e ainda assim, principalmente assim, a lei não alcança o seu fim".[12]

Para Nabuco, o açoitamento de Thomaz levou-o a comprar uma arma e assassinar a autoridade a quem ele atribuía sua tortura. Embora Nabuco não use explicitamente o termo "vício" na passagem acima, ele o emprega com frequência em *A escravidão*: "A escravidão é como um desses venenos que se infiltram pelo perfume: ela se infiltra pelo egoísmo. Depois de se haver introduzido na sociedade e de ter alimentado a ambos. Duas palavras únicas temos a dizer a respeito: que vícios não deve ter uma alma que obedece, que está sempre curva e humilhada, que rasteja diante de um homem? Que às vezes é a encarnação de todos os crimes? Que vícios por outro lado não deve ter aquela que está habituada a mandar e a não ser mandada, a castigar a homens como a animais, a contemplar a máxima degradação da nossa natureza, a satisfazer brutalmente a todos os seus caprichos... a um vício, corresponde outro, os extremos se tocam..."[13] Nabuco não foi o primeiro a usar o tropo da escravidão como propagadora de vícios: tomou-o de empréstimo à venerável retórica brasileira e internacional antiescravidão. Ninguém menos do que José Bonifácio de Andrada e Silva, um dos patriarcas da nação brasileira, afirmou em 1825: "Tudo, porém, se compensa nesta vida, nós tiranizamos os escravos e os reduzimos a brutos animais, e eles inoculam toda a sua imoralidade e todos os seus vícios".[14]

Que vícios são esses? Como demonstrei alhures, vício era, no Brasil, um termo elástico. Podia significar mau hábito, dependência de bebida ou droga, deformação física, falha de caráter e, em gíria do Nordeste, o hábito de comer terra, ou geofagia. Além de outros hábitos, atos ou características, entre os vícios comumente atribuídos a escravos na linguagem jurídica, na literatura e nas notícias de fugas, no Brasil do século XIX, encontram-se: jogo, preguiça, propensão à fuga, mentira, "sodomia" (e de modo geral toda lascívia), dipsomania, ingratidão, bravata, xingamento.[15] A narrativa do vício proporciona pistas importantes para os argumentos que Nabuco acabará por levantar para defender seu cliente. Ademais, como se discutirá adiante, Nabuco não foi a única figura literária do Brasil a associar a degradação da escravidão à desumanidade da pena de morte.

A transcrição do julgamento de Thomaz preserva depoimentos de testemunhas oculares do segundo homicídio e da ousada fuga do escravo, quando preso na Casa de Detenção, a então moderna penitenciária do Recife. Após o júri em Olinda condená-lo à forca, por seu primeiro crime, foi lá, perto do coração do Recife, que ele aguardou a execução. As testemunhas do segundo julgamento de Thomaz, em sua maioria, eram guardas da prisão, soldados da polícia e passantes. Todos declararam ter ouvido gritos às onze horas da manhã de 21 de outubro de 1868. O guarda do portão da ala norte disse que Thomaz se aproximou dele e nada respondeu, quando lhe perguntou o que queria. Em vez de se explicar, Thomaz passou pelo portão que já estava destrancado para o início das visitas de parentes, ao meio-dia. Esse guarda de plantão logo acionou o alarme e um companheiro dele, Affonço Honorado Bastos, tentou interceptar a fuga de Thomaz no corredor além do portão. Thomaz então esfaqueou Affonço no pescoço e o guarda caiu no chão "banhado em sangue". O escravo conseguiu escapar da Casa de Detenção e saiu correndo pela Rua do Sol, onde se engalfinhou com um cocheiro português, na tentativa malograda de roubar-lhe um cavalo. Esquivou-se das autoridades por horas, mas a polícia o encontrou depois de ele arrombar a porta de uma casa onde aparentemente não havia ninguém na hora. Thomaz resistiu à prisão e, com uma faca e duas pedras, feriu um soldado que tentou prendê-lo. Comparecendo sem demora ao local, o comandante da polícia da província ordenou a Thomaz que se rendesse, o que ele fez depois que o comandante garantiu sua integridade.[16]

Dada a existência de tantas provas contra seu cliente, de tantas testemunhas oculares, como pôde o jovem Nabuco orientar-se ao defendê-lo? Um argumento levantado na transcrição do julgamento é que as lesões infligidas por Thomaz não causaram a morte do guarda, que só dois dias depois do ataque sucumbiu. A culpa seria mais do inadequado atendimento médico que o guarda recebeu ao ser ferido. O interessante é que foi o defensor designado para Thomaz (o "curador ad hoc"), Manoel José Pereira de Mello, e não Nabuco, que apresentou esse argumento. Como o que então se discutia era a sentença adequada a ser dada a Thomaz, depois de ele ter sido considerado culpado, talvez Nabuco já tivesse voltado para seus estudos nessa fase do julgamento. Manoel levantou outras questões que se resumem a tecnicismos legais, entre os quais a queixa de que a dona de Thomaz não fora formalmente avisada do julgamento. Contudo, uma vez que ele estava condenado à forca, legalmente o Estado brasileiro já confiscara Thomaz da proprietária.[17]

Em *A escravidão*, onde não menciona as linhas de argumentação seguidas por Manoel, Nabuco descreve sua defesa de Thomaz, antes, como um referendo sobre a escravidão e a pena de morte: "Havia dois crimes sociais. Havia a escravidão e havia a pena de morte. A escravidão impeliu Thomaz a cometer o primeiro crime e a pena de morte o impeliu a perpetrar o segundo... Obrigado pela lei natural a preservar uma vida que pertencia a Deus, e não à sociedade, ele tentou escapar quando vieram novamente para levá-lo ao patíbulo. Ocorreu então seu segundo crime. Fosse por medo esmagador, fosse por um feroz desejo de vingança, aniquilou o homem que o apanhava para submetê-lo à penalidade da lei, justamente quando ia começar, pela fuga, a gozar de sua liberdade".[18] Nesta interpretação dos motivos de Thomaz, Nabuco culpou o açoitamento, a escravidão e a pena de morte como causas determinantes dos crimes e vícios dos escravos. Thomaz, em última análise, seria mais uma vítima do que um criminoso. Mas a narrativa dos fatos por Nabuco inclui alguns floreios que soam como exagero. Por exemplo: na transcrição do julgamento de Thomaz não há indicação de que ele estivesse para ser levado ao patíbulo quando fugiu.

A filha e biógrafa de Nabuco, Carolina, retrata a primeira investida de seu pai no tribunal como um retumbante sucesso. E cita os comentários de um colega dele na Faculdade de Direito, Sancho de Barros Pimentel, que teceu loas à persuasão da oratória de Nabuco. Carolina também registra que a sentença de Thomaz no tribunal de apelação previa a pena de "galés perpétuas" (a vida inteira na prisão, em correntes e em trabalhos forçados) e comenta: "Foi o melhor que se podia esperar e o discurso de Nabuco logo se acrescentou à longa lista dos feitos que passam à tradição".[19] A prisão perpétua, ao que parece, reformou a sentença de condenação à morte primeiramente dada a Thomaz.

A escravidão de Nabuco recorre ao julgamento de Thomaz para fazer ligação entre os movimentos contra a escravidão e contra a pena de morte: "Não queremos fazer um paralelo entre esses dois erros sociais; pareceria uma simples declamação amontoar as suas analogias. Este parágrafo é apenas a narração de um fato verídico, que todos presenciamos e ao qual já aludimos; como ele protesta ao mesmo tempo contra a escravidão e contra a morte, não duvidamos consorciar os dois crimes, que ele profliga com a mesma eloquência".[20] É interessante notar que em suas críticas à escravidão Nabuco fala sobretudo em generalidades dos males da instituição. O único caso específico que ele menciona em apoio de seus pontos de vista é o julgamento de Thomaz.

O empenho de Nabuco contra a injustiça da pena de morte não terminou com o julgamento de Thomaz e a redação de *A escravidão*. Mais tarde ele escreveu em francês o panfleto intitulado "O direito de matar", uma resposta a *L'Homme-femme* de Alexandre Dumas, que defendia o direito do marido matar a esposa infiel. Após redigir sua polêmica contra a tese de matar a mulher em legítima defesa da honra, Nabuco escreveu a seu ídolo intelectual francês, Ernest Renan, e pediu-lhe que somasse sua voz influente para criticar as ideias de Dumas filho. Mas, para a decepção de Nabuco, Renan respondeu que a obra de Dumas era paradoxal e fraca e não merecia uma resposta séria.[21]

A oposição de Nabuco aos assassinatos por honra e à pena de morte em relação à escravidão encaixava-se como uma luva nos debates tanto em nível nacional como internacional. As duas seções seguintes investigam como a reação de Nabuco ao julgamento de Thomaz complementou e emergiu em sintonia com os esforços nacionais e internacionais para acabar com a pena de morte e a escravidão no Brasil.[22]

II : A PENA DE MORTE NO BRASIL IMPERIAL

Após a Guerra Civil americana (1860–1865), o Brasil passou a ser a última nação independente do hemisfério ocidental a tolerar a escravidão, e era assim um Estado pária para os defensores dos direitos humanos em todo o mundo. O desconforto por conta dessa "vergonha nacional" impeliu líderes e intelectuais brasileiros, como Nabuco e, mais importante, o imperador Pedro II, a encontrar meios alternativos para demonstrar seu refinamento e civilização a seus pares das nações do Atlântico norte, à medida que a opinião mundial se voltava contra a brutalidade e as cruéis punições da escravidão. Entretanto, a escravidão era tão ubíqua e parte tão integrante da economia política do Brasil, que erradicá-la se provou difícil, embora o próprio imperador a condenasse pessoalmente. Seria preciso o Parlamento agir, para dar fim à escravidão, e eram muitos os seus membros favoráveis ao direito à propriedade humana para que a abolição se tornasse completa na década de 1870 e maior parte da seguinte. Comparativamente, foi muito mais simples promover uma suspensão *de facto* da pena capital no Brasil, considerando-se as prerrogativas constitucionais do imperador, como veremos adiante.[23]

Nabuco e outros políticos, como seu pai, que ainda no Império foi ministro da Justiça, frequentemente criticaram dois aspectos da legislação brasileira.[24] O primeiro era o artigo 60 do Código de Processo Penal, que dispunha que fosse punido por açoitamento qualquer escravo que recebesse uma sentença não prevendo pena de morte nem de galés perpétuas. O segundo era a lei de 10 de junho de 1835, que dispunha que os escravos condenados por matar seu dono, um membro da família do dono ou o feitor fossem automaticamente sentenciados à morte, sem direito de apelação. Nabuco e outros protestaram contra essa lei e o artigo 60 porque ambos os dispositivos transgrediam o princípio liberal de igualdade perante a lei e dividiam o Brasil, como ele disse, em "duas raças". Em suas próprias palavras: "A lei de uma raça não tem poder sobre a outra. Nas sociedades modernas, a imposição violenta de raças invasoras sobre raças conquistadas não é mais possível. A lei que rege a civilização atual é outra. Os filhos do mesmo solo são cidadãos da mesma pátria, e como cidadãos têm eles direitos imprescritíveis. Quando, porém, como no Brasil – mácula que único ele tem hoje na América – o povo é dividido pelas raças, das quais uma tudo confiscou da outra – propriedade, trabalho, liberdade – pode-se dizer que a lei que oprime a raça negra é uma lei da raça branca, mas não se a pode chamar uma lei da sociedade".[25]

Nabuco prossegue com uma comparação histórica, para acentuar seu ponto de vista, mencionando uma lei romana que estipulava que, quando um escravo matava o dono, todos os escravos que vivessem sob o mesmo teto tinham de ser executados. Nabuco observa que a lei romana era bárbara, mas fazia mais sentido do que a lei brasileira, porque sua intenção era defender a "raça dominante" e não punir o ofensor. Em vez disso, o que visava a lei romana era prevenir crimes contra o senhor.[26] Disso conclui Nabuco que a pena de morte e o açoitamento levaram à "reprodução e considerável multiplicação dos crimes", em vez de os deter.[27]

Nabuco não foi a única figura literária a retratar o castigo corporal como fator causal de vícios e doenças (físicas, mentais e morais). Críticas semelhantes podem ser encontradas nos escritos de outros abolicionistas da época. O romance *Bom crioulo* (1897), de Adolfo Ferreira Caminha (1867–1897) protestou, por exemplo, contra a injustiça da chibata na Marinha do Brasil na década de 1890. A trama de *Bom crioulo*, que se passa durante o Império, sugere um elo entre a escravidão, a chibata e o homoerotismo. Narra o caso de um escravo fugido que foi forçado a ingressar na Marinha, onde o açoitaram, e que vive uma paixão intensa com um grumete louro de olhos azuis.[28]

Mais pertinente ainda ao assunto é o romance de José do Patrocínio (1854-1905), *Motta Coqueiro, ou a pena de morte* (1877), que atacou frontalmente a pena capital, com indiretas mais sutis contra a escravidão e o castigo corporal. Os elos entre esses fenômenos estão patentes na passagem em que Patrocínio descreve o carrasco de Motta Coqueiro. No Brasil imperial, a maioria dos carrascos eram presos escravos, e Patrocínio retrata o matador de Motta Coqueiro numa luz selvagem, nada lisonjeira: "Havia, porém, um homem em quem a solenidade singela do ofício divino não produzia a menor impressão. Era o carrasco, o monstro negro, que brincava distraidamente com o seu barrete, revolvendo-o entre as mãos. Estátua informe da escravidão, cujas falhas foram cheias com o asfalto do calabouço, argamassado com o sangue que os açoites lhe tiraram do corpo, o desgraçado folgava talvez na sua brutalidade de fera. Os brancos fizeram dele uma vítima; proibiram-lhe que aqui afinasse os sentimentos pela compreensão exata da família, da religião e da pátria; devia ser-lhe grato poder vingar-se de um dos seus opressores".[29] Como outros abolicionistas, Patrocínio se valeu dos tropos dos defensores de praxe, que sustentavam que a servidão corrompia o caráter moral dos escravos por sabidamente negar-lhes uma vida familiar.

Decerto, Patrocínio se inspirou, para escrever seu romance contra a pena de morte, na execução na vida real, em 1855, do proprietário de escravos Motta Coqueiro, um branco condenado por um júri por matar uma família de lavradores meeiros. Se em geral as vítimas das galés no Brasil eram escravos presos, seguidos por um número bem menor de brasileiros livres, mas pobres [ver Quadro 1], neste caso um crime hediondo valeu a um brasileiro branco e eminente a pena de morte, com execução aprovada pelo imperador. O caso se tornou mais convincente ainda porque anos mais tarde um homem, em seu leito de morte, confessou ter sido ele, e não Motta Coqueiro, o autor dos crimes brutais. Essa injustiça contra um homem branco de posses fez do enredo do romance um atrativo eficaz para ganhar o apoio dos leitores, quase todos brancos também, para o movimento contra a pena de morte e, indiretamente, contra a própria escravidão. O erro judicial, comentado à larga, deve ter pesado na consciência do imperador, que recebeu a publicação de *Motta Coqueiro*, pelo que então se soube, com entusiasmo. Como o livro saiu um ano após sua decisão de comutar em prisão perpétua todas as sentenças de morte, Pedro II acolheu bem esse apoio literário e cobertura política para sua nova linha de ação, amplamente criticada na imprensa.[30] Patrocínio e Nabuco, por sua vez, tornaram-se amigos e aliados na luta contra a pena de morte e a escravidão no Brasil.

Nabuco e outros intelectuais e políticos brasileiros manifestaram abertamente a vergonha que sentiam em serem cidadãos da última nação independente das Américas a tolerar a escravidão. Os brasileiros, nisso se distinguindo de intelectuais do Sul dos Estados Unidos, nunca arquitetaram uma defesa moral da escravidão como instituição. Em sua maioria, os senhores de escravos do Brasil, racionalizando, tomavam-na por muito desagradável, mas também como elemento essencial ao desenvolvimento econômico.[31] Nabuco foi talvez o primeiro a sustentar que a escravidão tinha entravado o progresso, mas a escravidão estava tão generalizada e entranhada na história do Brasil que levaria décadas para ser desmantelada. Incapaz de demonstrar, pela abolição, o nível superior de civilização do país, o imperador buscava aqui e ali outros meios para participar da corrida entre as nações que, empenhadas em promover direitos humanos, tentavam suplantar-se umas às outras. O desconforto da elite política progressista com a persistente tolerância à escravidão fez com que a oposição à pena de morte, para essa elite, fosse um modo mais viável de melhorar a imagem e situação internacional do Brasil, pondo-a como pioneira, ao mesmo tempo, de uma grande reforma na evolução dos direitos.

III : OS MOVIMENTOS CONTRA A PENA DE MORTE E A ESCRAVIDÃO NO BRASIL, PELA PERSPECTIVA INTERNACIONAL

No século XIX, a opinião pública através do mundo atlântico passou a condenar a escravidão e os castigos cruéis. Ideais liberais, de igualdade perante a lei, da punição convindo ao crime, e uma generalizada rejeição da tortura começaram a mudar a prática da justiça penal pelas nações. No tocante aos direitos humanos, os avanços se tornaram importantes indícios para avaliar o nível de civilização atingido. Veja-se, por exemplo, a declaração de um membro da câmara municipal de Genebra que, numa conferência internacional em 1833, elogiou Edward Livingston, deputado da Louisiana que então propunha uma lei, na assembleia de seu estado, para abolir a pena de morte: "É fácil fazer a experiência [abolir a pena de morte]. O mundo inteiro aprovaria. A glória se refletirá por toda a nação e a história por certo fará menção honrosa ao povo que por primeiro renunciar a essa prática que a necessidade não mais impõe".[32] O projeto de Livingston nunca se transformou em lei, nem na Louisiana, nem em nenhum dos estados escravistas dos Estados Unidos, mas suas propostas e argumentos contra a pena de morte foram publicados e tiveram grande difusão. A legislação de Livingston, em última análise, desempenhou papel central na moldagem das reformas legais dos estados americanos do Norte que aboliram a pena de morte nas décadas anteriores à Guerra Civil.[33]

O legado de Livingston também demonstra que o movimento contra a pena de morte não era estranho aos legisladores do Sul escravocrata. Talvez a herança francesa da Louisiana, herança legal e cultural, tenha inspirado os legisladores de lá a assumir posição mais progressista pela reforma da pena capital, mas vozes de outros estados sulinos e até mesmo do Brasil fizeram eco aos apelos dele.[34] Ainda assim, alguns estudiosos sustentam que o histórico de servidão do Sul é a principal razão para que estados outrora escravocratas continuem a praticar a pena de morte, mas o fato de muitos estados americanos que nunca toleraram a escravidão a adotarem e de o Brasil ter estado entre as primeiras nações a abolir a pena capital indica que essa assertiva tem pouco peso explicativo em si mesma.[35] Sustento que a distinção entre o movimento pela abolicão da pena de morte no Brasil e nos Estados Unidos está nos diferentes caminhos que cada um dos dois países seguiu para chegar à abolição da escravidão e nas diferentes práticas legais, institucionais e culturais em torno da pena capital.

No Brasil, os movimentos contra a escravidão e a pena de morte deslancharam com grande lentidão, justamente quando eles pareciam tomar impulso, na década de 1830, em muitas nações norte-europeias e nas suas colônias. Em 1832, por exemplo, o Parlamento reformista da Grã-Bretanha limitou o número de crimes passíveis de condenação à morte e, no ano seguinte, aboliu a escravidão nas colônias.[36] De igual modo, também em 1832 a França excluiu da pena de morte uma série de crimes antes sujeitos a ela (como a falsificação de dinheiro, a receptação de bens roubados e os incêndios dolosos).[37]

Como a maioria dos intelectuais e políticos brasileiros de sua época, Nabuco fez abundantes referências a políticos e intelectuais da França e da Inglaterra para amparar seus argumentos contra a escravidão e a pena de morte em *A escravidão*: "Penas exageradas, ao invés de desencorajarem o crime, provocam-no: esta foi a nossa tese, de que o exemplo [de Thomaz] parece ser triste prova. Estes detalhes tivemo-los porque fomos o advogado do negro Thomaz: lutar corpo a corpo com a escravidão e a pena de morte, denunciá-las perante o tribunal dos cidadãos, pesar sua influência na perpetração dos delitos, determinar a parte de cumplicidade da sociedade nos crimes dos indivíduos é uma honrosa missão que todos podem desempenhar, sem que os que o fazem com gênio possam humilhar os que o fazem com o sentimento de dever. Entre esses estamos nós. Depois dessa sessão podemos repetir com Lamartine porque tínhamos apalpado as chagas da sociedade: 'Feliz o dia em que a legislação vir banidos diante da luz divina esses dois grandes escândalos da razão do século dezenove: a escravidão e a pena de morte'".[38] Ao comparar seus esforços ao do político e homem de letras francês Alphonse Marie

Louis de Prat de Lamartine (1790–1869), Nabuco se pôs em capitosa companhia, que incluía também François Guizot (1787–1874) e Victor Hugo (1802–1885), outros dois franceses aos quais ele fará referência. Em 1848, esses líderes tiveram participação nas decisões do governo provisório da França que proclamaram o sufrágio universal para os homens, o fim da escravidão nas colônias do Gual e a revogação da pena de morte. A suspensão da pena de morte no século XIX, contudo, teve vida curta, pois a invenção de Monsieur Guillotin só seria aposentada na França na década de 1970.[39]

Enquanto França e Grã-Bretanha começavam a restringir a aplicação da pena de morte na década de 1830, o Parlamento brasileiro aprovou a lei adicional de 10 de junho de 1835, que condenava à morte, sem direito de apelação, os escravos que matassem seu dono, um membro da família do dono ou seu feitor. Tal lei refletia as crescentes preocupações causadas por ameaças de agitação entre escravos e foi aprovada na esteira da revolta dos malês em Salvador, na Bahia, onde escravos e homens de cor libertos se organizaram para derrubar a classe dominante dos brancos. Em 1837, o Ministério da Justiça determinou que os condenados pela lei de 1835 ainda gozassem do direito de recorrer à clemência do imperador. Antes de 1835, raramente os tribunais brasileiros determinavam a execução de condenados, mesmo escravos, por homicídio. A prática comum, no caso de escravos condenados, era o governo confiscá-los sem compensar seus proprietários, para pô-los aos grupos, nas correntes, em trabalhos forçados em obras públicas, como retratam as célebres ilustrações de Jean-Baptiste Debret (1768–1848). Após 1835, no entanto, cada vez mais brasileiros condenados às galés morriam em execuções públicas, especialmente nas décadas de 1830 e 1840, quando o governo imperial foi molestado por uma série de revoltas regionais.[40]

Como notado antes, só quando o jovem imperador Pedro II subiu ao trono, em 1840, a maré começou a virar lentamente contra a escravidão e a pena de morte, instituições às quais ele pessoalmente se opunha. Depois de viajar à Europa em meados da década de 1870, onde se encontrou com proeminentes líderes e intelectuais franceses que se opunham à pena capital e à escravidão, Pedro II decidiu que comutaria em prisão perpétua todas as sentenças de morte. O último homem legalmente executado no Brasil morreu em 1876, quando Pedro II terminou *de facto* com a pena capital no país.[41]

Mesmo antes dessa posição do imperador, Nabuco demonstrou-se orgulhoso da legislação imperial brasileira e, como tantos de sua geração, viu que as comparações com os Estados Unidos proporcionavam um irresistível critério para avaliar os progressos do Brasil: "A legislação da Virgínia e da Carolina extremaram-se na repressão dos delitos dos escravos. Na da primeira havia 71 casos em que os negros exclusivamente sofriam a pena de morte, e sabe-se que ela permitia ao senhor matar o escravo desobediente".[42] No Brasil, reservava-se a pena de morte para casos de rebelião e homicídio, e a comparação assim punha a nação sul-americana, por contraste, numa boa luz. Levando-a ainda mais longe, Nabuco prosseguiu para acentuar o que retratou como preconceito racial e extrema crueldade dos cidadãos dos Estados Unidos contra os escravos africanos e seus descendentes: "Muitas eram as crueldades com que essa raça intolerante e exclusiva [a americana] tratava seus escravos: entre nós as barbaridades não são levadas a esse excesso na maioria dos casos, ainda que deploráveis exceções tenham-se visto que parecem dobrá-las".[43] Como muitos estudiosos demonstraram, as raízes do que veio a ser conhecido, na década de 1940, como democracia racial brasileira estão nos tempos do Império (1822–1889). A democracia racial, ou a crença de que a sociedade brasileira tinha sido caracterizada, mais do que as de outros países, por relações mais íntimas entre suas raças constituintes, incluindo senhores e escravos, deu origem a uma nação supostamente menos carregada de preconceitos raciais. A desigualdade e a distância social, na sociedade brasileira, decorreram mais de distinções de classe do que do preconceito de cor ou racial. Em 1882, numa carta a Catherine Impey, ativista inglesa contra a discriminação, Nabuco escreveu, após citar a autobiografia de Frederick Douglas ao referir-se ao preconceito americano contra indivíduos de cor: "Quanto ao Brasil, meu país e minha terra, posso apenas repetir aqui o que já lhe disse: mesmo com a escravidão, nós não fazemos distinção de cor. Em todas as carreiras pode haver homens de cor entre os primeiros: a eles nenhuma delas se fecha por pressão social ou antipatia pública. Alguns dos mais brilhantes talentos, em todos os tipos de superioridade intelectual, vêm de pessoas de cor. Poetas, músicos, oradores, engenheiros, publicistas, estadistas nos mostram como haveríamos de nos privar das verdadeiras forças nacionais, se tivéssemos condenado toda uma raça, fosse por lei ou, pior, por preconceito, a viver num nível inferior ao nosso e não aspirar aos mesmos objetivos, às mesmas ambições e realizações na vida!"[44] Seria difícil conceber defesa mais concisa e elegante dessa pretensa tolerância racial da sociedade brasileira, que mais tarde se tornou conhecida como democracia racial.

Embora proteste incansavelmente, em *A escravidão*, contra o bárbaro tratamento dos escravos brasileiros, Nabuco ainda assim insiste que ele era melhor do que o tratamento dos escravos nos Estados Unidos. E no mesmo texto, para apoiar sua afirmativa, Nabuco cita a descrição por Harriet Beecher Stowe da crueldade dos americanos brancos para com os escravos e, em especial, suas famílias. Cita até o senador americano Jefferson Davis (1808–1889), ao reprovar o uso que ele fazia da Bíblia para defender o escravismo.[45] A apologia da escravidão brasileira por Nabuco e o modo como ele enaltece a ausência de preconceito racial em seu país eram uma resposta às diferenças reais nas leis e práticas que circundavam a pena de morte no Brasil e nos estados americanos escravistas, mas é importante notar que ele citou a legislação sobre escravos da Virgínia em 1869, quatro anos depois de a escravidão ter sido abolida lá. Se bem que possam parecer triviais para um leitor do século XXI, as distinções feitas por Nabuco entre Brasil e Estados Unidos foram muito significativas para os brasileiros do século XIX que ansiavam pelo reconhecimento e o respeito de seus pares do Atlântico norte.[46]

Em outros momentos, entretanto, Nabuco recorreu a comparações históricas e internacionais de atrocidade para criticar sua terra natal: "Não temos na humanidade, a Inquisição excetuada, nenhum crime tão complexo, mas aquele, se era mais trágico, era mais digno: procedia em nome do fanatismo que é menos humilhante para o algoz, que procedia em nome do interesse, e dava a morte, o que é menos humilhante para a vítima do que sujeitá-la ao cativeiro".[47] É interessante notar o raciocínio de Nabuco, que contradiz a fundamentação dos intelectuais do Sul dos Estados Unidos para os quais a escravidão se justificava por salvar da morte certa os prisioneiros das guerras africanas.[48]

Uma nova pesquisa indica que houve diferenças significativas na aplicação da pena de morte no Brasil e nos Estados Unidos. O historiador João Luiz Ribeiro fornece a avaliação mais recente e abrangente da pena de morte no Brasil, na esteira da lei de 10 de junho de 1835. Ribeiro contou primeiro o número de sentenças capitais na documentação do Ministério da Justiça, para depois verificar, pelo que pôde confirmar, o número de execuções cumpridas. Tais números vão de par, no Quadro 1, com números extraídos do livro de Phillip Schwartz sobre os crimes de escravos na Virgínia.

Quadro 1: Comparação entre execuções de escravos condenados na Virgínia e no Brasil[49]

Escravos condenados à morte e executados na Virgínia, 1820-1864	388
Escravos condenados à morte e executados no Brasil, 1830-1876	199
Escravos condenados à morte cujas execuções não puderam ser confirmadas: 1830-1876	135
Condenados à morte alforriados e livres que foram executados	52
Condenados à morte alforriados e livres cujas execuções não puderam ser confirmadas	30

Esta e outra evidência contradizem uma afirmação feita por Carolina Nabuco: "O crime dele [de Thomaz] foi um desses que são julgados de antemão. A pena de morte, que ainda existia no Brasil, era apenas para criminosos assim. O imperador, acostumado a comutar a sentença em prisão perpétua, abstinha-se em tais casos. A clemência real nunca ousava manifestar-se em favor de um escravo que era assassino de um feitor ou um senhor. A classe dos proprietários de terras exigia um exemplo chocante". Na realidade, Ribeiro calcula que Pedro II comutou as sentenças de 523 escravos sujeitos à lei de 10 de junho de 1835, total muito superior ao dos que foram de fato executados. O imperador também perdoou 120 condenados, alforriados e livres, às galés perpétuas.[50]

A evidência indica que um único estado americano escravista executou mais condenados do que todo o Brasil. Esta diferença pode ser contextualizada ainda mais profundamente, comparando-se onde e quando a escravidão e a pena de morte foram abolidas nas nações seletas.

Quadro 11: Nações seletas que aboliram de jure ou restringiram a aplicação da pena de morte a crimes civis por ano (ano em que a pena capital para crimes políticos foi abolida)[51]

1. Venezuela 1863 (1849)	6. Equador 1897 (1851)	11. Argentina 1921 (1853)
2. Portugal 1867*	7. Panamá 1903 (nunca instalada)	12. México 1931 (1917)**
3. Países Baixos 1870	8. Noruega 1905	13. Grã-Bretanha 1965
4. Costa Rica 1882	9. Uruguai 1910	14. Espanha 1978
5. Brasil 1889; (1882) *de facto* 1876	10. Colômbia 1910 (1886)	15. França 1981

* Portugal aboliu a pena de morte por homicídio em 1867, mas desde 1849 não executava ninguém. ** Abolição da pena de morte na maioria dos estados mexicanos. No México, uma abolição condicional da pena de morte por crimes políticos tornou-se parte da Constituição de 1857.[52]

Quadro III: Datas da abolição da escravidão em nações e colônias seletas

1. Haiti 1804	8. Equador 1851
2. México 1829	9. Argentina 1853
3. Bolívia 1831	10. Venezuela 1854
4. Colônias britânicas 1833	11. Peru 1855
5. Uruguai 1842	12. Estados Unidos 1865
6. Colônias francesas 1848	13. Caribe espanhol 1886
7. Colômbia 1851	14. Brasil 1888

Embora tivessem inspirado oposição à pena de morte no século XIX, os intelectuais europeus causaram pouco impacto para a abolição dessa pena nos seus próprios países. De fato, países europeus como França, Espanha e Grã-Bretanha só aboliram a pena de morte muito depois de terem perdido a maior parte de suas possessões coloniais mundo afora. Portugal e Países Baixos foram os grandes impérios a constituir a primeira leva de nações europeias que suprimiram a pena de morte. A ardorosa oposição a ela feita por intelectuais europeus motivou em meados do século XIX seus congêneres da América Latina, que se provaram muito mais bem-sucedidos do que os do Atlântico norte. Tal desenvolvimento parece ser surpreendente. Por que tantos países latino-americanos tiveram êxito em restringir e abolir a pena de morte, quando em sua maioria as nações do Atlântico norte não conseguiram fazê-lo no século XIX e no começo do XX?

Na América espanhola, as guerras violentas entre facções políticas rivais, na esteira da independência, incitaram legisladores liberais da região a revogar primeiro a condenação capital por crimes políticos e, depois, por crimes comuns praticados por civis (Quadro II). A instabilidade política enfraqueceu, nos países em pauta, a instituição da escravidão. Necessitadas de tropas, as facções mobilizavam escravos como soldados, às vezes em troca da alforria, e a guerra dava condições para que escravos fugissem mais facilmente e evitassem ser recapturados. A luta armada contribuiu assim para que a escravidão fosse abolida em muitas nações continentais da América espanhola. E isso se liga ao fato de o total de escravos existente nessas nações não constituir uma porcentagem tão grande da população, como ocorreu no Brasil e em Cuba colonial. A Venezuela, por exemplo, que tinha a maior população não branca, dentre os emergentes países hispano-americanos continentais,[53] foi a primeira nação do mundo a abolir por completo a pena de morte, em 1863. Antes disso, em 1849, políticos venezuelanos tinham revogado a condenação capital por crimes políticos. Assim, a Venezuela também foi, como o Brasil, um dos poucos países a restringir a pena de morte antes de abolir a escravidão em 1854 (ver Quadros II e III), embora só em 1863 a suprimisse em definitivo, para todos os crimes, já depois de abolir a escravidão. Outros países hispano-americanos começaram também por revogar a pena de morte para crimes políticos, estendendo a medida, mais tarde, aos crimes comuns. Foi o caso da Argentina, Colômbia, Uruguai, México, Equador e Costa Rica. Esse encadeamento de uma abolição parcial, seguida pela integral, parece ser uma característica relevante da supressão da pena de morte em tais nações.[54]

O Brasil, porém, evitou a profundidade e amplitude da instabilidade política e dos conflitos militares que caracterizaram os países hispano-americanos nas décadas seguintes à independência. E isso pode explicar por que o encadeamento da reforma, no Brasil, seguiu diferente trajetória. Antes de abolir a escravidão em 1888, o Brasil ensaiou primeiro uma supressão *de facto* da condenação capital. Pouco depois, em 1889, aplicou à pena de morte uma suspensão *de jure*. Convém notar que alguns países latino-americanos (como o Brasil e a Argentina) reinstituíram por curtos prazos mais tarde, sob ditaduras, a legalidade da pena de morte. Apesar desses surtos de retrocesso legal, a proeminência do Brasil e de muitos países hispano-americanos na primeira onda de abolição da pena de morte é um fenômeno que os coloca historicamente à parte de outras regiões. Essa observação não visa diminuir nem encobrir o fato de que muitos indivíduos e agentes do Estado executaram concidadãos extralegalmente no Brasil, mas sim acentuar que o Estado brasileiro não sancionou formalmente a condenação à morte. A lei, afinal, deveria refletir nossas aspirações morais mais altas, e não servir de instrumento a todas as imperfeições humanas.

IV : HISTÓRICOS DA PENA DE MORTE E DA ESCRAVIDÃO NO BRASIL E NOS ESTADOS UNIDOS

Uma comparação breve, contudo mais detalhada, dos históricos da pena de morte e da escravidão no Brasil e nos Estados Unidos esclarece ainda mais por que esses dois países seguiram trajetórias institucionais e legais tão diferentes.[55] Em seus sistemas políticos reside uma distinção de vulto que modelou os efeitos da reforma. A Constituição imperial brasileira concedia ao imperador poderes executivos que lhe permitiram esquivar-se do Parlamento para dar um fim *de facto* à pena capital. Os esforços para abolir a escravidão, no entanto, dependiam da ação do Parlamento, o que tornava as coisas bem mais lentas. Já nos Estados Unidos o sistema federativo fez da luta contra a pena de morte uma batalha a ser travada nas assembleias legislativas de cada estado. Embora tenha impedido uma reforma abrangente, isso possibilitou ao movimento contra a condenação capital pelo menos uma vitória parcial numa minoria de estados livres do Norte no século XIX.

Nos Estados Unidos, a Guerra Civil deu fim abrupto e incrivelmente violento à escravidão. Por consequência, estados antes confederados foram ocupados por forças da União durante a reconstrução (1865–1877), quando muitos negros se elegeram, como representantes do Partido Republicano nesses estados, para importantes cargos públicos. Após a reconstrução, democratas retrógrados lideraram uma campanha de terror para tomar o poder político dos republicanos negros e seus aliados. Parte dessa campanha incluiu linchamentos extralegais e execuções pela lei. Tanto o linchamento quanto a instauração de processos judiciais contra negros giravam frequentemente em torno de acusações de que eles tinham tentado seduzir ou violentar mulheres brancas, o que punha em jogo os temores de miscigenação racial nos Estados Unidos. O próprio termo miscigenação foi cunhado durante a Guerra Civil, quando democratas da cidade de Nova York produziram um panfleto que discorria em favor da mistura de raças e alegava que só por interesses políticos o Partido Republicano propendia também a tal mistura. A rigor, tratava-se de um embuste grosseiro que visava torpedear a campanha de reeleição de Lincoln em 1864 e que reprisava uma afirmação de Stephen Douglas, nos debates entre os dois, na disputa para o Senado em 1858 em Illinois, de que Lincoln era favorável à mistura de raças. Ambos os incidentes demonstraram que a preocupação dos cidadãos brancos quanto a essa mistura não se limitava aos estados escravistas do Sul, e os temores de miscigenação iriam posteriormente servir de fundamento para justificar a segregação racial.[56]

Em comparação, a abolição da pena de morte e da escravidão no Brasil foi gradativa e relativamente tranquila. Após 1850, quando o tráfico internacional de escravos para o Brasil foi interrompido, a população cativa entrou em declínio. Ao contrário do que ocorreu nos Estados Unidos, a população de escravos nunca se reproduzira naturalmente no Brasil e dependia da importação para aumentar. Isso significava que o subjacente apoio político à escravidão se desgastou pouco a pouco, até o movimento abolicionista se manifestar com vigor na década de 1880. Pouco depois da guerra do Paraguai (1864–1870), Pedro II fez pressão sobre o Parlamento para aprovar a Lei do Ventre Livre, de 1871, tirando partido de uma resposta pública de seu gabinete, em 1866, a uma carta recebida do Movimento Francês contra a Escravidão, assinada por alguns dos mais importantes líderes políticos e intelectuais do país. Novamente, porém, a vontade de impressionar dignitários estrangeiros levou a um compromisso público, da parte do imperador e seu governo, para dar passos concretos para a abolição da escravidão, assim como as conversas de Pedro II, em 1876, com intelectuais e políticos europeus contrários à pena de morte haviam-no estimulado a suprimi-la *de facto* através de todo o Brasil. Se é importante sublinhar a centralidade do imperador Pedro II para a supressão da pena de morte e a campanha contra a escravidão no Brasil, como o presente ensaio sustenta, importante é também notar o significativo apoio de uma geração ascendente de intelectuais e políticos brasileiros como Joaquim Nabuco e José do Patrocínio. O fato de o novo governo republicano do Brasil não incluir a condenação à morte em seu Código Penal mostra que esse apoio tinha aumentado muito nos anos da abolição *de facto* por Pedro II.

As tradições diferentes, na esfera legal e cultural, moldaram também as consequências da reforma no Brasil e nos Estados Unidos. Na Grã-Bretanha mais populosa, as autoridades sentiam-se muito à vontade para executar condenados no final do século XVIII, mesmo por crimes relativamente menores contra a propriedade, até que os transportes para a Austrália e a construção de penitenciárias modernas possibilitassem alternativas menos letais. Na Grã-Bretanha, as execuções eram parte comum e vibrante da cultura popular, como indicado pelo eufemismo "feira de Tyburn" por "forca de Tyburn".[57] A herança jurídica do Brasil colonial era também distinta. A Coroa portuguesa, ao contrário da Grã-Bretanha, raramente executava seus súditos; preferia mandar os condenados para o exílio penal, a fim de manter uma presença estratégica em colônias bem distantes, particularmente os destinos, como Angola, que atraíam poucos migrantes voluntários. A pequena população de Portugal, em relação a seus competidores, levou a Coroa a se valer de alguns de seus súditos mais perigosos na luta pela supremacia entre os impérios marítimos. Tal legado se reflete no Quadro II, onde os portugueses só ficaram atrás da Venezuela na abolição da pena de morte. Mais notável ainda é que ninguém foi legalmente executado em Portugal nas duas décadas anteriores a esta abolição.[58]

Os Estados Unidos herdaram da Grã-Bretanha uma persistente fixação na pena capital, forte principalmente em estados que tentaram manter a disciplina do regime escravista e, em seguida, administrar a opressão das leis de segregação. A fixação do cidadão americano em linchamentos, como parte de uma gramática cultural de justiça popular, enfraqueceu, no entanto, após as lutas tumultuosas pelos direitos civis. Mas nos Estados Unidos pós-direitos civis os apologistas da pena capital negam seus vínculos históricos com a opressão, malgrado o fato de um número desproporcional de prisioneiros à espera da execução ser de afro-americanos.[59]

É interessante também notar que não há um só romance americano do século XIX que clame contra a pena de morte e tenha estatura comparável a *Motta Coqueiro* de José do Patrocínio, a *O último dia de um condenado* (1829) de Victor Hugo ou a *Grandes esperanças* (1861) de Charles Dickens. O que deles mais se aproxima é talvez *Billy Budd* de Herman Melville, mas este romance, escrito em 1890, só foi publicado postumamente em 1924.[60] Além de *Billy Budd*, há o conto pouco conhecido de Walt Whitman, "Arrow Tip" (1845), republicado um ano depois como "The Half-Breed" ("O mestiço"). A injustiça da pena de morte é condenada no enredo, mas ao mudar o título do conto, como sustenta um estudioso, Whitman desviou a atenção da vítima, o personagem índio Arrow Tip, injustamente executado por crimes que ele não praticou, para o personagem de raça misturada, o "mestiço" que o traiu. Nem mesmo os escritores progressistas do século XIX conseguiam escapar do arquétipo literário que simbolizava o que William J. Scheick mencionou como a preocupação de Whitman com a "inaturalidade grotesca da amalgamação racial".[61] Em termos de cultura literária, a pena de morte, nos Estados Unidos, não encontrou seu grande romancista.

Ao contrário dos Estados Unidos, o Brasil nunca estabeleceu um sistema legal de segregação racial. Tanto quanto satisfizessem os requisitos eleitorais, os homens de cor tinham direito a voto, quer no Império, quer na República, ainda que fossem ex-escravos. Naturalmente, como então no Brasil não havia voto secreto, os dependentes que se opusessem às diretrizes do chefe político local bem poderiam enfrentar represálias, e as eleições estavam longe de ser livres e honestas. Malgrado sua capacidade limitada de participar da política, os ex-escravos não constituíram no Brasil uma influente massa eleitoral, nem os brasileiros não brancos criaram partidos políticos baseados em raça ou cor até a década de 1930, muito depois da abolição. Tal ativismo político baseado na cor poderia ter disparado a violência "branca", para impedi-los de se organizar, tal como ocorreu em Cuba em 1912, quando um massacre deu fim ao Partido Independiente de Color, sob tutelagem da emenda Platt. À diferença dos políticos republicanos negros durante a reconstrução americana, os homens de cor brasileiros raramente se elegeram para altos cargos públicos e, quando o fizeram, não concorreram como candidatos de um eleitorado "não branco" ou de ex-escravos. Corrupto, oligárquico e alicerçado no Estado, o sistema partidário da Velha República (1889–1930) parece ter efetivamente desestimulado no Brasil a organização de partidos políticos baseados na cor. Além disso, a ausência de segregação indicava que os brasileiros de descendência africana não contavam com as instituições paralelas, baseadas na cor, de seus correspondentes nos Estados Unidos, onde as igrejas, as universidades, as escolas públicas segregadas e as comunidades negras cultivaram a consciência racial e formaram líderes que abertamente se identificavam como representantes da raça.[62]

O maior vulto da população não branca do Brasil indicava que seus intelectuais nacionalistas viam-se em face de um desafio de outra escala, provindo das teorias sociais darwinianas, que o de seus correspondentes norte-americanos. Líderes norte-americanos como Theodore Roosevelt continuaram a imaginar que os Estados Unidos fossem uma "república anglo-saxônica", alijando a presença dos habitantes africanos, indígenas e asiáticos que poderiam toldar suas visões de um destino homogêneo para a raça e a nação. Contudo, as observações de visitantes estrangeiros, que viram na população racialmente mesclada do Brasil um exemplo perfeito dos perigos da miscigenação, preocupou os líderes locais. Como iria a nação brasileira, dada sua estirpe racial supostamente inferior, escapar da lata de lixo da história, se a teoria social darwniana estivesse correta? Em vez de rejeitá-la, porém, os intelectuais e políticos brasileiros promoveram a teoria do branqueamento, argumentando que sua população haveria de se tornar um dia predominantemente branca. A política governamental apoiou em parte o branqueamento ao subsidiar a imigração europeia e banir a africana e a chinesa. Os proponentes da teoria do branqueamento argumentaram também que a maioria das mulheres se interessava por parceiros de pele mais clara e que os genes brancos tendiam a predominar sobre os africanos e indígenas, quando se mesclavam. Longe de cultivar temores de uma mistura racial, como nos Estados Unidos, os intelectuais nacionalistas brasileiros de bom grado a aceitaram como um meio de acelerar o processo de branqueamento. Ao que parece, os brasileiros brancos e privilegiados permaneceram seguros de que suas brincadeiras com mulheres de cor haveriam de ser a norma, não o inverso, e assim a condução de uma linha de cor sexual não foi uma ansiedade cultural tão potente como nos Estados Unidos, onde, como antes observado, as supostas aberturas sexuais de negros para com mulheres brancas poderiam causar um linchamento. Com efeito, a imprensa estampou casos de linchamento de escravos no Brasil imperial como resposta irada à decisão do imperador de comutar as sentenças capitais de escravos condenados, segundo a lei de 10 de junho de 1835.[63] O fato de o Brasil logo seguir Portugal na abolição da pena de morte sugere que, além do embaraço sentido por muitos líderes pela "vergonha nacional" que era o Brasil ser o último país independente a tolerar escravidão nas Américas, sua herança da jurisprudência portuguesa moldou-lhes um papel de vanguarda na supressão da pena capital.

V : CONCLUSÕES

O julgamento do escravo Thomaz e sua experiência e interpretação por Nabuco demonstram como as batalhas contra a pena de morte e a escravidão tornaram-se interligadas, em nível local, pelo capricho das circunstâncias. Para redigir um manuscrito condenando ambas, o jovem Nabuco não necessitou do imperador nem de outros intelectuais. Antes, a inspiração lhe veio das circunstâncias que ele enfrentava e da afronta moral que desde então despertou em seu espírito. Tais posições se ajustavam muito bem às que vinham sendo articuladas, em nível nacional, no Brasil dessa época. Nabuco seguiria em frente, até tornar-se um importante mediador internacional e cultural do Brasil, já que se comunicava com destacados líderes políticos e intelectuais da Europa e dos Estados Unidos. O que foi escrito por ele também desempenhou papel relevante e duradouro para moldar a memória e a retórica das relações raciais e a luta pela emancipação no Brasil.

Como mostra este ensaio, uma parte menos reconhecida do legado de Nabuco foi sua oposição visceral e intelectual à pena de morte, que por fim mostrou-se igualmente duradoura. Um tributo a este legado é que tentativas recentes de reintroduzir a pena de morte foram derrotadas por ampla maioria no Congresso brasileiro, malgrado o fato de muitos, nos jornais populares, ainda clamarem por ela.[64] Uma das decorrências dos esforços de Nabuco e outros é que a pena de morte não constitui tema polêmico na política brasileira contemporânea, especialmente quando comparada à dos Estados Unidos.

As diferentes trajetórias da revogação da pena de morte e da abolição da escravidão levam-nos a refletir sobre a importância do ajuste institucional ou a sequência comparativa da reforma institucional. Antes de tudo, a abolição da escravidão nos Estados Unidos precedeu a completa supressão da pena de morte. E isso sugere que a abolição da pena capital era institucionalmente incompatível com a política que tolerava a escravidão. Donde somente os estados americanos que nunca praticaram a escravidão e que contavam com pequenas minorias populacionais terem abolido a pena de morte antes da Guerra Civil. Por outro lado, o Brasil e as nações hispano-americanas mostram que a história da escravidão não foi um impedimento para a abolição da pena de morte. Com efeito, dois dos países mais destacados da América Latina como escravocratas, a

Venezuela e o Brasil, impulsionaram o mundo do século XIX a abraçar essa reforma. Considere-se ainda que determinadas nações, particularmente as que estiveram na primeira onda do abolicionismo, praticaram alguma forma de restrição da pena de morte antes de adotarem sua supressão total ou quase total. No Brasil, a suspensão *de facto* pelo imperador revogou a condenação capital mais de uma década antes de sua extinção completa, já na República recém-proclamada. Em muitos países hispano-americanos, a abolição da pena de morte por crimes políticos precedeu à sua abolição por crimes comuns. Em Portugal, o Estado não se dera o trabalho de executar quem quer que fosse por mais de uma década antes de abolir a pena de morte. Essas experiências com abolições *de facto* ou parciais parecem ter dado aos cidadãos e aos governantes a confiança de que a condenação capital não era um deterrente de sanguinárias ondas de crime. As abolições parciais da pena de morte, em última análise, geraram outras mais completas, assim como as leis do ventre livre precederam a abolição total da escravidão em boa parte da América Latina. Considere-se enfim que a pena de morte tendeu a manter sua legitimidade onde continuou a ser regularmente aplicada. Segundo a hipótese levantada por dois estudiosos da história da pena de morte nos Estados Unidos, uma "história de execuções frequentes... serve como uma espécie de precedente, garantindo aos atores políticos que sua própria participação não é imoral nem desumana,... posto que historicamente as execuções não violam a moralidade da comunidade local". A observação indica que os esforços de Pedro II para reduzir e depois suprimir a pena de morte foram bem adequados, em retrospecto, para estabelecer um compromisso, a longo prazo, com a revogação dessa pena no Brasil.

Outro estudioso da pena de morte nos Estados Unidos, John F. Galliher, adverte que a exceção à hipótese supracitada é o estado da Virgínia Ocidental, que aplicou regularmente a pena de morte durante o século XX, antes de afinal suprimi-la em 1965. Uma das razões adiantadas por Galliher para explicar o compromisso da Virgínia Ocidental com a revogação da pena de morte é semelhante à apontada por mim para sua precoce abolição no Brasil: "O valor simbólico da abolição da pena de morte na Virgínia Ocidental [estado conhecido por sua pobreza e com pouca influência política na esfera nacional] pode ser muito maior do que num estado economicamente desenvolvido, como Michigan".[65] O exemplo da Virgínia Ocidental esclarece também que nem a história da aplicação regular da pena de morte nem a história da escravidão (se bem que em escala relativamente menor) é uma barreira insuperável para a revogação dessa pena, mesmo nos Estados Unidos. Há muitas razões, e piores do que um desejo de ser visto como "moderno" ou "humano", para se opor à pena de morte e outras punições cruéis. Diante da história recente, quando eminentes líderes americanos professam uma estonteante confusão sobre o que constitui uma punição cruel e incomum, parece que os cidadãos e os dirigentes dos Estados Unidos ainda têm muito o que aprender com os exemplos das Repúblicas de boa parte da América Latina, como têm muito o que aprender ainda com seu amigo e primeiro embaixador do Brasil em Washington, Joaquim Nabuco.

NOTAS

1 Citação da transcrição do julgamento, O Escravo Thomaz, Recife, 1869, Coleção Tribunal da Relação de Pernambuco, Instituto Arqueológico, Histórico e Geográfico Pernambucano, caixa 5, f. 81 (daqui por diante O Escravo Thomas, IAHGP).

2 Joaquim Nabuco, *A escravidão*, 2ª ed. Rio: Nova Fronteira, 1999 [o manuscrito indica que o original foi escrito em 1869].

3 Dois colegas também usaram o julgamento de Thomaz para examinar a justiça criminal e a antiescravidão no final da década de 1860 em Pernambuco. Celso Castilho, "A Slave Murders, A System Critiqued: Politics and Antislavery Thought in Recife, c. 1870", trabalho apresentado à Brazilian Studies Association, Nashville, Tennessee, 2005; Tácito Luiz

Cordeiro Galvão, "O preto senhor Thomaz", *Revista do Instituto Arqueológico, Histórico e Geográfico Pernambucano* 61 (julho de 2005), 1–24.

4 David Brion Davis, *From Homicide to Slavery: Studies in American Culture*. Nova York: Oxford University Press, 1988, 17 [trad. do trecho: Leonardo Fróes]; uma importante exceção é João Luiz Ribeiro, *No meio das galinhas as baratas não têm razão: a lei de 10 de junho de 1835, os escravos e a pena de morte no Império brasileiro*. Rio: Renovar, 2005.

5 Roger Hood, *The Death Penalty: A Worldwide Perspective*. Nova York: Oxford University Press, 2002, 55. Ao todo, 56 países, mais Taiwan e os territórios palestinos, aplicam atualmente a pena de morte para crimes civis em tempo de paz. Outros 36 países têm a lei em vigor, mas nunca a aplicam. Nos Estados Unidos, 35 estados praticam a pena de morte, mas alguns, como o Novo México, atualmente têm seu uso suspenso em moratória. "Geography", *National Geography*, vol. 218, nº 2 (agosto de 2009), 20.

6 Peter M. Beattie, "'Born Under the Cruel Rigor of Captivity, the Supplicant Left It Unexpectedly by Committing a Crime': Categorizing and Punishing Slave Convicts in Brazil, 1830–1897", *The Americas* 66:1 (julho de 2009), 11–54; Ribeiro, *No meio*, 301.

7 Joaquim Nabuco, *Abolitionism: The Brazilian Antislavery Struggle* [1883]. Translated and edited by Robert Conrad. Urbana: University of Illinois Press, 1977.

8 O Escravo Thomaz, IAHGP, f. 20, 36, 57.

9 Nabuco, *A escravidão*, 41.

10 Marcus J.M. de Carvalho, *Liberdade: Rotinas e rupturas do escravismo, Recife 1822–1850*. Recife: Editora da Universidade Federal de Pernambuco, 1998, cap. 10.

11 Nabuco, *A escravidão*, 42.

12 Idem, 39–40.

13 Idem, 18–19.

14 Citado in Fernando de Castro Paes Barretto, *A abolição e a federação no Brasil*. Giard & E. Brière, 1906, 11–12.

15 Analiso o uso do termo "vício" em conjunção com a disputada venda de um escravo em Recife, durante o mesmo período, in Peter M. Beattie, "The Disputed Sale of the Slave Silvestre: Mental Health, Sexuality, Corporal Punishment and 'Vices' in Recife, Brazil, 1869–1878", *Estudios Interdisciplinarios de America Latina y El Caribe* 16:1 (2005), 41–65. Ver também *Novo Michaelis, dicionário ilustrado português-inglês*, 2 vols., 36ª ed. São Paulo: Melhoramentos, 1984, II, 1301.

16 Ver o informe da polícia na transcrição O Escravo Thomaz, IAHGP, f. 3–5.

17 O Escravo Thomaz, IAHGP, f. 70–71. Sobre o status legal dos escravos condenados, ver Beattie, "Born Under".

18 Joaquim Nabuco traduzido e citado in Carolina Nabuco, *The Life of Joaquim Nabuco*, 20.

19 Carolina Nabuco descreve-a como seu primeiro "triunfo oratório" in *The Life of Joaquim Nabuco*, 19–20; O Escravo Thomaz, IAHGP, f. 64, 66.

20 Nabuco, *A escravidão*, 41.

21 Carolina Nabuco, *The Life of Joaquim Nabuco*, trans. Ronald Hilton. Stanford: Stanford University Press, 1950, 26.

22 Gizlene Neder, "Sentimentos e ideias jurídicas no Brasil: Pena de morte e degredo em dois tempos", in Clarissa Nunes Maia et alli (orgs.), *História das prisões no Brasil*, 2 vols. Rio: Rocco, 2009, I, 79–108.

23 Ribeiro, *No meio*, 43–316; Beattie, "Born Under", 47–55.

24 José Antônio Soares de Souza anota essas críticas de Nabuco pai e seus confrades da "seção de justiça" in "Os escravos e a pena de morte", *Revista do Instituto Histórico e Geográfico Brasileiro* 313 (1976), 5–19.

25 Nabuco, *A escravidão*, 45.

26 Idem, 37.

27 Idem, 39.

28 Adolfo Caminha, *Bom Crioulo* [1897]; numerosas reedições no Brasil, entre as quais as preparadas por Adriano da Gama Curi (1956) e por M. Cavalcanti Proença (1966)]; Peter M. Beattie, "Conflicting Penile Codes: Modern Masculinity and Sodomy in the Brazilian Military 1860–1916", in *Sex and Sexuality in Latin America*, (orgs.) Donna Guy e Daniel Balderston. Nova York: New York University Press, 1997, 65–85.

29 José do Patrocínio, *Motta Coqueiro, ou a pena de morte* [1877]. Rio: Francisco Alves, 1977, 36.

30 Para as opiniões do imperador sobre o romance e a ira de seus críticos, ver Ribeiro, *No meio*, 302–305.

31 Celia Maria Marinho de Azevedo, *Abolicionismo: Estados Unidos e Brasil, uma história comparada (século XIX)*. São Paulo: Annablume Editora, 1993; Robert Conrad, *The Destruction of Brazilian Slavery 1850–1888*. Berkeley: University of California Press, 1972, 49; sobre a defesa moral da escravidão no Sul dos Estados Unidos, ver Kenneth S. Greenberg, *Honor and Slavery*. Princeton, N.J.: Princeton University Press, 1996, 87–114.

32 *A System of Penal Law for the State of Louisiana*. Filadélfia: James Kay Jun. and Co., 1833, 116.

33 Davis, *From Homicide*, 26–27.

34 Stuart Banner, *The Death Penalty: An American History*. Cambridge: Harvard University Press, 2002, 98; Gizlene Neder nota que Antônio Pereira Rebouças e outros políticos brasileiros referiram-se ao Código de Livingston. Neder, "Sentimentos", 102.

35 Psicólogos sociais sugerem que o legado da escravidão explica a persistência da pena de morte no Sul e sustentam que os estados com maior porcentagem de escravos em suas populações eram mais propensos a executar criminosos condenados à morte. Richard E. Nisbett e Dov Cohen, *Culture of Honor: The Psychology of Violence in the US South*. Boulder, Colorado: Westview Press, 1996, 71–72.

36 Claudine L. Ferrell, *The Abolitionist Movement*. Greenwood Publishing Group, 2006, 44; Charles Tilly, *Popular Contention in Great Britain, 1758–1834*. Cambridge, MA: Harvard University Press, 1995, 85–86.

37 House of Representatives, *Penal Codes of France, Germany, Belgium and Japan: Reports Prepared for the International Prison Commission*. Washington: GPO, 1901, 13.

38 Nabuco, *A escravidão*, 43–44.

39 Jeremy Mercer, *When the Guillotine Fell: The Bloody Beginning and Horrifying End to France's River of Blood, 1791–1977*. Londres: MacMillan, 2008, 136–142; Hans Göran Franck, Klas Nyman, William Schabas, *The Barbaric Punishment: Abolishing the Death Penalty*. Leiden: Martinus Nijhoff Publishers, 2003, 51.

40 Um oficial da Marinha americana, visitando o Brasil em 1831, observou: "Tirar a vida de alguém é punição praticamente desconhecida no Brasil". Após a lei de 10 de junho de 1835, porém, horripilantes enforcamentos em público se tornaram mais comuns. W.S.W. Ruschenberger, *Three Years in the Pacific, Including Notices of Brazil, Chile, Bolivia, and Peru*. Filadélfia: Carey, Lea and Blanchard, 1834, 28; de igual modo, o artista francês Jean-Baptiste Debret notou que em seus 15 anos de residência no Rio de Janeiro ele presenciou apenas duas execuções, in *Viagem pitoresca e histórica ao Brasil*, 2 tomos. São Paulo: Livraria Martins, 1940, II, 211. Ribeiro, *No meio das galinhas*, 19–20, 314–315.

41 Roger Hood, *The Death Penalty: A Worldwide Perspective*. Nova York: Oxford University Press, 2002, 55–57; Teresa Pires do Rio Caldeira, *City of Walls: Crime, Segregation and Citizenship in São Paulo*. Berkeley: University of California Press, 2000, 346–348. Hood e Caldeira repetem a ideia errônea e comum de que a última execução legal ocorreu no Brasil em 1855, mas pesquisa recente mostra que a última foi a do escravo Pedro, em 1876, em Alagoas. Em vista disso, o escravo Thomaz bem poderia ter temido ser mandado às galés em 1869. João Luiz Ribeiro, *No meio das galinhas*.

42 Nabuco, *A escravidão*, 35.

43 Idem, 35–36.

44 *Joaquim Nabuco, British Abolitionists and the End of Slavery in Brazil: Correspondence 1880–1905*, (orgs.) Leslie Bethell e José Murilo de Carvalho. Londres: Institute for the Study of the Americas, University of London Press, School of Advanced Studies, 2009 [trad. do trecho: Leonardo Fróes]; Emília Viotti da Costa, *Da Monarquia à República: momentos decisivos*, 7ª ed. São Paulo: Edusp, 1998, cap. 9; Skidmore, *Black into White*.

45 Nabuco, *A escravidão*, passim.

46 Ver, por exemplo, a correspondência de Nabuco com um dos principais abolicionistas da Grã-Bretanha in *Joaquim Nabuco, British Abolitionists*, passim.

47 Nabuco, *A escravidão*, 2–3.

48 Davis, *From Homicide*, 22; Kenneth S. Greenberg, *Honor and Slavery*. Princeton, N.J.: Princeton University Press, 1996, 87–114.

49 Dados extraídos de Phillip J. Schwarz, *Slave Laws in Virginia: Studies in the Legal History of the South* Athens: University of Georgia Press, 1996, 68; os números que aqui figuram são ajustes para cima dos mencionados por João Luiz Ribeiro in *No meio das galinhas*, 296–298, 314–315. Esses números se baseiam em pesquisa posterior à publicação de seu livro, e a contagem procede dos relatos de execuções encontrados em fontes variadas de diferentes províncias do Brasil. Dada a dificuldade de fazer um levantamento em nível nacional, não surpreende que a pesquisa de Ribeiro se estendesse mais numa região. Numa comunicação por e-mail, em 27 de outubro de 2008, Ribeiro afirmou: "O número de execuções que consigno em *No meio das galinhas* não é de modo algum o total de execuções no Brasil, no período entre 1833 e 1876, pois só fiz pesquisas sistemáticas nas fontes do Rio, de Minas e de São Paulo. Mas é sem dúvida a maioria".

50 *The Life of Joaquim Nabuco*, trans. Ronald Hilton. Stanford: Stanford University Press, 1950, 19; Alexandre K. Brown, "A Black Mark on Our Legislation", 101–103; José Antônio Soares de Souza, "Os escravos e a pena de morte", 5–19.

51 Roger Hood, *The Death Penalty: A Worldwide Perspective*. Nova York: Oxford University Press, 2002, 55, n. 144.

52 Patrick Timmons, "Seed of Abolition: Experience and Culture in the Desire to End Capital Punishment in Mexico, 1841–1857", in *The Cultural Lives of Capital Punishment*, (orgs.) Austin Sarat e Christian Boulanger. Stanford: Stanford University Press, 2005, 69–91.

53 George Reid Andrews, *Afro-Latin America 1800–2000*. Oxford: Oxford University Press, 2004, cap. 1.

54 Ricardo Salvatore, "Death and Liberalism: Capital Punishment After the Fall of Rosas", in *Crime and Punishment in Latin America: Law and Society Since Late Colonial Times*, (orgs.) Ricardo Salvatore, Carlos Aguirre e Gilbert Joseph. Durham: Duke University Press, 2001, 342–358; a Constituição da Colômbia de 1863 suprimiu a pena de morte para crimes políticos: Charles Berquist, *Coffee and Conflict in Colombia, 1886–1910*. Durham: Duke University Press, 1986, 11–12; Arlene J. Díaz, "Vicente Ochoa, Dead Many Times: Gender, Politics, and a Death Sentence in Early Republican Caracas", in *Gender, Sexuality, and Power in Latin America Since Independence*, (orgs.) William E. French e Katherine Elaine Bliss. Lanham, MD: Roman Littlefield, 2006, 31–51.

55 Hood, *The Death Penalty*, 55–57.

56 Jean H. Baker, *Affairs of Party: The Political Culture of Northern Democrats*. Nova York: Fordham University Press, 1998, 185.

57 Peter Linebaugh, *The London Hanged: Crime and Civil Society in the Eighteenth Century*. Nova York: Verso, 2003; J. M. Beattie, *Policing and Punishment in London 1660–1750: Urban Crimes and the Limits of Terror*. Oxford: Oxford University Press, 2001; alguns estados americanos tentaram, para escravos condenados por estupro, a punição mais branda da castração: ver Diane Miller Summerville, "Rape, Race, and Castration in the Colonial and Early South", in *Sex and Race in the Early South*, (orgs.) Catherine Clinton e Michelle Gillespie. Nova York: Oxford University Press, 1997, 74–89; Timothy J. Coates, *Convicts and Orphans: Forced and State-Sponsored Colonizers in the Portuguese Empire, 1550–1755*. Stanford: Stanford University Press, 2001; Gerald J. Bender, *Angola Under the Portuguese: The Myth and the Reality*. Berkeley: University of California Press, 1978; as execuções no Brasil eram tão raras que os professores davam folga aos alunos, no dia em que uma ocorria, para que eles pudessem assistir ao espetáculo. De igual modo, os donos de lojas dispensavam seus caixei-

ros e os artesãos seus jovens aprendizes: A. J. de Mello Morais Filho, *Festas e tradições populares do Brasil*, [1888], ed. rev. Rio: H. Garnier, 1901, 355–366; Raimundo Magalhães Jr., *Deodoro: A Espada contra o Império*, 2 vols. São Paulo: Cia. Editora Nacional, 1957, 1, 115–116.

58 Timothy Coates, *Convicts and Orphans: Forced and State-Sponsored Colonizers in the Portuguese Empire, 1550–1755*. Stanford: Stanford University Press, 2001.

59 John F. Galliher et alii, *America Without the Death Penalty: States Leading the Way*. Lebanon, New Hampshire: Northeastern University Press, 2002, 21.

60 H. Bruce Franklin, "*Billy Budd* and Capital Punishment: A Tale of Three Centuries", *American Literature*.

61 William J. Scheick, *The Half Blood: A Cultural Symbol in Nineteenth Century American Fiction* Lexington: University of Kentucky Press, 1979, 36–37.

62 George Reid Andrews, *Blacks & Whites in São Paulo, Brazil, 1888–1988*. Madison: University of Wisconsin Press, 1991, 146–156; Kim Butler, *Freedoms Given Freedoms Won: Afro-Brazilians in Post-Abolition São Paulo and Salvador*. New Brunswick: Rutgers University Press, 1998, 88–128; Aline Helg, *Our Rightful Share: The Afro-Cuban Struggle for Equality, 1886–1912*. Chapel Hill: University of North Carolina Press, 1995, 193–220.

63 Skidmore, *Black into White*; Ribeiro, *No meio das galinhas*, 303, n. 8.

64 Hood, *The Death Penalty*, 57.

65 Franklin E. Zimmering e Gordon Hawkins, *Capital Punishment and the American Agenda*. Nova York: Cambridge University Press, 1986; Galliher et alli, *America Without the Death Penalty*, 190–191.

"TINHA APENAS EM VISTA CHAMAR A ATENÇÃO": JOAQUIM NABUCO, OS ABOLICIONISTAS BRITÂNICOS E O CASO DE MORRO VELHO[1]

Courtney J. Campbell

> O Sr. Galdino das Neves: – Lá em Minas todo mundo sabia.
> O Sr. Ignácio Martins: – Como sabia?! Então por que V. Exa. não denunciou, se já sabia?
> O Sr. Galdino das Neves: – Não, eu não sou denunciante.
> O Sr. Ignácio Martins: – Denunciar em favor da liberdade é sempre honroso.
> (Do debate no Parlamento brasileiro, em 26 de agosto de 1879, sobre a questão de Morro Velho, iniciado por Joaquim Nabuco, o denunciante.)

Já em 1859 Agostinho Mathildes deveria ter sido um homem livre. Três leis – uma internacional e as outras duas brasileiras – garantiam sua liberdade. No entanto, em 23 de outubro de 1877 Mathildes foi punido publicamente como escravo, servindo de exemplo, diante dos trabalhadores negros da mina de Morro Velho, ao receber vinte e quatro chicotadas por "insubordinação e resistência". Segundo o diário do superintendente da St. John d'el Rey Company Limited, que era a proprietária da mina de Morro Velho e a explorava, Mathildes foi castigado "com severidade maior que a de costume... em consequência do boato espalhado entre os negros de Cata Branca em relação à liberdade deles".[2]

Junto com outros 384 indivíduos arrendados da Brazilian Mining Company, Mathildes tinha vivido e trabalhado como escravo para a St. John d'el Rey Mining Company na mina de Morro Velho, em Minas Gerais, desde 1845. Assim que a situação desses homens, mulheres e crianças mantidos ilegalmente em cativeiro chegou ao seu conhecimento, Joaquim Nabuco iniciou um debate sobre o caso no Parlamento brasileiro. No mesmo ano de 1877 estava em curso uma ação judicial que se tornou mais momentosa e visível, após o discurso de Nabuco, com a cobertura dada por jornais do Brasil e do exterior. Por intermédio de Nabuco, além disso, a causa contou com o apoio da British and Foreign Anti-Slavery Society – fundada em Londres em 17 de abril de 1839 para "internacionalizar a luta" –, que de Londres enviou cartas de adesão e documentos.[3]

Através de pressão legal e política, desde a virada do século os britânicos investiam uma espécie de capital moral contra a escravidão no Brasil. Sua elevada posição moral já despertara o respeito do jovem senador Nabuco, cuja anglofilia tinha levado a acusações, no Brasil, de falta de patriotismo.[4] A correspondência entre Joaquim Nabuco e os abolicionistas britânicos, no tocante à questão contra a St. John d'el Rey Company, poderia parecer outro exemplo em prol dessas alegações, se não fosse um detalhe: a empresa não era brasileira, mas sim de propriedade e administração britânicas.[5]

Documentos forenses e da própria companhia, artigos de jornais e correspondência diplomática e pessoal unem-se no presente ensaio para estabelecer uma compreensão mais vasta da interação dos abolicionistas britânicos e brasileiros nesse processo contra cidadãos britânicos residentes no Brasil. Como ressaltam Leslie Bethell e José Murilo de Carvalho na introdução à recém-publicada coleção de 110 cartas trocadas entre Nabuco e os abolicionistas britânicos, "Um dos aspectos menos estudados da luta de Joaquim Nabuco contra a escravidão é sua relação com os abolicionistas britânicos".[6] Richard Graham, em *A Inglaterra e os abolicionistas brasileiros*, remete a esta relação;[7] no entanto, como a correspondência disponível entre Nabuco e os abolicionistas britânicos começa em

1880, Graham e Bethell e Murilo de Carvalho centram-se na relação entre os abolicionistas britânicos e brasileiros durante os últimos anos da questão de Morro Velho.

Este estudo apresenta de início breves descrições da St. John d'el Rey Mining Company, dos escravos de Cata Branca e da questão de Morro Velho, antes de analisar o papel de Joaquim Nabuco, quer no Brasil, quer no exterior, e a cobertura de imprensa inspirada pelas suas ações. Tal análise enfatiza que um estudo aprofundado da questão de Morro Velho é importante por diversas razões. Sugere-se primeiramente que o intercâmbio dos dois grupos ocorreu antes de 1880 e que sua interação foi decisiva para o êxito judicial. Ademais, enquanto Nabuco pretendia despertar para o caso a atenção mundial, suas ações levaram o debate para jornais publicados no país, ocasionando não só no exterior, mas também dentro das fronteiras do Brasil, uma publicidade e uma pressão maiores. A interação de Nabuco com a British and Foreign Anti-Slavery Society fortaleceu a causa contra a maior e mais poderosa companhia de mineração de Minas Gerais, tornando público e tangível, dentro do Brasil, o debate antiescravidão. A discussão pública promovida por Joaquim Nabuco e os abolicionistas britânicos causou forte reação contra a St. John d'el Rey Mining Company por parte do Parlamento e da Justiça brasileiros, da imprensa nacional e internacional e de setores da opinião pública, tanto no Brasil quanto na Grã-Bretanha. Os efeitos deste caso não se limitaram a seu desfecho legal: jornais como *The Rio News* continuaram a dar mais espaço à escravidão e ao abolicionismo, após a decisão da questão de Morro Velho, e Nabuco transferiu a atenção que o caso tinha obtido para futuros debates contra a escravidão.

Dezoito companhias britânicas surgiram no surto de mineração de ouro no Brasil do século XIX. Poucas foram lucrativas e muitas delas faliram, mas a St. John d'el Rey Mining Company sobreviveu por 130 anos para tornar-se "o mais bem-sucedido de todos os empreendimentos britânicos de mineração de ouro na América Latina".[8] Um grupo de investidores britânicos constituiu a St. John d'el Rey como companhia por ações em 1830 e, após alguns tropeços iniciais, em 1834 comprou a mina de Morro Velho e os 136 escravos que nela trabalhavam, aumentando seu total de mão de obra escrava para cerca de 186 pessoas. Devido à renovação e expansão da mina, a empresa só começou a pagar dividendos aos acionistas em 1842, mas continuou desde então a fazê-lo regularmente a cada ano, excetuados dois períodos: um de sete anos, que se seguiu a um desabamento de mina em 1867, e outro de oito anos, entre 1874 e 1882, caracterizado por mudanças administrativas, mais um desabamento de mina e a abertura de uma nova. Ao todo, a St. John d'el Rey pagou dividendos durante 60% do tempo que medeia entre 1830 e 1887.[9]

A St. John d'el Rey dependia não só do trabalho escravo, mas também do trabalho livre. Em meados da década de 1850, já se formara em Morro Velho uma comunidade de quase 150 cidadãos britânicos, metade da qual constituída por mineiros, enquanto os demais residentes britânicos eram familiares dos trabalhadores; havia ainda um pastor anglicano e sua esposa, que servia de professora. Com poucas exceções, os europeus detinham as funções administrativas e de supervisão na mina, cabendo a escravos e trabalhadores brasileiros livres os trabalhos manuais e as funções de nível mais baixo. Em 1834, a mão de obra cativa já constituía cerca de 40% do total da força de trabalho. Nos poucos anos seguintes a mão de obra cativa passaria a predominar na exploração de Morro Velho, só caindo para menos de 50% da força de trabalho na década que precedeu à abolição, em 1888. Nos anos iniciais, os diretores da St. John d'el Rey alegavam que a escassez de mão de obra livre e a "falta de responsabilidade" dos trabalhadores livres é que a levavam a recorrer à utilização dos escravos.[10] Na década de 1860, a companhia tinha cerca de 1.400 escravos, o que provavelmente a tornava, segundo Marshall C. Eakin, "o maior empregador de escravos de Minas Gerais, a província do Brasil que mais contava com população escravizada".[11]

Em 1842, um projeto de lei apresentado ao Parlamento britânico recomendou a proibição de posse ou arrendamento de escravos por cidadãos britânicos em qualquer parte do mundo.[12] Não obstante, o Ato para a Mais Efetiva Supressão do Tráfico Negreiro, aprovado em Londres em 1843, proibia a posse, mas não o arrendamento de escravos por cidadãos britânicos, "onde quer que estivessem ou residissem, fosse nos domínios da Coroa britânica ou em país estrangeiro".[13] Deste ato passou-se à cena seguinte, a do Aberdeen Act de 1845, que permitiria ao Almirantado britânico tratar os navios negreiros brasileiros como navios piratas.[14]

Com a propriedade de escravos tornada agora ilegal para a britânica St. John d'el Rey, a companhia optou por "arrendar" escravos – prática comum nas Minas Gerais da época – de várias mineradoras falidas na província.[15] Em 1845, a St. John d'el Rey absorveu os ativos da arruinada Brazilian Mining Company, uma das várias empresas constituídas em Londres, nas décadas de 1830 e 1840, para explorar ouro em Minas Gerais.[16] Em 27 de junho de 1845, em Londres, as duas companhias assinaram um contrato de arrendamento pelo qual os 385 escravos que tinham trabalhado nas minas de Cata Branca para a Brazilian Mining Company passariam a trabalhar para a St. John d'el Rey até o final de 14 anos de serviço.[17] Ao término do contrato, em 1859, os escravos seriam libertados. Além disso, os que eram menores quando da assinatura do contrato tornar-se-iam livres ao atingirem 21 anos de idade, como o seriam as crianças posteriormente nascidas desses escravos. Mais tarde, em 4 de março de 1846, o contrato foi ratificado e reconhecido no Brasil.[18]

Os 385 escravos incluídos no acordo de Cata Branca não tiveram voz ativa nos contratos de trabalho nem deixaram registro, fosse qual fosse, de suas opiniões. Contudo, através de documentos forenses e da companhia, temos acesso a alguns detalhes demográficos. Dos 309 escravos adultos, 221 eram homens, sendo apenas 88 mulheres. Entre as 76 crianças, a proporção dos sexos se equivalia mais, com 43 meninos e 33 meninas.[19] Os sobrenomes que se encontram no grupo dão bem ideia da diversidade da força de trabalho da St. John d'el Rey. Por exemplo: Helena Congo, Maria Mina, Ignez Creoula, Catharina Benguella, Francisca Cambinda, Josepha Mosambique.[20] Enquanto 149 escravos trabalhavam no interior das minas, 21 trabalhavam nas forjas. As mulheres se ocupavam principalmente como quebradoras, para partir manualmente o minério em pequenos pedaços, e 35 delas se incumbiam desse trabalho, feito também por 20 homens.[21] Os escravos restantes distribuíam-se entre as várias ocupações necessárias em qualquer pequena comunidade – carpinteiros, canteiros, cozinheiras, amas, entre outras.[22] Se os parâmetros da população escrava em geral de Morro Velho aplicarem-se aos escravos de Cata Branca, adolescentes e trabalhadores mais velhos ocupavam-se de "pequenas tarefas e serviço caseiro", enquanto crianças e idosos faziam pouco trabalho.[23]

De acordo com o contrato de 27 de junho de 1845, os escravos de Cata Branca seriam libertados a partir de 1859; contudo, quando da aprovação da Lei Rio Branco em 1871, os escravos permaneciam ainda em cativeiro.[24] A partir de 1872, a St. John d'el Rey viu-se encurralada entre a já mencionada legislação britânica que tornava a posse de escravos ilegal e a Lei Rio Branco. Esta, aprovada em 1871, exigia que os proprietários de escravos registrassem todos os seus trabalhadores escravos. Além disso, uma cláusula acrescentada à Lei Rio Branco, em 8 de junho de 1872, estipulava que nenhum indivíduo com liberdade previamente concedida poderia ser reescravizado.[25] Com esta lei, graves questões surgiram para a St. John d'el Rey Mining Company: como poderiam ser registrados os escravos arrendados da Brazilian Mining Company? A St. John d'el Rey Company não era o proprietário legal desses escravos e não podia assim registrá-los. Mas o dono oficial dos escravos, a Brazilian Mining Company, já não mais existia. Os escravos de Cata Branca, por contrato, estariam livres a partir de 1859. Sua atual situação, como escravos da St. John d'el Rey, poderia ser considerada uma recaída na escravidão, contrariando a Lei Rio Branco?

Premida entre a legislação britânica e a brasileira, a St. John d'el Rey partiu para uma solução complicada. Em 1872, James

Gordon, diretor da St. John d'el Rey e também vice-cônsul da Grã-Bretanha em Minas Gerais, registrou os trabalhadores cativos na Brazilian Mining Company. Somente mais tarde ele obteve uma procuração dos representantes remanescentes (e provavelmente fictícios) da Brazilian Mining Company em Londres para fazer isso.[26] Na realidade, os escravos foram registrados pelo diretor da companhia que os "arrendava" (mas não possuía), em nome de uma extinta companhia que os possuía (mas não empregava). O registro era obviamente fraudulento e a fraude foi percebida.

Após a fraude na matrícula dos escravos, um cidadão chamado Antônio Carlos Rebello Horta denunciou o falso registro ao juiz municipal de Sabará, sob cuja jurisdição estavam as minas de Morro Velho.[27] O juiz, dr. Chassim Drummond, pôs os escravos numa situação de limbo legal, considerando-os "em depósito", o que mudava seu status jurídico, mas em nada alterava sua realidade física. Drummond nomeou o coronel Jacintho Dias da Silva depositário e advogado de defesa dos escravos, e assim teve início oficial o processo que durou cinco anos e acabaria libertando os escravos remanescentes de Cata Branca.[28]

Em 11 de junho de 1877, Silva pleiteou a libertação dos escravos, com base no registro falso de Gordon.[29] Mas o juiz determinou que ele impetrasse uma "acção de liberdade" para oficializar a demanda.[30] A companhia pediu mais tempo para juntar documentos e em 21 de julho, quase um mês depois, apresentou nova prova a seu favor. A St. John d'el Rey alegava que tinha chegado a um novo acordo com a Brazilian Mining Company antes de o contrato de Cata Branca expirar. E apresentou em juízo um segundo contrato, feito supostamente em 27 de junho de 1857, dois anos antes da prevista libertação dos escravos. Segundo a St. John d'el Rey, o novo acordo cancelava a emancipação obrigatória, requerendo apenas que a companhia alforriasse os escravos de Cata Branca na mesma proporção em que ela alforriava anualmente os seus.[31]

Muitos supuseram que o segundo contrato apresentado em juízo pela St. John d'el Rey era uma invenção produzida em 1877 para justificar a retenção dos escravos de Cata Branca.[32] E essa suposição fornece uma simples explicação para o caso: uma companhia britânica, por ganância extrema, mantinha trabalhadores em cativeiro ilegal. Contudo, enquanto o acordo de 27 de junho de 1857 não era registrado em Londres nem no Brasil, os arquivos da companhia contêm discussões entre representantes da St. John d'el Rey e da Brazilian Mining Company por volta dessa data. Em 8 de maio de 1857, John Hockin, que integrava a diretoria da St. John d'el Rey, comunicou a Thomas Walker, então superintendente da companhia em Morro Velho, que "A companhia britânica não oporá obstáculos a seguirmos nosso ponto de vista, se for pela emancipação, antes de expirar o termo, daqueles que forem julgados aptos ou merecedores" e que "a emancipação deveria ser uma recompensa pela boa conduta e só deveriam ser emancipados aqueles cuja conduta prévia seja em certa medida uma garantia de futura boa conduta".[33] Depois, em atas da diretoria da St. John d'el Rey do mesmo mês, um certo Mr. Harding, da Brazilian Mining Company, declarou que "considerava que a emancipação dos negros, que havia sido pensada para ocorrer no fim do acordo, era uma medida totalmente desaconselhável, sob todos os pontos de vista e, em particular, em relação ao próprio bem-estar dos negros".[34] Em 22 de maio de 1857, as atas da diretoria informam ter sido decidido que "a Brazilian Company seja solicitada a autorizá-los a dar emancipação a um número de negros arrendados dela que possa representar igual proporção à daqueles pertencentes a esta companhia que possam ser emancipados".[35] Numa carta de 8 de junho de 1857, Hockin comunica a Walker que cinco escravos de Cata Branca e cinco da St. John d'el Rey "seriam libertados por ano". E aconselha que os escravos libertados fossem "homens ou mulheres que tivessem família, cuja liberdade eles provavelmente estariam ansiosos para comprar... quando a perspectiva de ser capaz de comprar essa liberdade com seus próprios ganhos provavelmente agiria como um estímulo para trabalhar ao menos por algum tempo".[36]

Estes registros mostram que a diretoria da St. John d'el Rey tinha desenvolvido uma estratégia para resolver a contradição entre a preferência por uma força de trabalho livre e as condições que dificultavam reter mão de obra livre. "Recompensando" os escravos que demonstrassem "boa conduta", a companhia justificava a manutenção dos trabalhadores de Cata Branca em escravidão após a expiração do primeiro contrato, encorajando senão criando, no entender deles próprios, uma ética do trabalho livre. A "emancipação gradual", portanto, servia a dois objetivos: garantia uma contínua força de trabalho para a St. John d'el Rey e resolvia quaisquer conflitos morais ou intelectuais pela participação na alforria de escravos e no aperfeiçoamento da ética do trabalho.

Embora a companhia alegasse ter um contrato baseado nessas decisões, ele não foi registrado no Brasil nem na Inglaterra. Não obstante, o contrato apresentado em juízo efetivamente paralisou o caso, de junho de 1877 a setembro de 1879.

A questão só veio a ter ampla publicidade nacional e internacional depois que Joaquim Nabuco dela tomou conhecimento. Já em 1877 a correspondência da St. John Mining Company alude a certas preocupações com uma menção à "desagradável repercussão" na imprensa britânica e sugere até mesmo que o homem que tinha escrito sobre o caso fosse "controlado" e que "alguma coisinha" fosse posta "no caminho dele".[37] Segundo uma carta em *The Rio News*, Charles H. Williams, então diretor de minas em Cocais, "desencavou os documentos condenatórios" e "a brilhante oratória e os apelos humanos [de Nabuco], na Câmara dos Deputados, à Justiça nacional, tornaram esses documentos eficazes". A carta acrescenta que Williams, "em 1879, por engenhoso estratagema numa questão secundária com a Morro Velho Company, descobriu tudo, e imediatamente transmitiu sua informação em pessoa, no Rio, para o exitoso desfecho por diferentes meios, mas sobretudo pela generosa defesa do deputado Nabuco".[38] Numa carta de resposta a Nabuco, Williams declara-se "ansioso para recuperar minha cópia original do contrato que agora está nos autos e que me é recusada até que a sentença seja dada".[39] Através dessas cartas se evidencia que Williams, que também encaminhou a Nabuco correspondência procedente da British and Foreign Anti-Slavery Society, tinha fornecido a Nabuco os documentos necessários para condenar a St. John d'el Rey Mining Company.[40] Nessas atividades, Williams atuou como importante elo entre Nabuco e os abolicionistas britânicos, não somente depois, mas provavelmente também antes da decisão judicial. A relação entre Nabuco e Williams já existia antes de 1880 e foi fundamental para a vitória obtida no processo.

Em 26 de agosto de 1879, Nabuco, armado dos documentos fornecidos por Williams, expôs o caso ao Parlamento, instando o ministro da Justiça para entrar em ação. Nabuco apresentou um requerimento para que o ministério da Justiça informasse à Câmara quem eram os legítimos proprietários dos escravos de Cata Branca, se o governo tinha realmente registro do contrato de 27 de junho de 1845 e que medidas haviam sido tomadas para garantir a liberdade dos escravos e punir quem os mantinha em cativeiro.[41]

Se a resposta do governo a Nabuco tardou, a da imprensa foi imediata. Três dias depois, em 29 de agosto de 1879, *A Província de São Paulo* publicou matéria em que resumia o discurso de Nabuco.[42] A matéria de *The Rio News*, em 5 de setembro de 1879, ocupava a primeira página e continuava na quarta, sendo seguida por outras em quase todos os números do restante de 1879.[43] O *Jornal do Commercio* publicou matérias em 13 e 20 de setembro de 1879, e matérias posteriores sobre o caso de Morro Velho saíram na *Gazeta de Notícias*, *The Anglo-Brazilian Times*, *The London Daily News*, *The New York Times* e *Révue des deux mondes*.[44]

Dos jornais que publicaram relatos do discurso de Nabuco, o mais vigilante foi *The Rio News*. Sediado no Rio de Janeiro e impresso em inglês para leitores anglo-americanos do Brasil e exterior, este jornal publicou os dois contratos apresentados em juízo pela St. John d'el Rey, o segundo discurso de Nabuco no Parlamento e, depois, decisões judiciais e cartas da British and Foreign Anti-Slavery Society dirigidas a Nabuco e as respostas dadas por ele.[45] De fato, *The Rio News* foi tão participante que, quando a St. John d'el Rey resolveu defender-se, ante a nova atenção já dada ao caso, sua estratégia foi rebater não só o discurso parlamentar de Nabuco, mas também os argumentos surgidos neste jornal.[46] A primeira matéria que saiu em *The Rio News* sobre o caso, em 5 de setembro de 1879, até sugere, por entrar em tantos detalhes, que o próprio Nabuco tenha tomado parte em sua publicação.

Além de dar publicidade ao caso, com sua cobertura tão ampla, *The Rio News* pôs seus leitores do Brasil e do exterior em contato direto com documentos relevantes e abriu espaço para um debate público em suas páginas. O jornal juntou mais provas sobre a questão, abordando-a com novos argumentos e por ângulos novos que o próprio Nabuco incorporou ao seu segundo discurso parlamentar sobre o assunto.[47] Esses vínculos estreitos entre Nabuco e a imprensa de língua inglesa não devem ser vistos como coincidência, e sim como estratégia, uma vez que, segundo Bethell e Murilo de Carvalho, "Nabuco tinha plena consciência da importância da opinião internacional, e britânica em particular, sobre a elite brasileira, nela incluído o Imperador".[48]

Nabuco fez um segundo discurso no Parlamento brasileiro em 30 de setembro de 1879, insistindo em seu pedido de informações e acentuando a responsabilidade que tinha o governo brasileiro de agir na questão. Seu discurso "lhe deu notoriedade internacional como defensor dos escravos e o aproximou da Anti-Slavery Society", motivando ao mesmo tempo novas pressões sobre o caso, pressões governamentais e da imprensa, públicas e internacionais.[49] O processo, parado durante quase dois anos, finalmente andou e chegou ao tribunal de Ouro Preto: a sentença de Sabará, em 14 de outubro de 1879, decidiu que os escravos eram livres. Após 34 anos de cativeiro, os trabalhadores remanescentes de Cata Branca, entre os quais Agostinho Mathildes, foram libertados em 9 de dezembro de 1879. Quatro dias depois, matéria do *Rio News* dizia que os escravos eram mantidos ainda em cativeiro, mas o fato é que muitos ficaram em Morro Velho como trabalhadores livres.[50] Dos 385 escravos originários de Cata Branca, restavam apenas 123 na época da sentença de Sabará; a maioria tinha morrido e alguns poucos conquistado a liberdade antes da decisão judicial.[51] Após mais anos de pendência, da primeira instância ao Supremo Tribunal, finalmente a companhia pagou uma quantia não especificada de salários atrasados em 14 de abril de 1882.[52] Em 8 de abril de 1880, Nabuco respondeu às congratulações enviadas por Charles H. Allen, secretário da British and Foreign Anti-Slavery Society, declarando que ele "tinha apenas em vista chamar a atenção do país para aquele conluio escandaloso e lhe dar a maior publicidade possível".[53]

Após a sentença de Sabará, Nabuco continuou atuante na questão de Morro Velho, mantendo-se em contato com a British and Foreign Anti-Slavery Society em Londres. Em janeiro de 1882, ele escreveu a Edmund Sturge, secretário honorário da entidade, pedindo uma informação sobre a "extinta Companhia Cata Branca" que "o representante dos Negros contra a Companhia Morro Velho quer saber".[54] De novembro de 1881 a fevereiro de 1882, várias cartas foram trocadas entre Nabuco e a Anti-Slavery Society como preparativos para um processo criminal em Londres. Essa correspondência entre Nabuco e os abolicionistas britânicos demonstra não só que ele continuava a usar suas ligações com a British and Foreign Anti-Slavery Society para obter documentos para a questão de Morro Velho, mas também que a entidade solicitava documentação e informações para instaurar um processo criminal contra a St. John d'el Rey na Inglaterra.[55]

Segundo Bethell e Murilo de Carvalho, "O contato entre eles [Nabuco e a British and Foreign Anti-Slavery Society] significou uma parceria buscada conscientemente por Nabuco com a finalidade de expandir a arena da luta para o cenário internacional".[56] Nabuco sabia da existência dessa entidade muito antes da questão de Morro Velho – ajudara seu pai a traduzir publicações da mesma, quando jovem –, mas tal questão deu-lhe a oportunidade de manter ligações bem próximas com a Anti-Slavery, em cujo modelo baseou-se a Sociedade Brasileira contra a Escravidão e com a qual ele trabalhou ainda mais intimamente quando de seu retorno a Londres em 1881.[57] Por outro lado, o contato com Nabuco deu à British and

Foreign Anti-Slavery Society a oportunidade de agir contra o arrendamento de trabalhadores escravos por mineradoras britânicas de Minas Gerais, questão de há muito em seu radar.[58]

Nabuco tinha grande admiração pelo "espírito inglês", que ele definiu como "a norma tácita de conduta a que a Inglaterra toda parece obedecer, o centro de inspiração moral que governa todos os seus movimentos".[59] Na compreensão de Nabuco, o abolicionismo e o espírito inglês ligavam-se intrinsecamente, pois a abolição era "uma reforma que o espírito inglês anteporia a todas as outras por toda ordem de sentimento".[60]

Mas, apesar de seu profundo respeito pela Inglaterra e a sociedade britânica, Nabuco não denotou ambivalência nem ansiedade em sua defesa dos escravos de Cata Branca contra a St. John d'el Rey Mining Company, uma empresa britânica. De fato, ele afirmou que estava prestando um serviço não somente aos escravos e ao Brasil, mas também à Coroa da Grã-Bretanha. Em seu discurso parlamentar de 26 de setembro de 1879, Nabuco declarou que o mais curioso sobre o caso, para ele, não era a falta de envolvimento do governo brasileiro, e sim o interesse da nação inglesa. Disse Nabuco: "... o governo inglês deseja poder obter por qualquer forma a liberdade desses infelizes, que até hoje não pôde ser obtida das justiças brasileiras".[61] Mais tarde, em sua carta de 8 de abril de 1880 a Allen, da British and Foreign Anti-Slavery Society, Nabuco escreveu:

> O fato de uma grande companhia inglesa se ter prestado durante 20 anos a ser o instrumento principal da escravidão ilegal de centenas de homens cuja liberdade havia sido solenemente prometida por um contrato público em nenhum outro lugar poderia ter suscitado mais indignação do que na Inglaterra. É por essa razão que a S. João Del Rey Mining Company e seus cúmplices nunca tiveram adversários mais constantes e mais intransigentes do que os representantes de Sua Majestade Britânica no Brasil. Estava perfeitamente cien-

te de que prestava um serviço tanto à nação inglesa quanto aos escravos do Morro Velho quando denunciei a espoliação da liberdade humana perpetrada por importante empresa de mineração de ouro da América do Sul sob a proteção da bandeira britânica.[62]

No Parlamento brasileiro, Nabuco tinha falado da St. John d'el Rey como uma companhia estrangeira que deixara de cumprir um contrato registrado pela lei brasileira. Mas, se apelara para a lei brasileira em defesa do caso, Nabuco, nesta carta à British and Foreign Anti-Slavery Society, apresenta-se como um representante do espírito inglês do abolicionismo.

Nabuco reconheceu que a importância da questão de Morro Velho transcendia a de uma batalha legal à parte – o caso foi importante em seu próprio desenrolar e no contexto do movimento abolicionista no Brasil. Como parte de sua campanha eleitoral para representar o distrito de Recife (1º distrito de Pernambuco), em 16 de novembro de 1884 Nabuco fez um discurso no Teatro Santa Isabel no qual citou a questão de Morro Velho entre suas vitórias como político e abolicionista. Valeu-se da ocasião para desfazer a ideia de que sua aliança com a British and Foreign Anti-Slavery Society tivesse sido conduzida para "difamar o Brasil", bem como para enfatizar que o caso era contra uma companhia de propriedade britânica, antes de descrever o papel que então lhe coube. Nabuco diz neste discurso que era aliado dos abolicionistas britânicos contra a escravidão em qualquer país, inclusive o Brasil. Em suas próprias palavras: "Eu penso e sinto como ela [a British and Foreign Anti-Slavery Society]; sou inimigo da escravidão em todas as partes do mundo, e muito mais do que em qualquer outra no meu próprio país".[63]

O caso de Morro Velho revigorou o espírito abolicionista de Nabuco, e também o do jornal *The Rio News*. Antes do caso, a escravidão raramente era mencionada em suas páginas. Mas, após a publicação das primeiras matérias sobre a St. John d'el Rey, no último trimestre de 1879, *The Rio News* começou a dar regularmente editoriais sobre escravidão e abolição no Brasil, apresentando casos, argumentos e estatísticas a seus leitores. Matérias intituladas "The Emancipation Law", "The Emancipation Question", "Slave Population of Brazil", "Slavery Notes" e "Slavery in Brazil" saíram regularmente nas páginas desse jornal a partir de 1880, bem como notícias sobre "brutalidades" contra escravos que "algum dia hão de oprimir o povo que as permite".[64]

Atuando com base nas informações e documentos obtidos pela cooperação com Charles H. Williams em 1879 e depois através de Charles H. Allen e Edmund Sturge, da British and Foreign Anti-Slavery Society, Nabuco proporcionou amparo legal a um caso estagnado e em risco de desaparecimento. Além disso, seus discursos no Parlamento e a cooperação com a imprensa trouxeram à luz do dia uma questão que antes estava abafada. A importância dessa batalha legal e das relações que por ela se forjaram transcende, porém, o caso de Morro Velho, pois em seu bojo a abolição no Brasil foi trazida a um debate público em nível internacional, com Nabuco como seu reconhecido representante.

É difícil imaginar que um simples defensor público de Minas Gerais fosse capaz de enfrentar um caso contra uma das mais bem-sucedidas empresas britânicas na América Latina. Jacintho Dias da Silva, o advogado dos escravos de Cata Branca, bem sabia dos desafios que tinha pela frente, tanto que pareceu surpreender-se com a vitória dos escravos sobre a "soberba dos britânicos" e a "arrogância do dinheiro". Mais tarde ele declarou que o caso dos escravos de Cata Branca deveria servir como lembrete para "manter a propriedade de seu trabalho, contra quem quer que se apresente contra ela, não importa quão poderosos sejam eles".[65] A luta pelo caso, que pôs a abolição em debate em fóruns públicos, contou com dedicação, legislação sólida e tribunais honestos, mas não prescindiu da publicidade e pressão que Joaquim Nabuco lhe proporcionou, pelo apoio prático e os documentos obtidos por suas ligações com abolicionistas britânicos no Brasil e no exterior.

NOTAS

1 Agradeço à Tinker Foundation e ao Centro de Estudos Latino-americanos da Vanderbilt University por seu generoso apoio a este projeto de pesquisa. Expresso ainda minha gratidão a Marshall C. Eakin, Jane Landers, Celso Castilho, Paula Covington e aos participantes do evento "Nabuco and Madison" por partilharem seu conhecimento, críticas, sugestões e, no caso de Marshall, os arquivos pessoais. Sua generosidade é inspiradora.

2 *Superintendent's Diary*, St. John d'el Rey Company Limited, Nova Lima, October 23, 1877. Em notas seguintes, St. John d'el Rey Company Limited será abreviada como SJDR e Nova Lima como NL.

3 Leslie Bethell e José Murilo de Carvalho (orgs.), *Joaquim Nabuco e os abolicionistas britânicos: Correspondência 1880–1905*. Rio de Janeiro: Topbooks, 2008, 24 e 26.

4 Joaquim Nabuco, "Terceira conferência", in *O Abolicionismo*. Obras completas, vol. 7–8. São Paulo: Instituto Progresso Editorial, 1949, 319; Thomas E. Skidmore, *Black into White: Race and Nationality in Brazilian Thought*. Nova York: Oxford University Press, 1974, 20.

5 Para mais informações sobre a St. John d'el Rey Mining Company, ver Marshall C. Eakin, *British Enterprise in Brazil: The St. John d'el Rey Mining Company and the Morro Velho Mine, 1830–1960* Durham: Duke University Press, 1989; Marshall C. Eakin, "Business Imperialism and British Enterprise in Brazil", *Hispanic American Historical Review* 66:4 (1986), 697–741; e Douglas Cole Libby, *Trabalho escravo e capital estrangeiro no Brasil: o caso de Morro Velho*. Belo Horizonte: Itatiaia, 1984.

6 Bethell e Murilo de Carvalho, 13. Uma seleção destas cartas apareceu previamente in Joaquim Nabuco, *Cartas aos abolicionistas ingleses*, (org.) José Thomaz Nabuco. Recife: FUNDAJ, Editora Massangana, 1985. José Thomaz Nabuco publicou também excertos e comentário das cartas in José Thomaz Nabuco, "Nabuco e os abolicionistas ingleses" e "Os escravos do Morro Velho", in *O arresto do Windhuk*. Rio de Janeiro: Bem-Te-Vi, 2003, 54–57 e 58–62, respectivamente.

7 Richard Graham, "A Inglaterra e os abolicionistas brasileiros", in *Escravidão, reforma e imperialismo*, trad. Luiz João Caio. São Paulo: Perspectiva, 1979, 147–160.

8 Eakin, *British Enterprise...*, 16. Libby se refere à St. John d'el Rey como "... um dos mais lucrativos empreendimentos realizados na América Latina no século XIX", Libby, 31.

9 Eakin, *British Enterprise...*, 24–26 e 67–68.

10 Ibid., 27–32, e Libby, 92. A citação provém de Libby.

11 Eakin, *British Enterprise...*, 33.

12 Libby, 60.

13 Este ato diz respeito à 6ª e 7ª Victoriae, capítulo 98, seção 3. Referência a ele encontra-se em Great Britain, Foreign and Commonwealth Office, *British and foreign papers*, v. 158 (HMSO, 1879), 409. A UK Statute Law Database lista em seu site, com emendas, o excerto ao qual aqui se alude. Office of Public Sector Information, "Slave Trade Act 1843", *The UK Statute Law Database*; disponível em http://www.opsi.gov.uk/RevisedStatutes/Acts/ukpga/1843/cukpga_18430098_en_1; Internet; acessado em 25 de agosto de 2009.

14 Para mais detalhes sobre o Aberdeen Act, ver David Baronov, *The Abolition of Slavery in Brazil: The "Liberation" of Africans through the Emancipation of Capital*. Westport: Greenwood Press, 2000, 152, e Richard Graham, *Britain and the Onset of Modernization in Brazil 1850–1914*. Cambridge: Cambridge University Press, 1968, 163.

15 Sobre o arrendamento de escravos, ver Libby, 94.

16 Eakin, *British Enterprise...*, 19 e 34; Libby, 62.

17 Fontes primárias e secundárias sobre este assunto muitas vezes levam a confusão quanto a dois pontos básicos: nomes e números. Usarei os seguintes termos: St. John d'el Rey, Brazilian Mining Company, escravos de Cata Branca e caso ou questão de Morro Velho. Há também certa confusão em relação ao número de escravos originalmente cedidos por

contrato pela Brazilian Mining Company e ao número de escravos que foram finalmente libertos. Este estudo se refere ao número oficial corroborado pelo contrato e outros documentos da companhia.

18 Jacintho Dias da Silva, *O Supremo Tribunal pela verdade, e a justiça. Victoria dos pobres ex-escravos da extincta companhia Catta-Branca contra a prepotente companhia S. João D'el Rei (Morro Velho).* Rio de Janeiro: Typographia Perseverança, 1881; Public Records Division of British Foreign Office (FO), 131/18, 286, contém o texto completo do contrato original; também um recorte de um jornal "fluminense" não identificado e matéria do *Anglo-Brazilian Times* encontrada em FO 131/18, 441. O contrato original foi publicado também em "Illegal Slavery", *The Rio News*, Ano VI, nº 22 (5 de setembro de 1879), 1.

19 Isto de acordo com o contrato original citado na nota anterior.

20 Estes nomes se encontram no documento intitulado "Relação de todos os pretos da Companhia da Cata Branca; os existentes no Morro Velho, e os já falecidos e libertados desde 1º de janeiro de 1860", em FO 131/18, 210–220. Note-se que todas estas mulheres, com a exceção de Josepha Mosambique, morreram no cativeiro após 1860, quando, por qualquer cálculo, já deveriam ter obtido sua liberdade.

21 Eakin, *British Enterprise...*, 196.

22 Isto de acordo com o contrato original reimpresso em Silva, FO 131/18, 287–291.

23 Eakin, *British Enterprise...*, 196. Para mais informação sobre a vida dos escravos nas minas de Morro Velho, ver ibid., 196–202; e Richard F. Burton, *Explorations of the Highlands of the Brazil; A Full Account of the Gold and Diamond Mines. Also, Canoeing down 1500 Miles of the Great River Sao Francisco, from Sabara to the Sea.* Londres: Tinsley Brothers, 1869, 221–278.

24 A data para a liberdade legal dos escravos de Cata Branca, ao longo dos documentos consultados, varia de 1859 para 1860. Os escravos teriam de ser libertados em 1859, contando-se 14 anos a partir da data em que o contrato foi assinado em Londres; mas teriam de ser libertados em 1860, contando-se 14 anos a partir da data em que o contrato foi registrado no Brasil. Estas datas presumidas tornam-se mais importantes

nos últimos anos do processo legal, quando a St. John d'el Rey e os juízes discutem sobre a partir de que data salários deveriam ser pagos. Nestas últimas disputas, um ano adicional se acrescenta ao debate – o da decisão de 1879, quando os escravos foram declarados livres.

25 Robert Edgar Conrad, *The Destruction of Brazilian Slavery, 1850–1888*. Malabar: Krieger, 1993, 75. Para mais detalhes sobre a Lei Rio Branco e seus efeitos, ver Conrad, 64–83.

26 John Hockin, St. John d'el Rey Mining Company Limited, *Memorandum in Regard to the Original Agreement Between the Brazilian (Cata Branca) and the St. John D'El Rey Companies and its Renewal*. FO 131/18, 169; e conforme o discurso de Ignacio Martins na "Sessão de 26 de Agosto de 1879", FO 131/18, 185.

27 Conforme o discurso de Ignacio Martins na "Sessão em 26 de Agosto de 1879", in *Annaes do Parlamento Brazileiro. Câmara dos Srs. Deputados. Segundo Anno da Décima-sétima legislatura, Sessão de 1879, tomo iv*. Rio de Janeiro: Typographia Nacional, 1879, 186. Martins não dá o ano nem data em que Carlos Rebello Horta fez a denúncia, nem especifica um título ou a condição deste homem.

28 Ibid., idem. Confirmado in *Superintendent's Diary*, SJDR/NL, June 14, 1877.

29 Sentença de Sabará em 14 de outubro de 1879, em matéria do *Anglo Brazilian Times*, FO 131/18, 441.

30 Ignacio Martins em "Sessão de 26 de Agosto de 1879", 186.

31 Sentença de Sabará em 14 de outubro de 1879, FO 131/18, 20–28; reimpressa em inglês em matéria do *Anglo-Brazilian Times*, FO 131/18, 441, e no *Rio News*, Ano VI, nº 25 (5 de outubro de 1879), 2. Segundo Eakin, *British Enterprise*, 35, a St. John d'el Rey tinha fixado uma meta de emancipar por ano vinte de seus próprios escravos – dez no Dia de São João e dez no Natal, com uma elaborada cerimônia para cada feriado de emancipação.

32 Essas suposições foram expressas nos debates parlamentares de Nabuco, como também na decisão judicial de Sabará em 1879, FO 131/18, 441.

33 John Hockin to Thomas Walker, SJDR/NL, May 8, 1857.

34 Board minutes, SJDR, University of Texas (UT), v. 3, May 18, 1857.

35 Board minutes, SJDR/UT, v. 3, May 22, 1857

36 John Hockin to Thomas Walker, SJDR/NL, June 8, 1857.

37 John Hockin to Pearson Morrison, July 6, 1877, SJDR/NL. No debate parlamentar de 26 de agosto de 1879 sobre a questão de Morro Velho, o sr. Ignacio Martins menciona matéria do *Jornal do Commercio* que (supostamente) já motivara averiguações por parte do governo após o caso ficar estagnado. Não está claro se há relação entre as matérias.

38 R.H. Gunning, "The Catta Branca Blacks", *The Rio News*, Ano VII, nº 15, 2. Esta carta integra uma série de comunicações publicada em *The Rio News* sobre uma controvérsia que surgiu quando um certo reverendo E. Vanorden da Brazilian Christian Mission do Rio Grande do Sul escreveu que o dr. Gunning era o responsável por libertar os escravos de Cata Branca. *The Rio News* publicou as palavras de Vanorden e questionou o papel de Gunning. Este escreveu ao jornal para dar crédito a Williams e Nabuco. Outros leitores escreveram cartas adicionais defendendo ou criticando o dr. Gunning. Cartas referentes à controvérsia encontram-se nos números de 15 de maio de 1880 (nº 14, 4), 24 de maio de 1880 (nº 15, 2), 5 de junho de 1880 (nº 16, 1), 24 de junho de 1880 (nº 18, 1) e 15 de julho de 1880 (nº 20, 1). Enquanto o papel de Gunning foi negado (por ele mesmo e por outros), o papel de Williams e Nabuco foi sustentado por todos.

39 Charles Williams, "Carta 4: Williams a Nabuco, 9 de agosto de 1880", in Bethell e Murilo de Carvalho, 65.

40 Charles Williams enviou uma carta anterior a Nabuco na qual encaminha cópia de uma resolução aprovada pela British and Foreign Anti-Slavery Society, tal como solicitado por esta. Charles Williams, "Carta 2: Williams a Nabuco, 14 de fevereiro de 1880", in Bethell e Murilo de Carvalho, 53.

41 Sessão em 26 de Agosto de 1879", 182–187.

42 "A velhacada da companhia Morro Velho", *A Província de São Paulo* (29 de agosto de 1879), 2. *A Província de São Paulo* continuou a publicar matérias sobre o caso em 1881 e 1882.

43 A primeira matéria a aparecer foi "Illegal Slavery", *The Rio News*, Ano VI, nº 22 (5 de setembro de 1879), 1. Há matérias subsequentes incluídas nos seguintes números (com seus títulos, quando dados): nº 23 (15 de setembro de 1879), 2; "Illegal Slavery", nº 24 (24 de setembro de 1879), 1; duas matérias no nº 25 (5 de outubro de 1879), 2; "The Morro Velho Slaves", nº 26 (15 de outubro de 1879), 1; duas matérias no nº 27 (24 de outubro de 1879), 2 e 4; nº 28 (5 de novembro de 1879), 2; "The Judgement in Favor of the Catta Branca Blacks" e matéria sem título no nº 31 (5 de dezembro de 1879), 1 e 4. *The Rio News* continuou acompanhando o caso até 1883.

44 Uma matéria de *A Província de São Paulo*, Ano VII, nº 2.183, cita outra da *Gazeta*. As publicadas no *Jornal do Commercio* foram reimpressas em *The Rio News*, Ano VI, nº 23 (15 de setembro de 1879), 2, e nº 25 (5 de outubro de 1879), 2. Uma matéria de *The London Daily News* foi reimpressa em *The Rio News*, Ano IX (22 de julho de 1882), 3. A matéria "Slavery in Brazil", *The New York Times* (30 de julho de 1882), 9, reimprime parte de outra do *Anglo-Brazilian Times*. A referência à *Révue des deux mondes* provém de Bethell e Murilo de Carvalho, 22.

45 O primeiro contrato foi publicado na primeira matéria sobre o assunto em *The Rio News* em 5 de setembro de 1879, enquanto o segundo foi impresso no número de 5 de outubro de 1879. O segundo discurso de Nabuco saiu no número de 15 de outubro de 1879. A decisão judicial de Sabará está publicada no número de 5 de dezembro de 1879, e cartas de e para Charles H. Allen, da British and Foreign Anti-Slavery Society, aparecem nos números de 15 de maio de 1880 ("A Well-Earned Recognition", Ano VII, nº 8, 1) e de 24 de abril de 1880 ("Sr. Joaquim Nabuco and the Anti-Slavery Society", Ano VII, nº 13, 1).

46 A primeira defesa da companhia saiu no *Jornal do Commercio* de 13 de setembro de 1879 e foi reimpressa em *The Rio News* de 15 de setembro de 1879. Nabuco também menciona a resposta da St. John d'el Rey a ele próprio e ao *The Rio News* no debate parlamentar de 30 de setembro de 1879. "Sessão em 30 de Setembro de 1879), in *Annaes do Parlamento Brazileiro. Câmara dos Srs. Deputados. Segundo Anno da Décima-sétima legislatura, Prorrogação da Sessão de 1879 (Comprehendida a sessão extraordinária convocada em 30 de Outubro)*, tomo V (Rio de Janeiro: Typographia Nacional, 1879), 256.

47 Por exemplo: no número de 5 de setembro de 1879 de *The Rio News* é feita menção a documentos de emancipação para alguns escravos de Cata

Branca assinados por funcionários da St. John d'el Rey (e não da Brazilian Mining Company), que justificaram suas assinaturas alegando que a Brazilian Mining Company estava "extinta". Nabuco incorporou este argumento em seu discurso de 30 de setembro de 1879, 257.

48 Bethell e Murilo de Carvalho, 35.

49 Ibid., 22.

50 *Sabará sentence of October 14, 1879*, FO 131/18, 20–28; também em inglês em matéria no *Anglo-Brazilian Times*, FO 131/18, 441; *Superintendent's Diary*, SJDR/NL, December 9, 1879. Os que agora eram trabalhadores livres podiam escolher entre continuar em casas da companhia, ganhando baixos salários, ou sair de seus terrenos para ir viver entre os trabalhadores livres fora das minas. Segundo correspondência da companhia, muitos dos escravos preferiram permanecer em sua força de trabalho. John Hockin to Pearson Morrison, SJDR/NL, February 23, 1880. A matéria do *Anglo-Brazilian Times*, reimpressa em *The New York Times* de 30 de julho de 1882, afirma que "... quase todos os negros libertados pela companhia, bem como os libertados pela Catta-Branca Company, estão vivendo agora na propriedade da St. John d'el Rey Company e trabalhando a serviço dela", 9.

51 A própria sentença declara que restavam 123 trabalhadores; a lista final de escravos "existentes" ou que tinham sido libertados ou morrido após 1º de janeiro de 1860 relaciona apenas 122 escravos vivos. O mesmo documento relaciona 161 escravos que tinham morrido e 51 que tinham sido libertados desde 1860. Os escravos restantes ou morreram ou foram libertados antes de 1860. FO 131/18, 210–220.

52 *Superintendent's Diary*, SJDR/NL, April 14, 1882. O andamento e decisão no Supremo Tribunal estão sintetizados em cartas de Nabuco a Charles H. Allen in Joaquim Nabuco, "Carta 19: Nabuco a Allen, 23 de fevereiro de 1881", in Bethell e Murilo de Carvalho, 113–114, e "Carta 31: Nabuco a Allen, 16 de julho de 1882", in ibid., 151.

53 Joaquim Nabuco, "Carta 3: Nabuco a Allen, 8 de abril de 1880", in ibid., 55.

54 Joaquim Nabuco, "Carta 25: Nabuco a Sturge, 23 de janeiro de 1882", in ibid., 133.

55 Refiro-me aqui às seguintes cartas in Bethell e Murilo de Carvalho: "Carta 20: Allen a Nabuco, 22 de novembro de 1881", 118–121; "Carta 23: Nabuco a Allen, quinta-feira [janeiro de 1882]", 128–129; "Carta 27: Sturge a Nabuco, 24 de fevereiro, 1882", 140–141. Após a decisão do Supremo Tribunal para remunerar os escravos de Cata Branca, a hipótese de um processo criminal em Londres desaparece na correspondência. A matéria do *London Daily News* reimpressa no *Rio News* de 24 de julho de 1882 declara que, "por alguma razão, que sem dúvida será explicada, eles [o governo britânico] decidiram finalmente que não irão abrir processo".

56 Bethell e Murilo de Carvalho, 13.

57 Ibid., 13 e 23; "Carta 7: Sociedade Brasileira Contra a Escravidão à British and Foreign Anti-Slavery Society, 20 de dezembro [de 1880]", in ibid., 74–77; Cartas 8 a 16, in ibid., 78–105, referem-se a essa mesma época.

58 Esta preocupação é mencionada in *Proceedings of the General Anti-Slavery Convention, Called by the Committee of the Bristish and Foreign Anti-Slavery Society, and Held in London, from Friday, June 12th to Tuesday, June 23rd, 1840*. Londres: British and Foreign Anti-Slavery Society, 1841, 516–518.

59 Joaquim Nabuco, *Minha formação* [1900]. Rio de Janeiro: Edições de Ouro, 1966, 135.

60 Ibid., 139.

61 "Sessão em 26 de Agosto de 1879", 183.

62 "Carta 3", in Bethell e Murilo de Carvalho, 55.

63 Joaquim Nabuco, "Terceira conferência", 318–320.

64 A citação é de *The Rio News*, Ano VII, nº 15 (24 de maio de 1880). Em 1880, entre os números que trazem matérias sobre escravidão e abolição estão (não se limitando a estes): 2, 13, 26, 27, 28, 29, 31, 32, 35 e 36.

65 Silva, FO 131/18, 271–298.

BIBLIOGRAFIA

Fontes Primárias
Arquivos, instituições e bancos de dados

Saint John d'el Rey Company Limited, Nova Lima
Saint John d'el Rey Company Limited, University of Texas
British Foreign Office, Public Records Division
UK Statute Law Database

Jornais e revistas

The Anglo-Brazilian Times
The London Daily News
New York Times
A Província de São Paulo
The Rio News

Fontes primárias publicadas

Annaes do Parlamento Brazileiro, Câmara dos Srs. Deputados. Segundo Anno da Décima-sétima legislatura, Sessão de 1879, tomo IV. Rio de Janeiro: Typographia Nacional, 1879.

Annaes do Parlamento Brazileiro. Câmara dos Srs. Deputados. Segundo Anno da Décima-sétima legislatura, Prorogação da Sessão de 1879 (Comprehendida a sessão extraordinaria convocada em 30 de Outubro), tomo V. Rio de Janeiro: Typographia Nacional, 1879.

BETHELL, Leslie e CARVALHO, José Murilo de (orgs.), *Joaquim Nabuco e os abolicionistas britânicos: Correspondência 1880–1905*. Rio de Janeiro: Topbooks, 2008.

BURTON, Richard F. *Explorations of the Highlands of Brazil; A Full Account of the Gold and Diamond Mines. Also, Canoeing down 1500 Miles of the Great River Sao Francisco, from Sabara to the Sea.* Londres: Tinsley Brothers, 1869.

GREAT BRITAIN, Foreign and Commonwealth Office, *British and foreign state papers*, v. 158. HMSO: 1879.

NABUCO, Joaquim. *O Abolicionismo: obras completas*, vols. 7–8. São Paulo: Instituto Progresso Editorial, 1949.

____. *Minha formação* [1900]. Rio de Janeiro: Edições de Ouro, 1966.

NABUCO, José Thomaz (org.), *Cartas aos abolicionistas ingleses*. Recife: Fundaj, Editora Massangana, 1985.

Proceedings of the General Anti-Slavery Convention, Called by the Committee of the British and Foreign Anti-Slavery Society, and Held in London, from Friday, June 12th to Tuesday, June 23rd, 1840. Londres: British and Foreign Anti-Slavery Society, 1841.

Fontes Secundárias

BARONOV, David. *The Abolition of Slavery in Brazil: The "Liberation" of Africans through the Emancipation of Capital*. Westport: Greenwood Press, 2000.

BETHELL, Leslie e CARVALHO, José Murilo de. "Introdução." In *Joaquim Nabuco e os abolicionistas Britânicos: Correspondência 1880–1905*. Leslie Bethell e José Murilo de Carvalho (orgs.), 13–43. Rio de Janeiro: Topbooks, 2008.

CONRAD, Robert Edgar. *The Destruction of Brazilian Slavery, 1850–1888*. Malabar: Krieger, 1993.

EAKIN, Marshall C. *British Enterprise in Brazil: The St. John d'el Rey Mining Company and the Morro Velho Gold Mine, 1830–1960*. Durham: Duke University Press, 1989.

_____. "Business Imperialism and British Enterprise in Brazil." *Hispanic American Historical Review* 66:4 (1986), 697–741.

GRAHAM, Richard. *Britain and the Onset of Modernization in Brazil 1850–1914*. Cambridge: Cambridge University Press, 1968.

_____. "A Inglaterra e os abolicionistas brasileiros." In *Escravidão, reforma e imperialismo*, trad. Luiz João Caio, 147–160. São Paulo: Perspectiva, 1979.

LIBBY, Douglas Cole. *Trabalho escravo e capital estrangeiro no Brasil: o caso de Morro Velho*. Belo Horizonte: Itatiaia, 1984.

NABUCO, José Thomaz. *O arresto de Windhuk*. Rio de Janeiro: Bem-Te-Vi, 2003.

ROCHA, Antonio Penalves. *Abolicionistas brasileiros e ingleses: A coligação entre Joaquim Nabuco e a British and Foreign Anti-Slavery Society (1880–1902)*. São Paulo: Editora da Unesp, 2009.

SKIDMORE, Thomas. *Black into White: Race and Nationality in Brazilian Thought*. Nova York: Oxford University Press, 1974.

ÍNDICE ONOMÁSTICO

Este livro foi composto em tipos Californian FB e impresso
em julho de 2010 para a editora Bem-Te-Vi Produções
Literárias Ltda. em papel Pólen 120 g/m² com tiragem de
2.000 exemplares pela Editora Gráficos Burti Ltda.

CIP-BRASIL. CATALOGAÇÃO-NA-FONTE
SINDICATO NACIONAL DOS EDITORES DE LIVROS, RJ

J58

Conferências sobre Joaquim Nabuco : Joaquim Nabuco e Wisconsin / organização Severino J. Albuquerque ; [responsável pela tradução Leonardo Fróes]. - Rio de Janeiro : Bem-Te-Vi, 2010.

Conferências em homenagem a Joaquim Nabuco, realizadas nos dias 24 e 25 de abril de 2009, na Universidade de Wisconsin (UW), na cidade de Madison

Inclui bibliografia

ISBN 978-85-88747-34-0

1. Nabuco, Joaquim, 1849-1910 - Oratória. 2. Nabuco, Joaquim, 1849-1910 - Congressos. 3. Estadistas - Brasil. I. Albuquerque, Severino João Medeiros, 1952-. II. Título: Joaquim Nabuco e Wisconsin.

10-2474. CDD: 923.281
CDD: 929:32(81)

27.05.10 04.06.10 019407